Oscar bestsellers

MARGARET MAZZANTINI

NON TI MUOVERE

OSCAR MONDADORI

© 2001 Arnoldo Mondadori Editore S.p.A., Milano

I edizione Scrittori italiani e stranieri ottobre 2001
I edizione Oscar bestsellers novembre 2004

ISBN 88-04-53658-6

**Questo volume stato stampato
presso Mondadori Printing S.p.A.
Stabilimento NSM - Cles (TN)
Stampato in Italia - Printed in Italy**

Ristampe:

5   6   7   8   9   10   11   12

2006   2007   2008   2009

www.librimondadori.it

Non ti muovere

A Sergio

Non hai rispettato lo stop. Sei passata in volata con la tua giacca di finto lupo, gli auricolari del walkman pressati nelle orecchie. Aveva appena piovuto, e presto sarebbe tornato a piovere. Oltre le ultime fronde dei platani, oltre le antenne, gli storni affollavano la luce cinerea, folate di piume e garriti, chiazze nere che oscillavano, si sfioravano senza ferirsi, poi si aprivano, si sperdevano, prima di tornare a serrarsi in un altro volo. In basso, i passanti avevano il giornale o anche solo le mani sulla testa per proteggersi dalla grandine di sterco che pioveva dal cielo e s'accumulava sull'asfalto insieme alle foglie bagnate cadute dagli alberi, spargendo in giro un odore dolciastro e opprimente che tutti avevano fretta di lasciarsi alle spalle.

Sei arrivata dal fondo del viale, in volata verso l'incrocio. Ce l'avevi quasi fatta, e quello della macchina ce l'aveva quasi fatta a schivarti. Ma c'era fango per terra, guano oleoso di storni in raduno. Le ruote della macchina hanno slittato dentro quella crosta sdrucciolevole, poco, ma quel poco è bastato a sfiorare il tuo scooter. Sei andata su verso gli uccelli e sei tornata giù dentro la loro merda, e insieme a te è tornato il tuo zaino con gli adesivi. Due dei tuoi quaderni sono finiti al limite del marciapiede in una pozzanghera d'acqua nera. Il casco è rimbalzato sulla strada come una testa vuota, non l'avevi agganciato. I passi di qualcuno ti hanno subito raggiunta. Avevi gli occhi aperti, la bocca sporca, senza più incisivi. L'asfalto ti era entrato nella pelle, punteggiandoti le guance come la barba di un uomo. La musica si era interrotta, gli auricolari del walkman erano scivolati dentro i tuoi capelli. L'uomo della macchina ha lasciato lo sportello spalancato ed è venuto verso di te, ha guardato la tua fronte aperta e si è portato le mani in tasca per cercare il cellulare, lo ha trovato, ma gli è caduto dalle mani. Un ragazzo lo ha raccolto, è stato lui a chiamare i primi soccorsi. Intanto il traffico s'era fermato. C'era quella macchina di traverso sulle rotaie e il tram non poteva passare. L'autista è sceso, sono scesi in molti, e hanno camminato verso di te. Gente che non avevi mai visto ti ha sfiorato con lo sguardo. Un piccolo gemito ti è uscito dalle labbra insieme a un bozzolo di schiuma rosata, mentre te ne andavi dalla vita vigile. C'era traffico, l'ambulanza ha tardato. Tu non avevi più fretta. Eri ferma dentro la tua giacca di pelo come un uccello senza vento.

Poi hanno scavalcato il traffico con le sirene spiegate. Le macchine si sono strette contro il guardrail, hanno sconfinato oltre il marciapiede sul lungo fiume, mentre la bottiglia della fisiologica ballava sulla tua testa, e una mano lasciava e stringeva il pallone azzurro del va e vieni per pomparti il respiro nei polmoni. Al pronto soccorso la rianimatrice che ti ha preso in consegna ti ha spinto un dito tra mandibola e osso ioide, in un punto del dolore. Il tuo corpo ha reagito troppo lievemente. Ha preso delle garze e ti ha pulito il sangue che scendeva dalla fronte. Ti ha guardato le pupille, erano immobili e dissimili. Il respiro era bradipnoico. Ti hanno infilato in bocca una cannula di Guedel, per riposizionarti la lingua che era scivolata all'indietro, poi hanno inserito il sondino dell'aspirazione. Hanno tirato su sangue, catrame, muco, e un dente. Ti hanno attaccato la clip del saturimetro al dito per misurare l'ossigenazione del sangue, la percentuale di ossiemoglobina era troppo bassa: ottantacinque per cento. Allora ti hanno intubata. La lama del laringoscopio ti è scivolata in bocca con la sua luce algida. È entrato un infermiere spingendo la colonna del monitoraggio cardiaco, ha infilato la spina ma la macchina non è partita. Le ha dato un colpo, un piccolo colpo di lato, e il monitor s'è acceso. Ti hanno alzato la maglietta, ti hanno premuto sul petto le ventose degli elettrodi. Hai aspettato un po' perché la sala TAC non era libera, poi ti hanno infilato nel tunnel di irradiazione. Il trauma era nella zona temporale. Oltre il vetro, la rianimatrice ha chiesto al radiologo di fare nuove sezioni, più ravvicinate. Hanno visto la profondità e l'estensione dell'ematoma fuori dal parenchima cerebrale. L'ematoma da contraccolpo, se c'era, non era ancora visibile. Ma non ti hanno mandato in vena il mezzo di contrasto, temevano complicazioni renali. Hanno subito chiamato il terzo piano perché preparassero la sala operatoria. La rianimatrice ha chiesto: «Chi c'è di turno in neurochirurgia?».

Così, hanno cominciato a prepararti. Un'infermiera ti ha spogliata lentamente, tagliando i vestiti con le forbici. Non sapevano come fare per avvertire i tuoi familiari. Speravano di trovarti un documento addosso, ma non ne avevi. C'era il tuo zaino, lì hanno preso il tuo diario. La rianimatrice ha letto il nome, poi il cognome. È rimasta sul cognome e solo dopo un po' è tornata sul nome. Una folata di caldo le ha arroventato il viso, ha avuto bisogno di respirare e ha faticato a farlo, come se un boccone sgarbato le strozzasse il cam·

mino dell'aria. Allora ha scordato il suo ruolo cruento, ti ha guardato il viso come una donna qualunque. Ha frugato i tuoi lineamenti tumefatti, nella speranza di allontanare lo sgomento di quel pensiero. Ma tu mi somigli, e Ada non ha potuto non accorgersene. L'infermiera ti stava rasando la testa, i tuoi capelli cadevano sul pavimento. Ada ha mosso un braccio verso quella caduta di ciocche castane. «Piano, fai piano» ha sussurrato. Ha camminato verso la rianimazione, verso il neurochirurgo di guardia.

«La ragazza, quella che hanno appena portato...»

«Sei senza mascherina, usciamo.»

Hanno lasciato quel luogo asettico dove i parenti non sono ammessi, dove i malati giacciono nudi accanto al soffio del loro respiro artificiale e insieme sono tornati nella stanza dove l'infermiera ti stava preparando. Il neurochirurgo ha guardato nel monitor il tracciato dell'elettrocardiogramma e della pressione sanguigna. «È ipotesa» ha detto, «avete escluso lesioni toraciche o addominali?» Poi ti ha guardata, di sfuggita. Ti ha spalancato le palpebre con un moto rapido delle dita.

«Allora?» ha detto Ada.

«Sono pronti in sala operatoria?» ha chiesto lui all'infermiera.

«Stanno preparando.»

Ada ha insistito: «Non ti sembra che gli somigli?».

Il neurochirurgo s'è voltato e ha sollevato il radiogramma della TAC verso la luce che entrava dalla finestra: «L'ematoma è esteso tra cervello e dura madre...».

Ada ha stretto le mani l'una dentro l'altra, ha alzato il tono della voce: «Gli somiglia, vero?».

«... Potrebbe essere anche intradurale.»

Fuori pioveva. Ada ha attraversato il tratto di impiantito esterno che separa il pronto soccorso dal padiglione di medicina generale, le braccia conserte strette nella casacca a mezza manica, i passi silenziosi dentro gli zoccoli di gomma verde. Non ha preso l'ascensore per salire in chirurgia, è salita a piedi. Aveva bisogno di muoversi, di fare qualcosa. La conosco da venticinque anni. Prima di sposarmi, per un breve periodo, le ho fatto una corte troppo in bilico tra il gioco e la sincerità. Ha spalancato la porta. Nel salotto dei medici c'era un infermiere che stava portando via le tazze del caffè. Ha preso dai contenitori una cuffia e una mascherina, se li è infilati in fretta, poi è entrata.

Devo averla vista dopo un po', quando ho mosso lo sguardo verso la ferrista per passarle le klemmer. Ho pensato che era strano vederla lì, lei è fissa in rianimazione e ci incontriamo di rado, il più delle volte al bar nel sottosuolo. Ma non le ho prestato particolare attenzione, non le ho nemmeno fatto un cenno di saluto con la testa, ho sganciato un'altra klemmer e l'ho passata. Ada ha aspettato che le mie mani non fossero sul campo operatorio. «Professore, deve venire» ha sussurrato. La ferrista stava scartando l'ago lanceolato dal suo involucro sterile, ho sentito il rumore della carta plastificata che si strappava mentre giravo lo sguardo dentro quello di Ada. Mi era vicinissima, e non me n'ero accorto. Ho trovato due occhi di donna nudi, senza trucco, vibranti dentro un luccichio. Prima di passare in rianimazione è stata una delle migliori anestesiste dell'ospedale, ha soffiato il protossido d'azoto dentro molti miei pazienti. L'ho vista immota di emozioni anche nei momenti più gravi e l'ho sempre stimata per questo, perché so quanta fatica le è costata sotterrare se stessa dentro la sua casacca verde.

«Dopo» ho detto.

«No, è urgente, professore, la prego.»

11

Il tono della sua voce era alterato da una strana autorità. Credo di non aver pensato a nulla, ma le mie mani si sono fatte pesanti. La ferrista mi porgeva il portaghi. Non ho mai lasciato un intervento prima di ultimarlo. Ho stretto la mano e mi sono accorto che l'impulso era arrivato in ritardo. Mi apprestavo a ricucire la fascia muscolare dell'addome. Ho fatto un passo indietro per staccarmi dal paziente e ho urtato contro qualcuno alle mie spalle. «Finisci tu» ho detto al mio assistente. La ferrista gli ha passato il portaghi. Ho sentito il rumore del ferro che sbatteva sulla mano inguantata, un suono sordo che è risalito nelle mie orecchie amplificato. Tutti i presenti hanno sfiorato Ada con lo sguardo.

La porta della sala operatoria si è richiusa silenziosa e profonda alle nostre spalle. Eravamo fermi l'uno davanti all'altra nella sala della preanestesia.

«Allora?»

Il petto di Ada era in affanno sotto la casacca, le braccia scoperte, chiazzate di freddo.

«C'è una ragazza giù da noi, professore, con un trauma cranico...»

Senza quasi accorgermene, con un gesto automatico mi ero sfilato i guanti.

«Mi dica.»

«Ho trovato il diario... c'era il suo cognome, professore.»

Ho alzato una mano, le ho strappato la mascherina dal viso. Non c'era più concitazione nella sua voce, il coraggio era finito. C'era una richiesta di aiuto calma e sfiatata:

«Come si chiama sua figlia?»

Credo di essermi piegato su di lei per guardarla meglio, per cercare nel fondo dei suoi occhi un nome che non fosse il tuo.

«Angela» ho soffiato dentro quegli occhi, e li ho visti dilagare.

Ho corso giù per le scale, ho corso sotto la pioggia dell'esterno, ho corso mentre un'ambulanza che arrivava sparata inchiodava a due passi dalle mie gambe, ho corso dentro i battenti della porta a vetri dell'astanteria, ho corso attraverso la sala degli infermieri, ho corso nella stanza dove qualcuno con un arto fratturato gridava, ho corso nella stanza accanto, vuota e in disordine. Mi sono fermato. C'erano i tuoi capelli per terra. I tuoi capelli castani e ondulati raccolti in un mucchietto insieme a qualche garza insanguinata. In un attimo sono polvere che cammina. Mi trascino dentro il reparto di rianimazione, lungo il corridoio, fino alla parete di vetro. Sei lì, rasata, intubata, cerotti chiari intorno alla faccia gonfia e annerita. Sei tu. Oltrepasso il vetro e ti sono accanto. Sono un padre qualunque, un povero padre sfondato dal dolore, senza saliva in bocca, sudato e freddo tra i capelli. È qualcosa che non può andare giù, resta in stallo in un vago limbo di stupor. Sono in bambola, in embolia di dolore. Chiudo gli occhi e rifiuto quel dolore. Tu non sei lì, sei a scuola. Riaprendo gli occhi non ti troverò. Troverò un'altra, non importa chi, una a caso nel mondo. Ma non te, Angela. Spalanco gli occhi e sei proprio tu, una a caso nel mondo.

C'è una scatola per terra con scritto sopra rifiuti pericolosi, prendo l'uomo e lo butto lì dentro. Devo farlo, è il mio dovere, l'unica cosa che mi resta. Devo guardarti come se tu non mi appartenessi. Un elettrodo ti lambisce malamente un capezzolo, lo stacco e lo posiziono con maggiore decenza. Guardo il monitor: cinquantaquattro battiti. Adesso meno: cinquantadue. Ti sollevo le palpebre, le pupille sono anisocoriche, quella destra è completamente dilatata, la lesio-

13

ne endocranica è in quell'emisfero. Bisogna operarti immediatamente, per far respirare il cervello, quella massa spostata dall'ematoma che ora preme contro la scatola cranica, dura, inestensibile, soffocando i centri che innervano tutto il corpo, privandoti ogni istante che passa di qualcosa di te stessa. Mi volto verso Ada:

«Le avete fatto il cortisone?»

«Sì, professore, anche un gastroprotettore.»

«Ci sono altre lesioni?»

«Una sospetta rottura di milza.»

«Emoglobina?»

«Dodici.»

«Chi c'è in neurochirurgia?»

«Io, ci sono io. Ciao, Timoteo.»

Alfredo mi mette una mano sulla spalla, ha il camice sbottonato, i capelli e la faccia bagnati.

«Mi ha telefonato Ada, ero appena andato via.»

Alfredo è il migliore della sua divisione, eppure non gode di grande considerazione da parte di nessuno, è incerto nei modi, spesso scostante, senza meriti visibili; opera all'ombra del primario, si spompa mentre quello lo sta a guardare. Gli ho dato dei consigli tanti anni fa, ma lui non mi è stato a sentire, il suo carattere non è all'altezza del suo talento. È separato dalla moglie e so che ha un figlio adolescente, più o meno della tua età. Non era di guardia, avrebbe potuto sottrarsi, a nessun chirurgo fa piacere operare il parente di un collega. Invece si è buttato su un taxi, si è fatto lasciare in mezzo al traffico, per far prima ha scavalcato a piedi le macchine sotto la pioggia. Non so se io avrei fatto lo stesso.

«È pronto, di sopra?» dice Alfredo.

«Sì» risponde l'infermiera.

«Saliamo subito.»

Ada si avvicina a te, ti stacca dal respiratore auto-

14

matico e ti riattacca al pallone di Ambu per trasportarti. Poi ti mettono in viaggio. Vedo un tuo braccio che cade oltre la barella mentre ti caricano sull'ascensore, Ada si abbassa per raccoglierlo.

Resto con Alfredo, ci sediamo nella stanza vicino alla rianimazione. Alfredo accende la luce del diafanoscopio, posa la tua TAC lì sopra e la guarda da molto vicino. Si ferma in un punto, stringe la fronte tra i sopraccigli, sforza lo sguardo. So cosa vuol dire cercare una traccia che ti corra in aiuto dentro la nebulosa di una radiografia.

«Vedi» dice, «l'ematoma principale è questo, appena sopra la dura madre, lo raggiungo facilmente... Bisogna vedere quanto sta soffrendo il cervello, questo non lo posso prevedere. Poi c'è un punto qui, più interno, non lo so, forse è un versamento da contraccolpo...»

Ci guardiamo dentro quella luce livida che proietta alle nostre spalle il tuo cervello. Sappiamo di non poterci mentire.

«Potrebbero esserci complicanze ischemiche già in corso» sussurro.

«Devo aprire, così capiamo.»

«Ha quindici anni.»

«Meglio, il cuore è forte.»

«Lei non è forte... è piccola.»

Mi piego sulle ginocchia e ora piango, senza ritegno, premendomi le mani sulla faccia bagnata:

«Morirà, vero? Lo sappiamo tutti e due, ha la testa allagata.»

«Non sappiamo un cazzo, Timoteo.»

È sceso in ginocchio da me, mi prende per le braccia e mi scuote forte, e intanto scuote se stesso:

«Ora apriamo e vediamo. Aspiro l'ematoma, do fiato al cervello e vediamo che succede.»

Si tira su.

«Stai dentro con me, sì?»

Mi passo l'avambraccio sotto il naso e sugli occhi prima di rialzarmi. Sulla peluria mi resta una scia luccicante di muco.

«No, non mi ricordo nulla del cervello, non ti servirei a niente...»

Alfredo mi fissa con quel suo sguardo imperterrito, sa che sto mentendo.

In ascensore non parliamo più, guardiamo in alto i numeri luminosi dei piani che scompaiono. Ci separiamo senza parole, senza nemmeno toccarci. Faccio pochi passi e mi siedo nel salotto dei medici. Alfredo si sta preparando. Inseguo col pensiero i suoi gesti, quel rituale che conosco così bene. Le braccia scivolano fino ai gomiti nel grande lavabo di acciaio, le mani scartano la spugna disinfettata, ho l'odore dell'ammonio nel naso... L'infermiera gli passa le pezze laparatomiche per asciugarsi, la ferrista gli lega il camice. C'è un silenzio insolito qui intorno, un silenzio di gente ammutolita. Un infermiere che conosco bene passa davanti alla porta che è aperta, incrocio il suo sguardo: uno sguardo che subito precipita a terra, sui passi di gomma. Ora c'è Ada sulla porta. Ada che non si è mai sposata, che ha una casa a piano terra con un giardino dove cascano i panni dei condomini.

«Stiamo iniziando, è sicuro che non vuole venire?»

«Sì.»

«Ha bisogno di qualcosa?»

«No.»

Annuisce, tenta di sorridere.

«Senta, Ada» la fermo.

Torna a voltarsi: «Professore?».

«Se dovesse succedere, faccia uscire tutti, e prima di venirmi a chiamare, le tolga il respiratore dalla bocca, gli aghi, stacchi tutto, ricopra la parte... Insomma restituitemela dignitosamente.»

Adesso Alfredo ha oltrepassato la zona filtro ed è entrato in sala operatoria con le braccia alzate, l'assistente gli va incontro per infilargli i guanti. Tu sei sotto la scialitica. A me resta il compito più atroce: avvertire tua madre. È partita per Londra questa mattina, lo sai, doveva intervistare qualcuno, un ministro, credo, era molto eccitata. Il taxi con lei dentro ti ha preceduto di poco sotto il portone. Vi ho sentite discutere in bagno. Sabato sei rientrata un po' troppo tardi, a mezzanotte e un quarto, quei quindici minuti di ritardo sull'orario convenuto l'hanno irritata molto, su certe cose non è affatto indulgente, non sopporta gli strappi, le sembrano un vero e proprio attentato alla sua calma. È una madre gentile, nonostante queste rigidità, che certo la tutelano, ma, credimi, la opprimono anche. Lo so che non fai nulla di illecito, ti incontri con i tuoi amici davanti alla scuola sbarrata. Restate a parlare nel buio, nel gelo, stretti alle maniche dei pullover che vi allungate sulle mani, sotto le scritte, sotto quel grande graffito. Ti ho sempre lasciata fare, mi fido di te, mi fido anche dei tuoi errori. Ti conosco per quella che sei a casa e nei rari momenti che stiamo insieme, ma non so cosa sei con gli altri. So che hai un bel cuore, e lo sperdi tutto nel solco di grandiose amicizie. Brava, è uno scintillio che vale la pena di vivere. Ma tua madre non la pensa così, pensa che studi poco, che sprechi energie, e che non raggiungerai per tempo le tappe dei tuoi studi.

Qualche volta tu e i tuoi amici attraversate a piedi l'isolato e vi interrate in quel pub all'angolo, quel budello fumoso sotto il livello della strada. Ho infilato gli occhi una volta, dall'alto, dentro una di quelle finestre basse sul marciapiede, vi ho visti ridere. abbracciarvi, schiacciare le cicche nei posacenere. Ero un cinquantacinquenne elegante e solo a spasso nella notte e voi eravate lì in basso oltre quelle finestrelle con le grate dove i cani si fermano a odorare, eravate così giovani, così serrati. Siete bellissimi, Angela, volevo dirtelo. Bellissimi. Vi ho spiati, vergognandomi quasi, con la stessa curiosità con cui un vecchio guarderebbe un bambino che scarta un dono. Sì, vi ho visti scartare la vita, là sotto, in quel pub denso di fumo.

Ho parlato ora con la mia segretaria. È riuscita a preavvertire l'aeroporto di Heathrow. Andranno a prendere Elsa al finger e la porteranno in un salotto privato per spiegarle la situazione. È terribile saperla lassù in cielo, con il pacco dei giornali sulle ginocchia, ignara di tutto. Ci crede salvi qui sotto, figlia mia, e vorrei che il suo volo non finisse mai, che continuasse all'infinito attraverso i cieli del mondo. Magari sta guardando una nuvola, una di quelle nuvole che scoprono appena il sole, una striscia scintillante che entra attraverso il piccolo vetro per illuminare il suo viso. Starà leggendo l'articolo di un collega, lo commenterà con piccoli aggiustamenti della bocca. Conosco così bene la sua gestualità involontaria, è come se ogni emozione avesse sul viso un microscopico rivelatore. L'ho avuta tante volte accanto a me in aereo. Conosco le pieghe del suo collo, quella piccola borsa che la pelle fa sotto il mento quando abbassa la testa per leggere, conosco la stanchezza dei suoi occhi, quando si toglie gli occhiali e chiude le palpebre appoggiando la testa all'indietro sullo schienale. Ora l'hostess le starà porgendo il vassoio della colazione, lei lo rifiuterà in perfetto inglese e chiederà: «Just a black coffee» e aspetterà che l'odore di quel cibo preconfezionato si allontani da lei. Tua madre è sempre in terra, anche quando è in cielo. Ora avrà la fronte spostata verso l'oblò, forse ha tirato la tendina rigida sul vetro: sarà la sua mezz'ora di riposo. Starà pensando a tutti i giri che deve fare, sicuramente anche oggi vorrà riuscire ad andare in centro per comperare qualcosa. L'ultima volta ti ha portato quel poncho bellissimo, ti ricordi? Ma no, forse è ancora arrabbiata con te... Cosa penserà quando l'hostess di terra le verrà incontro? Come franeranno le sue gambe? Con che faccia guarderà il mondo internazionale della gente che va e viene? Con quale sgomento? Diventerà vecchia, sai, Angela, diventerà vecchissima. Ti ama così tanto. È una donna affrancata, evoluta, così adatta alla socialità, ha imparato tutto, ma non conosce il dolore, crede di conoscerlo, ma non sa. È lassù in cielo e ancora non sa cos'è questo quaggiù. È l'atrocità fissa nel petto, dove il petto non c'è più. C'è un buco che risucchia tutto a una velocità frenetica, come un vortice, risucchia cassetti, abiti, fotografie, assorbenti, pennarelli, compact disc, odori, compleanni, tate, braccioli da mare, pannolini. Tutto via. Dovrà fare un bel raschiamento in quell'aeroporto. Resterà la piazza deserta della sua vita, una borsa vuota appesa alla spalla. Forse correrà verso la vetrata da dove si vedono partire gli aerei, sbatterà contro quella parete di cielo come una bestia scaraventata da un'alluvione.

La mia segretaria ha parlato con un dirigente dell'aeroporto, le ha assicurato che useranno la massima cautela, faranno di tutto per non allarmarla troppo. È tutto organizzato, prenderà il primo volo per tornare indietro, c'è un British che parte immediatamente dopo il suo arrivo. È tutto organizzato, la faranno sedere in un angolo tranquillo, le porteranno un tè, le porgeranno la cornetta del telefono. Ho il cellulare acceso nella tasca, ho già controllato, c'è una buona ricezione, quattro tacche, è importante. Mentirò, cercherò di non dirle che sei gravissima, naturalmente non mi crederà. Crederà che sei morta. Ma farò di tutto per essere convincente. Porti un anello al pollice, non me n'ero accorto. Ada ha faticato a sfilartelo, ora lo tengo in tasca, cerco di infilarci il mio, di pollice, ma non ce la faccio, ora provo con il medio, quello forse entra. Ma tu non morire, Angela, non morire prima che tua madre sia atterrata. Non lasciare che la tua anima attraversi le nuvole che lei sta guardando serena. Non tagliare la rotta del suo aereo, resta, figlia nostra. Non ti muovere.

Ho freddo, sono ancora in pigiama da lavoro, forse dovrei cambiarmi, le mie cose sono nell'armadietto di metallo con il mio nome. Ho appeso la giacca sopra la camicia con cura, ho lasciato il portafogli e le chiavi della macchina nello scomparto superiore, e ho chiuso il lucchetto. Quando è stato? Tre ore fa, forse anche meno. Tre ore fa ero un uomo uguale a tutti gli altri. Com'è subdolo il dolore, come corre. È come se un acido stesse svolgendo il suo mestiere corrosivo in profondità. Ho le braccia posate sulle gambe. Oltre la tenda a listelli, vedo una porzione del padiglione di oncologia. Non ho mai soggiornato in questa stanza, ci sono entrato solo di passaggio. Sono seduto su un divano in similpelle, davanti a me ci sono un tavolo basso e due sedie vuote. Il pavimento è verde, ma nella sua malta ha grani scuri, che nei miei occhi si muovono isterici, come virus al microscopio. Perché ora mi sembra di averla attesa questa tragedia.

Un corridoio, due porte, il coma ci separano. Mi chiedo se è possibile sconfinare oltre il carcere di questa distanza, provare a immaginarla tutoria come un confessionale, e sui grani danzanti di questo pavimento chiederti udienza, figlia mia.

Sono un chirurgo, un uomo che ha imparato a dividere, a separare la parte sana da quella malata, ho salvato molte vite, ma non la mia, Angela. Da quindici anni abitiamo la stessa casa. Conosci il mio odore, il mio passo, il modo con cui tocco le cose, la mia voce priva di squilibri, conosci i lati morbidi del mio carattere e quelli ostili, talmente irritanti da diventare indifendibili. Non so che idea ti sei fatta di me, ma posso immaginarla. L'idea di un padre responsabile, non privo di un suo sardonico senso dell'umorismo, ma troppo appartato. Sei legata da un sentimento saldo a tua madre, iroso a volte, ma vivo. Io sono stato un completo da uomo, appeso a lato della vostra relazione. Più che la mia persona, di me hanno raccontato le mie assenze, i miei libri, il mio impermeabile all'ingresso. È un racconto che io non conosco, scritto da voi con gli indizi che vi ho lasciati. Come tua madre, anche tu hai preferito sentire la mia mancanza, perché avermi forse ti costava fatica. Tante volte uscendo al mattino ho avuto la sensazione che foste voi due insieme, la vostra energia, a spingermi verso la porta di casa per liberarvi del mio ingombro. Amo la naturalezza della vostra unione, la guardo con un sorriso, voi, in qualche misura, mi avete protetto da me stesso. Io non mi sono mai sentito "naturale", mi sono impegnato per esserlo, tentativi striduli, perché impegnarsi per essere naturali è già una sconfitta. Così ho accettato il modello che mi avete ritagliato nella carta velina dei vostri bisogni. Sono rimasto un ospite fisso in casa mia. Non mi sono indignato nemmeno quando in mia assenza, durante le giornate di pioggia, la cameriera ha spostato lo stenditoio con i vostri panni accanto al calorifero nel mio studio. Mi sono abituato a queste umide intrusioni senza ribellarmi. Sono rimasto sulla mia poltrona senza poter allungare troppo le gambe, ho posato il libro sulle ginocchia e mi sono

21

fermato a guardare la vostra biancheria. Ho trovato in quei panni umidi una compagnia che forse superava quella delle vostre persone, perché in quelle trame sottili e candide io catturavo il profumo fraterno della nostalgia, di voi, certo, ma soprattutto di me stesso, della mia latitanza. Lo so, Angela, per troppi anni i miei baci, i miei abbracci sono stati goffi, stentati. Ogni volta che ti ho stretta, ho sentito il tuo corpo scosso da un fremito d'impazienza, se non addirittura di disagio. Non ti ci ritrovavi, ecco tutto. Ti è bastato sapere che c'ero, guardarmi in lontananza, come un viaggiatore appeso al finestrino di un altro treno, scialbato da un vetro. Sei una ragazza sensibile e solare, ma di colpo il tuo umore cambia, diventi rabbiosa, cieca. Ho sempre avuto il sospetto che questa ira misteriosa, dalla quale riaffiori sconcertata e un po' triste, ti sia cresciuta dentro per causa mia.

Angela, a ridosso della tua schiena incolpevole c'è una sedia vuota. Dentro di me c'è una sedia vuota. Io la guardo, guardo la spalliera, le gambe, e aspetto, e mi sembra di ascoltare qualcosa. È il rumore della speranza. Lo conosco, l'ho udito affannarsi nel fondo dei corpi e affiorare negli occhi delle miriadi di pazienti che ho avuto davanti, l'ho sentito fermarsi in stallo tra le mura della sala operatoria, ogni volta che ho mosso le mie mani per decidere il corso di una vita. So esattamente di cosa m'illudo. Nei grani di questo pavimento che ora si muovono lenti come fuliggine, come ombre morenti, m'illudo che quella sedia vuota si riempia anche per un solo lampo di una donna, non del suo corpo, no, ma della sua pietà. Vedo due scarpe décolletées color vino, due gambe senza calze, una fronte troppo alta. E lei è già davanti a me per ricordarmi che sono un untore, un uomo che segna senza cautela la fronte di chi ama. Tu non la conosci, è passata nella mia vita quando ancora non c'eri, è passata ma ha lasciato un'impronta fossile. Voglio raggiungerti, Angela, in quel limbo di tubi dove ti sei coricata, dove il craniotomo scassinerà la tua testa, per raccontarti di questa donna

La incontrai in un bar. Uno di quei bar di periferia con il caffè cattivo, come l'odore che arrivava dalla porta del cesso socchiusa alle spalle di un vecchio calciobalilla con i giocatori decapitati dalla furia degli avventori. Si soffocava dal caldo. Come ogni venerdì, raggiungevo tua madre nella casa al mare che affittavamo sul litorale a sud della città. La mia auto si era spenta senza sussultare, come un cerino, sulla statale deserta costeggiata da un prato arso e sudicio e da qualche capannone industriale. Avevo camminato sotto il sole per raggiungere gli unici palazzi che si vedevano in lontananza in quella frangia estrema di periferia. Erano i primi di luglio di sedici anni fa.

Entrai nel bar sudato e di pessimo umore. Ordinai un caffè e un bicchiere d'acqua e chiesi di un meccanico. Lei era curva, armeggiava con il braccio dentro al frigorifero. «Intero non c'è?» furono le prime parole che le sentii dire, rivolta al ragazzo dietro al banco, un ragazzo con il volto butterato e un piccolo grembiule ingrigito stretto intorno alla vita. «Boh» rispose lui, mentre mi serviva l'acqua, premurandosi pure di infilare sotto il bicchiere un gocciolante piattino di peltro. «Fa niente» disse lei, e posò sul bancone, a pochi millimetri da me, una confezione di latte scremato. Le sue dita si infilarono in un borsellino da bambina, di plastica a fiori con la chiusura a scatto, tirò fuori i soldi e li spinse accanto al latte. «Il meccanico c'è» disse, raccogliendo gli spiccioli del resto, «ma chissà se è aperto.» Mi voltai al suono di quella voce sfiatata come lo gnaulio di un gatto. Fu la prima volta che i nostri occhi s'incontrarono. Non era bella e nemmeno troppo giovane. I capelli decolorati malamente incorniciavano un viso magro ma robusto di ossa, al centro del quale brillavano due occhi rattristati dal trucco troppo marcato. Lasciò il latte sul bancone e si diresse verso il juke-box. Quel locale buio in tanto sole con quel puzzo acre di fogna ingorgata si riempì delle note stucchevoli di un complesso inglese molto in voga in quegli anni. Rimase in piedi, quasi aggrappata al juke-box, chiuse gli occhi e cominciò a oscillare lentamente la testa. Rimase così, una sagoma tremolante nell'ombra in fondo al bar. Il barista scivolò fuori dal bancone e si affacciò sulla porta per indicarmi la strada. Feci il giro dell'isolato senza riuscire a trovare l'officina. Per strada non c'era nessuno. In alto, su un terrazzino, un vecchio scrollava una tovaglia. Tornai nel bar, ancora più sudato.

«Mi sono perso.»

Presi dal contenitore qualche tovagliolo di carta e mi asciugai la fronte.

Il juke-box era spento, lei era ancora lì. Tramortita su una sedia, guardava davanti a sé masticando una gomma americana. Si alzò, raccolse il suo cartone di latte dal bancone e salutò il ragazzo. Sulla soglia si fermò.

«Io passo lì davanti, se vuole…»

Mi misi dietro ai suoi passi sotto il sole cocente. Indossava una maglietta viola e una gonna corta verde ramarro, ai piedi un paio di sandali di fettucce variopinte a tacco alto, sopra ai quali le sue gambe magre si affannavano sgraziate. Il latte lo aveva infilato in una borsa patchwork dalla tracolla lunghissima che le arrivava quasi al ginocchio. Non badava a me, camminava veloce senza mai voltarsi, strascinando i piedi sull'asfalto dissestato, troppo attaccata ai muri, fino a sfiorarli.

Si fermò davanti a una saracinesca. L'officina era chiusa, un foglietto ingiallito tenuto da un nastro adesivo diceva che avrebbe riaperto di lì a un paio d'ore. Pensai a tua madre, dovevo avvertirla del contrattempo. Dalle tempie il sudore mi colava dietro le orecchie, lungo il collo. Eravamo fermi in mezzo alla strada. Lei si era voltata solo con la testa, mi guardava, gli occhi socchiusi dall'afa e dalla luce.

«Ha un pezzo di carta sulla fronte.»

Cercai tra il sudore quell'avanzo di tovagliolo da bar.

«C'è una cabina telefonica?»

«Deve tornare indietro, non lo so se funziona, però: qui sfasciano tutto.»

Aveva ancora in bocca la gomma americana, le sue guance si muovevano con foga. Con la mano si riparò la vista dal sole. I suoi occhi, che allo scoperto si rivelavano di un grigio pallido, mi percorsero fulminei. La fede al dito, la cravatta forse la rassicurarono, anche se non aveva l'aria di una che temesse gli estranei.

«Può telefonare da me se vuole, sto qui dietro» e allungò il collo verso un luogo imprecisato sull'altro lato della strada. Attraversò senza guardare. La seguii lungo una discesa sterrata, dentro un dedalo di fabbricati sempre più spettrali, fino a un palazzo ancora in costruzione ma già occupato. Travi di metallo nude dove avrebbero dovuto posarsi terrazzi, aperture spalancate nel vuoto, tappate con reti da letto rovesciate.

«Prendiamo la scorciatoia» disse.

Camminavamo tra i piloni di cemento di quello che sembrava un immenso garage abbandonato, e finalmente il sole ci lasciava in pace. Poi ci infilammo in un androne buio infestato di scritte spray, dove stagnava un puzzo da vespasiano insieme a un vento di frittura che arrivava da chissà dove. L'ascensore era spalancato, dai pulsanti scoperchiati si vedevano i fili.

«Saliamo a piedi.»

La seguii lungo le rampe di una scala attraversata da grida improvvise, lampi di vite infernali e di televisori accesi. Sui gradini luridi erano sparse siringhe usate che lei oltrepassava con i piedi nudi nei sandali senza farci caso. Volevo tornare indietro, Angela, mi voltavo a ogni rumore, temendo di veder saltare fuori qualcuno, pronto a rapinarmi, a uccidermi forse, un complice di quella donna volgare che avanzava davanti a me. A tratti il suo odore mi raggiungeva, come il tonfo della sua borsa che sbatteva sui gradini impolverandosi, un miscuglio caldo di cosmetici che si scioglievano e sudore. Sentii il fruscio della sua voce: «Fa schifo, ma si fa prima», come se avesse indovinato i miei timori. Era una voce con una lieve inflessione meridionale, cadeva cupa su certe sillabe, e altre le abortiva, se le lasciava smorzare in gola.

Si fermò una rampa più su. Si diresse rapida nel terriccio di quel piano verso una porta metallica. Infilò la punta delle dita nel buco dove mancava la serratura e tirò il pesante battente verso di sé. La luce mi arrivò in faccia così violenta che dovetti ripararmi con un braccio: il sole sembrava vicinissimo. «Venga» disse, e vidi il suo corpo inabissarsi. *È pazza, sto seguendo un'inferma di mente, mi ha rimorchiato in quel bar solo per farmi assistere al suo suicidio.* Mi affacciai su una scala esterna, di sicurezza, una spirale ripida di ferro. Lei scendeva senza paura, dall'alto vedevo la ricrescita nera dei suoi capelli gialli. Adesso sembrava incredibilmente agile sui tacchi, come un bambino, come un gatto. Mi avventurai nel giro di quella scala incerta, stretto al corrimano di tubi e bulloni arrugginiti. La giacca mi s'impigliò, tirai e sentii la stoffa che si strappava. Un rombo improvviso mi aveva raggiunto. Davanti ai miei occhi, vicinissimo, c'era un grande viadotto. Oltre il guardrail le macchine sfrecciavano veloci. Non riuscivo più a capire dove fossimo, mi guardai intorno. La ragazza era alle mie spalle, già abbastanza distante, si era fermata su uno spiazzo sterrato. I capelli gialli, il volto pesto di trucco, la borsa multicolore: sembrava un pagliaccio scordato da un circo.

«Siamo arrivati» gridò.

E in effetti c'era una costruzione dietro di lei, un muro rosa, vecchio, che non sembrava appartenere a una casa ancora in piedi. Si girò verso quel muro. Era un'abitazione autonoma, una sorta di minuscolo villino diroccato, proprio sotto i piloni del viadotto. Scendemmo tra la sterpaglia polverosa, poi risalimmo due gradini fino a una porta a doghe, verde come la sua gonna.

Tese un braccio nello specchio di mattoni sopra la porta, e staccò una chiave incollata lassù con un pezzo di gomma americana. Aprì la porta, poi si tolse dalla bocca la cicca che stava masticando, e riappiccicò la chiave in alto con una pressione delle dita. Mentre si allungava, guardai le sue ascelle spalancate, non erano depilate, ma non erano folte. Giusto un ciuffo di peli sottili e lunghi, rappresi di sudore.

Dentro c'era una strada trasversale di sole che tagliava l'aria. Fu la prima cosa che mi arrivò addosso insieme all'odore di fuliggine, di casa di paese, soffocato da un fortore di varechina e di veleno, il veleno che si usa per uccidere i topi. Era una stanza squadrata con un impiantito di grès color caffè, sulla parete di fondo c'era un caminetto, una grande bocca nera e triste. Un interno dignitoso, ordinato, solo un po' guercio perché la luce arrivava da un'unica finestra. Dalle ante accostate spuntava un pilastro del viadotto. Tre sedie tipo svedese erano infilate sotto un tavolo ricoperto da una tovaglia di tela cerata. Accanto, si apriva una porta. S'intravedeva un pensile da cucina impiallacciato di formica a guisa di sughero. Lei s'infilò lì dentro.

«Metto il latte in frigorifero.»

Aveva detto di possedere un telefono. Lo cercai senza trovarlo, su un tavolino basso con un posacenere a forma di conchiglia, su una cassettiera laccata invasa di ninnoli, su un vecchio divano ravvivato da un telo a fiorami. Appeso al muro, scoprii il poster di una scimmia con una cuffia da neonato in testa e un biberon tra le zampe, immortalata nella luce fasulla, dei flash e degli ombrellini di polietilene, di uno studio di posa.

Lei tornò subito. «Il telefono è di là, in camera» disse, indicando una tenda di lingue di plastica proprio dietro alle mie spalle. «Grazie» sussurrai verso quella tenda da bar, e di nuovo temetti un agguato. Sorrise, snudando una riga di piccoli denti imperfetti.

Oltre la tenda c'era una camera stretta, interamente occupata dal letto doppio senza testiera, coperto da un telo di ciniglia color tabacco. Sulla carta da parati un crocefisso pendeva, leggermente storto. Il telefono era in terra accanto alla sua presa. Lo raccolsi. Mi sedetti sul letto e composi il numero di Elsa. Seguii con il pensiero lo squillo che penetrava nella casa. Correva sul tappeto di fibra di cocco del salone, saliva lungo le scale chiare, nelle stanze di sopra, nel grande bagno con i frammenti di specchio incastonati nell'intonaco indaco, sfiorava le lenzuola di lino del nostro letto ancora disfatto, lo scrittoio gremito di libri, scivolava in giardino attraverso le tende di garza, sul pergolato avvolto dall'infiorescenza bianca del gelsomino, sull'amaca, sul mio vecchio cappello coloniale con gli occhielli arrugginiti, senza alcuna risposta. Elsa forse stava nuotando, o forse era già riemersa. Pensai al suo corpo teso sul bagnasciuga, all'acqua che lambiva le sue gambe. Il telefono squillava nel nulla. Lasciavo correre una mano sulla ciniglia del copriletto, e intanto scoprivo un paio di ciabatte fucsia annerite dall'uso sotto un comò da rigattiere. Appoggiata allo specchio, la fotografia di un uomo giovane ma di un'altra epoca. Mi sentivo a disagio dentro quella stanza, seduto sul letto dove si coricava un'estranea, quel pagliaccio stralunato che mi aspettava di là. Da un cassetto di biancheria socchiuso brillava un lembo di raso amaranto, quasi senza accorgermene infilai una mano in quello spiraglio e sfiorai quella stoffa scivolosa. Il pagliaccio si affacciò tra le lingue di plastica.

«Vuole un caffè?»

Mi sedetti sul divano davanti al poster della scimmia. Un fastidio mi galleggiava nel fondo della gola asciutta, farinosa. Mi guardai intorno e il mio disagio fisico scivolò in quell'ambiente modesto. Su uno scaffale, una bambola di porcellana con un ombrellino di veli posava la sua faccia sgomenta contro il primo di una fila di volumi tutti uguali, una di quelle enciclopedie universali che si comprano a rate. Lo squallore era ben confezionato, accudito, onorevole. Guardai la donna che tornava verso di me con il vassoio in mano. Immersa nello scenario della sua casa era meno vivace, era di una miserabile decenza intonata al resto. Mi sembrò deprimente. C'era quel piano accanto al mio braccio ricoperto di ninnoli… Detesto i soprammobili, Angela, lo sai, adoro i piani sgombri con una lampada da tavolo in un angolo, qualche libro, e niente altro. Feci un piccolo scatto con la spalla, avevo sentito il braccio percorso dal desiderio di scaraventare per terra tutta quella porcheria. Lei mi serviva il caffè.

«Quanto zucchero vuole?»

Appiccicai le labbra alla tazzina e ingollai. Era un buon caffè, ma avevo la bocca impastata dalla stanchezza, dal cattivo umore, così sulla lingua mi rimase una patina amara. La donna venne a sedersi accanto a me sul divano, leggermente discosta. Era in controluce, una frangia sfilacciata di capelli non bastava a celarle la fronte, troppo prominente rispetto al resto del viso raccolto in un'unica smorfia ferma nel solco tra il naso e le labbra ingigantite dal rossetto. Guardai la mano con la quale sosteneva la tazzina. Intorno alle unghie brevi, che senza dubbio si divorava, la carne era arrossata e gonfia. Pensai all'odore di saliva rappreso sulla punta di quelle dita e rabbrividii. Lei intanto si era chinata. Vidi il muso di un cane affacciarsi da sotto il divano. Un cagnetto assonnato di taglia media dal pelo scuro e ondulato, con le orecchie lunghe color ambra. Le leccò la mano, quelle unghie smangiucchiate, felice come se avesse ricevuto un premio.

«Crevalcore…» sussurrò lei, mentre strusciava la sua grande fronte contro quella del cane che si era accorto di me, ma sembrava guardarmi senza alcun interesse, sotto gli occhi offuscati da una strana caligine. Raccolse il vassoio e le tazzine sporche. «È cieco» e abbassò la voce, quasi non volesse farsi udire dalla bestia.

«Me lo darebbe un bicchiere d'acqua?»

«Sta male?»

31

«No, ho caldo.»

Si voltò. Le guardai le natiche mentre camminava verso la cucina. Erano magre come quelle di un uomo. E scivolai lungo il suo intero corpo voltato, la schiena stretta, curva, le gambe vuote dove avrebbero dovuto congiungersi. Non era un corpo desiderabile quello, anzi appariva inospitale. Tornò verso di me, dondolando sui tacchi. Mi porse l'acqua e aspettò in piedi che le restituissi il bicchiere.

«Sta meglio?»

Sì, l'acqua mi aveva pulito la bocca.

Non mi accompagnò alla porta.

«Allora grazie.»

«Ci mancherebbe.»

Il caldo era sempre lì, galleggiava nell'aria, muoveva impercettibilmente le cose. L'asfalto cedeva molle sotto le mie scarpe. Mi misi ad aspettare l'ora della riapertura accanto alla saracinesca sbarrata dell'officina. Di nuovo sudavo, e di nuovo avevo sete. Tornai verso il bar. Chiesi ancora una volta dell'acqua, ma poi, quando il ragazzo dal viso butterato si spostò lasciando libera la teoria di bottiglie dietro la sua testa, cambiai idea e ordinai una vodka. Me la feci versare in un bicchiere largo e chiesi del ghiaccio che lui raccolse dal fondo di un contenitore di alluminio, e che forse sciogliendosi avrebbe sprigionato lo stesso odore che risaliva da lì, di maionese rancida, di straccio da pavimenti mal custodito. Andai a sedermi in fondo al locale, accanto al juke-box. Presi un sorso lungo e rumoroso, l'alcol mi penetrò dentro come un dolore secco, una fiammata che si sciolse subito in una frescura protratta e intensa. Guardai l'orologio, avevo ancora un'ora e più di tempo.

Non ero abituato agli intervalli, Angela. Avevo appena quarant'anni e già da cinque ero aiuto primario di chirurgia generale, il più giovane dell'ospedale. La clientela del mio studio privato era in crescita, e con un po' di riluttanza, ma sempre più spesso, operavo in clinica. Mi sorprendevo ad apprezzare quei luoghi a pagamento, puliti, organizzati, silenziosi. Avevo appena quarant'anni e forse già non amavo più il mio mestiere. Da ragazzo mi ero mosso con veemenza. Dopo la specializzazione, i primi anni di pratica erano stati febbrili, gagliardi, come quel pugno sferrato a un infermiere colpevole di non aver atteso che l'autoclave a vapore per sterilizzare i ferri finisse correttamente il suo ciclo. Poi, senza quasi accorgermene, un velo di pacatezza, accompagnato da un blando sentimento di disillusione, mi era sceso addosso. Ne avevo parlato con tua madre, lei aveva detto che stavo semplicemente scivolando nell'abitudine della vita adulta, una transizione necessaria e tutto sommato gradevole. Avevo appena quarant'anni, e già da un pezzo avevo smesso d'indignarmi. Non che avessi venduto l'anima al diavolo, semplicemente non l'avevo offerta agli dei, me l'ero tenuta in tasca, in quella tasca di grisaglia estiva dove si trovava adesso dentro quel brutto bar.

La vodka mi aveva dato un colpo di vita. «Fa caldo, accendi!» sbottò, guardando le pale spente del ventilatore, un ragazzo alto, tutto sporco di calcina, mentre si dirigeva verso il calciobalilla seguito da un compagno tarchiato. Con un colpo secco tirò la leva cilindrica e le palle rotolarono giù dalla pancia di legno. Il tarchiato gettò la prima palla sul campo, lasciandola cadere dall'alto con un gesto forte, che doveva corrispondere a una specie di rituale, poi il gioco cominciò. I due parlavano poco, le mani strette sulle impugnature, ruotavano i polsi assestando colpi precisi e duri che facevano vibrare le aste di metallo. Svogliatamente, il ragazzo del bar uscì dal bancone asciugandosi le mani bagnate sul grembiule e mise in funzione il ventilatore. Mentre tornava verso il banco, gli allungai il bicchiere: «Portamene un altro, per favore». Le pale del ventilatore cominciarono a muovere fiaccamente l'aria calda che c'era nel locale, un tovagliolo volò in terra, mi chinai a raccoglierlo. Scorsi qualche lurido truciolo di segatura e più in là le gambe dei due giocatori. Quando tornai su mi accorsi che la mia testa aveva risentito di quello spostamento repentino e si era appesantita di sangue. Il barista posò il bicchiere con la vodka sul mio tavolo. Me la tirai dentro in un solo fiato. I miei occhi galleggiarono verso il juke-box. Era un modello vecchio di un azzurro screziato, dallo schermo si vedeva il braccio di metallo che scivolava sui dischi quando era in funzione. Pensai che mi sarebbe piaciuto ascoltare una canzone. Una qualunque. Mi tornò in mente il volto di quella donna, troppo carico di trucco, che dondolava, bifolco e attonito, dentro la luce che proveniva dal basso di quella scatola musicale. Una pallina schizzò fuori dal calciobalilla e ruzzolò in terra. Prima di uscire, lasciai una buona mancia al ragazzo, che posò la spugna con la quale stava ripassando il banco e inghiottì il denaro nella mano bagnata.

Camminai nuovamente verso l'officina. Davanti a me un gruppo di bambini seminudi arrancavano carreggiando un sacco della spazzatura colmo d'acqua che pisciava da più parti. La serranda del meccanico finalmente era ammezzata, chinai la testa ed entrai. Dentro, sotto i seni oliati di una ragazza calendario, trovai un uomo robusto, più o meno della mia età, strizzato dentro una tuta da lavoro nera di grasso. Montai con lui a bordo di una vecchia Dyane dai sedili infuocati e raggiungemmo la mia auto. C'erano da sostituire la pompa dell'olio e il manicotto. Tornammo indietro per prendere i pezzi di ricambio. Il meccanico mi scaricò davanti all'officina, buttò nel bagagliaio gli attrezzi necessari, e ripartì. Ciondolai a zonzo, la camicia sudata, gli occhiali appannati, ormai incurante del caldo. La flemma indotta dall'alcol coincideva però con un mio desiderio più intimo. Avevo pompato duro in quell'ultimo anno di successi, ero sempre presente, sempre reperibile. Per puro caso scivolavo fuori dal radar, e ora quell'assenza che mi concedevo mi pareva un premio improvviso, ora che non mi ribellavo più e mi abbandonavo ad essa come un turista. Tornai accanto al palazzo occupato. I bambini avevano svuotato l'acqua su un cumulo di pozzolana e stavano costruendo una capanna, una sorta di grande uovo nero. Rimasi a guardarli, inebetito sotto il cielo rovente. Mia madre non voleva che io scendessi in cortile a giocare con gli altri bambini. Dopo il matrimonio si era adattata a vivere in un quartiere popolare. Non era affatto triste, nemmeno così decentrato, era popoloso e allegro. Ma tua nonna si rifiutava di guardare fuori dalle finestre, per lei quel quartiere non era triste, la tristezza sapeva bene come sopportarla, no, era molto peggio, era un gradino al di sopra della miseria. Era l'ultima soglia prima dei suoi fantasmi. Viveva segregata in quell'appartamento come su una nuvola dove aveva ricostruito il suo mondo, dove aveva sistemato il suo pianoforte e suo figlio. Avrei voluto in certe languide ore del pomeriggio spingermi verso quella vita che vedevo brulicare in basso, ma non me la sentivo di umiliarla. Finsi che anche per me quel mondo non esistesse. Frettolosa, lei m'infilava sull'autobus che ci portava verso la sua casa di famiglia, verso sua madre, e in quel posto pieno di alberi e villini io potevo finalmente aprire gli occhi. Lì lei era radiosa, era un'altra. Insieme ci buttavamo sul letto di quella che era stata la sua camera da ragazza e ridevamo. Faceva il suo carico di energia e anche la sua persona si riempiva di un nuovo splendore. Poi si rinfilava il cappotto e lo sguardo di sempre. Tornavamo che era già buio, quando fuori non si vedeva nulla. Dalla fermata alla porta di casa lei correva, terrorizzata da quell'abisso che la circondava.

Il viso di mia madre mi passò davanti agli occhi, tanti suoi visi in sequenza, fino all'ultimo, il viso serrato dalla morte, quando chiesi ai becchini ancora un attimo per poterlo guardare. Scossi la testa con un moto d'ira per scacciare quel pensiero.

Ora camminerò fino alla mia macchina, pagherò il meccanico, metterò in moto e arriverò da Elsa. Avrà i capelli ancora umidi, e la sua camicia di garza ciclamino. Andremo in quel ristorante, in quel tavolo in fondo dove con il buio entrano le luci del golfo. Lascerò guidare lei, così potrò posare la testa sulla sua spalla...

Non parve sorpresa, anzi ebbi la sensazione che mi aspettasse. Arrossì mentre si ritraeva per farmi entrare. Involontariamente feci un passo maldestro e urtai lo scaffale sul muro. La bambola di porcellana cadde in terra. Mi chinai a raccoglierla. «Non si preoccupi» disse, e oscillò verso di me. Indossava una maglietta diversa, bianca, con un vistoso fiore di strass. «La macchina?» sussurrò.

La sua voce era incerta, come la sua bocca senza più rossetto. Guardai oltre le sue spalle, la casa ordinata e miserevole, e mi parve ancora più triste di poco prima. Ma non provai nessun fastidio, anzi provai un misterioso piacere sentendo che tutto intorno a me era davvero squallido.

«La stanno aggiustando.»

Sentii lo strofinio delle sue mani, ce le aveva dietro la schiena. Abbassò lo sguardo, poi lo rialzò. Mi sembrò che tutta la sua figura vibrasse impercettibilmente, forse ero soltanto ubriaco.

«Vuole telefonare?»

«Sì.»

Tornai in camera, tornai con le mani su quella ciniglia tabacco. Guardai il telefono, lo guardai come un attrezzo di plastica che non mi avrebbe messo in comunicazione con nulla. Non lo sfiorai nemmeno. Chiusi il cassetto del comò. Aggiustai il Cristo storto sul muro. Mi alzai, e mi diressi verso la porta, volevo andarmene e basta. La vodka mi aveva restituito una testa sgarbata. *Forse non vado al mare, forse torno in città, mi metto a dormire, non ho voglia di niente, di nessuno.*

«Ha trovato qualcuno?»

«No.»

C'è quel camino spento dietro di lei, vuoto e nero come una bocca sdentata. La prendo per un braccio e la trattengo. Lei respira, a bocca aperta. Il suo alito è quello di un topo. In quell'improvvisa vicinanza il suo volto si deforma. Gli occhi pesti sono immensi, si dibattono tra le ciglia come due insetti prigionieri. Le sto torcendo il braccio. È così estranea e così vicina a me. Penso ai falchi, al terrore che ne avevo da ragazzino. Alzo la mano per scaraventarla lontano, lei, i suoi ninnoli, la sua miseria. Invece afferro quel fiore di strass e me la tiro contro. Cerca di mordermi la mano, la sua bocca si agita nel vuoto. Ancora non so di cosa deve aver paura, non conosco le mie intenzioni. So solo che con l'altra mano le sto stringendo forte quei capelli di rafia, glieli ho presi a mazzo e la trattengo come una pannocchia. Poi le vado addosso con i denti. Le sbrano il mento, le labbra dure di paura. La lascio gemere, perché ora ne ha motivo. Ora che le ho strappato dal petto quel fiore di strass, ora che le raccolgo i seni scarni e li strofino. E le mie mani sono già tra le sue gambe, tra le sue ossa. Non assiste alla mia furia. Abbassa il viso sul collo, alza un braccio vago nell'aria, e quel braccio trema. Perché le ho trovato il sesso, magro come il resto, e già agguanto il mio. La spingo contro il muro, presto. E prima ancora di presto. La testa gialla scaraventata in basso, lei è una marionetta slentata contro il muro. La tiro su per le mandibole, le colo nell'ansa dell'orecchio. La mia saliva corre lungo la sua schiena, mentre mi muovo nel suo cesto di ossa come un predatore dentro un nido usurpato. Così faccio scempio di lei, di me, di quel pomeriggio balordo.

Non so se ansimasse dopo, forse piangeva. Era in terra, si stringeva al suo corpo. Io ero molto oltre di me, precipitato dall'altra parte della stanza. Posato su una zampa, il muso del cane cieco spuntava da sotto il divano, le orecchie basse, gli occhi bianchi. Sul muro la scimmia succhiava immobile il suo biberon. I miei occhiali erano in terra, accanto alla porta, una lente era rotta. Feci qualche passo e mi chinai a raccoglierli. Afferrai i lembi bagnati della camicia, me li rinfilai nei pantaloni e uscii senza dire una parola.

La macchina era parcheggiata davanti all'officina. La chiave era inserita, misi in moto e partii. Cominciò il rettilineo costeggiato dai pini marittimi e dai canneti avvizziti. Frenai senza riuscire a fermarmi, aprii lo sportello e vomitai in corsa. Frugai sotto il sedile per cercare l'acqua che avevo con me, la trovai, caldiccia nel suo involucro di plastica. Mi sciacquai la bocca, tirai fuori la testa e mi svuotai addosso quel che rimaneva della bottiglia. L'asfalto correva, e insieme correva l'odore della vampa e del mare ormai vicinissimo. Lasciai la guida e mi portai le mani sulla faccia per annusarle. Cercavo una traccia della mia efferatezza, Angela. Trovai solo un odore di ruggine, forse quello della scala. Ci sputai dentro. Sputai sulle pieghe della mia vita, del mio benessere, del mio cuore. Poi strofinai i palmi l'uno contro l'altro, fino al fuoco.

La casa al mare era una costruzione degli anni cinquanta, bassa e squadrata, senza bellurie. Un gelsomino grondava il suo profumo stordente sul pergolato davanti alla cucina, accanto a una grande palma. Il giardino per il resto era brullo, delimitato da una recinzione di piccole lance di ferro corrose dalla salsedine. Il cancello, che a ogni colpo di vento raschiava nei cardini con uno stridio identico a quello dei gabbiani spaventati dal maltempo, si apriva direttamente sulla spiaggia. Il tratto di marina davanti alla casa era abbastanza spopolato. Gli stabilimenti balneari erano allineati più giù, oltre la foce del fiume, oltre le grosse bilance dei pescatori ferme nell'aria come bocche affamate.

Era stata tua madre a sceglierla, quella casa di vacanza, le faceva pensare, diceva, a una tenda nel deserto, soprattutto al tramonto, quando il riverbero del mare sembrava muovere le mura. La scelse anche grazie a un gatto. Assonnato, si lasciò raccogliere docilmente da Elsa e le rimase addosso per tutto il tempo mentre la ragazza dell'agenzia apriva le persiane delle stanze dove ristagnava l'odore di muffa delle case rimaste chiuse per tutto l'inverno. Era un giorno feriale verso la fine di marzo. Tua madre indossava un cappotto di casentino, arancione e violento come il sole che avremmo trovato d'estate. Al ritorno ci fermammo a mangiare in un ristorante troppo grande per noi soli, con le vetrate a strapiombo sugli scogli, opache di salsedine. Faceva freddo, ci ubriacammo con poco, una caraffa di vino e un amaro a testa. Uscimmo barcollanti e abbracciati con il piatto del buon ricordo in mano. Ci nascondemmo dentro la pineta e facemmo l'amore. Dopo, posai la testa sul ventre di Elsa. Rimanemmo così, in ascolto del futuro che ci aspettava. Poi tua madre si sollevò e andò a raccogliere qualche pinolo annerito. Io rimasi a guardarla. Credo che quello fu il giorno più felice della nostra vita insieme, ma naturalmente non ce ne accorgemmo.

Da quel giorno di marzo erano trascorsi quasi dieci anni, e io passavo accanto a quella pineta senza più voltarmi, mentre l'asfalto sotto le ruote s'infarinava di sabbia. Parcheggiai la macchina sotto il canniccio nel retro del giardino. Mi chinai per non urtare il filo dove erano appesi il telo e il costume da bagno di Elsa. Un costume intero color prugna di tessuto elastico a nido d'ape che lei arrotolava sotto l'ombelico quando prendeva il sole. Era al rovescio. Con una spalla sfiorai il tassello bianco del cavallo, quel pezzo di lycra che attraversava l'inforcatura delle gambe di mia moglie.

Girai intorno alla casa, ed entrai nel salone con il grande divano angolare foderato di canapa azzurra. La sabbia gracchiava sotto le mie scarpe, me le tolsi, non volevo che Elsa mi sentisse. Camminai scalzo sull'impiantito di pietra che rimaneva sempre fresco. Allargai le dita, e distesi le piante per aderire meglio a quella frescura, mentre scendevo il gradino che conduceva alla cucina. Il rubinetto mal chiuso gocciava su un piatto sporco. Sul tavolo c'era un pezzo di pane abbandonato tra le briciole accanto a un coltello. Presi il pane e cominciai a mangiarlo.

Tua madre era di sopra, riposava. La spiai oltre la porta socchiusa nella penombra: le gambe nude, la canottiera di seta dalle bretelle sottili, il lenzuolo ac cartocciato in fondo al letto, dove l'aveva spinto lei con i piedi, il viso coperto dalla massa folta dei capelli. Forse dormiva anche prima, per questo non aveva sentito il telefono. E quel pensiero mi acquietava, saperla addormentata mentre io... Come in un sogno. Masticavo il pane, mia moglie dormiva. Il suo respiro era calmo come il mare dietro la finestra.

Buttai la biancheria nel cesto dei panni sporchi e m'infilai nella doccia. Ridiscesi in accappatoio lasciando impronte d'acqua sui gradini, cercai gli occhiali da sole e uscii sotto il pergolato. Il mare attraverso le lenti scure era di un azzurro più intenso e vibrante del vero. Ero a casa mia, nel profumo delle cose note, lo spavento era altrove, lontano. Mi ero lasciato un incendio alle spalle, sentivo ancora le fiamme nel volto. Guardavo, e cercavo di mettere a fuoco lentamente le cose. Dovevo riabituarmi a quell'uomo che credevo di conoscere e che si era perso dentro un bicchiere di vodka dietro un sordido richiamo, liquefatto come quei luridi cubetti di ghiaccio. Mi portai una mano sulla bocca per annusarmi l'alito. No, non puzzavo d'alcol.

«Ciao, amore.»

Elsa posò la mano sulla mia spalla. Mi girai e la baciai immediatamente. Il mio bacio cadde male, non centrò le labbra. Indossava la sua camicia di garza, sotto la trama s'indovinavano i capezzoli scuri di sole. Il suo sguardo era ancora pieno di sonno. La spinsi di nuovo verso di me, per un bacio migliore.

«Hai fatto tardi.»

«Ho avuto un intervento rognoso.»

Avevo mentito d'istinto, e adesso ero lì saldo nella

mia menzogna. Le presi la mano e ci incamminammo
sulla sabbia verso la riva.

«Vuoi uscire per cena?»

«Se vuoi...»

«No, come vuoi tu.»

«Restiamo a casa.»

Ci sedemmo. Il sole cominciava a essere più clemente. Elsa allungò le gambe, spinse le punte dei pie
di fino all'acqua e rimase a guardarsi le unghie che
scomparivano e riapparivano nella sabbia bagnata
Eravamo abituati a stare così, l'uno accanto all'altra
in silenzio, non ci dispiaceva. Ma dopo qualche giorno di lontananza bisognava forzare le nostre intimità
viziate dalla solitudine. Raccolsi la mano di tua madre e la carezzai. Aveva trentasette anni, forse mancava anche a lei quella ragazza dal cappotto di casentino arancione, che dondolava ubriaca fuori da quel
ristorante e rideva piegata sul molo dove il vento
spruzzava mare. Forse la cercava lì, sulla punta dei
piedi, dove una spumetta chiara andava e riandava.
Ma no, ero io il desaparecido. Io, con il mio lavoro
senza orari, parsimonioso nel dare, frettoloso nel ri-
cevere. Ma non ci saremmo certo messi a scavare nella sabbia per ricercare le reciproche manchevolezze.
Il coraggio non dimorava più tra noi. Il coraggio, Angela, appartiene agli amori nuovi, gli amori vecchi
sono sempre un po' vili. No, non ero più il suo ragazzo, ero l'uomo che l'aspettava in macchina quando
entrava in un negozio. La mano di Elsa scivolava più
morbida dentro la mia, come il muso di un cavallo
che riconosce la sua biada.

«Vuoi fare un bagno?»

«Sì.»

«Vado a infilarmi il costume.»

La guardai dirigersi verso la casa, guardai le sue
gambe che risalivano la spiaggia, volitive e salde. Ri

43

pensai a quelle altre gambe spolpate e molli all'interno, dove le avevo strette. E risentii il gusto di quel sudore, di quella paura. «Aiuto...» aveva sussurrato a un certo punto. «Aiuto.» Elsa adesso s'infilava nel giardino, sorrisi, come si sorride alle cose che ci appartengono. Tornai a guardare il sole che stava scendendo sul mare con un riverbero rosa e pensai che ero un uomo stupido. Quello era uno splendido pomeriggio della mia vita, dovevo chiudere le ali del mio impaccio su quel momento di serenità.

Tornò nel suo costume da bagno color prugna, con un asciugamano sotto il braccio. Era ancora incredibilmente bella, più magra di quando l'avevo conosciuta, più dura forse, ma più leale. Il suo fisico ben custodito corrispondeva perfettamente alla sua anima.

«Andiamo?»

Quel tassello bianco nel rovescio del costume davanti al quale avevo tremato come davanti a un giudice era scomparso tra le sue cosce. Mi rizzai con uno scatto repentino. Era ferma sul bagnasciuga, guardai la curva della sua schiena. Ero l'uomo della sua vita, il vecchio che l'avrebbe aspettata fuori dai negozi in doppia fila. Forse desiderava un altro, forse l'aveva già avuto. La fedeltà non è un valore degli anni ragionati. L'infedeltà sì, perché richiede precauzione, parsimonia, discrezione, e ogni sorta di qualità senili. Noi due insieme cominciavamo a essere come un vecchio cappotto che ha perso la linea originaria, e con essa il fastidio della rigidità, e proprio il cedimento, la consunzione naturale del tessuto, lo rendono unico, inimitabile.

Aprii l'accappatoio e lo lasciai cadere sulla sabbia. Elsa tirò indietro la testa con un guizzo improvviso.

«Sei nudo!»

Rideva mentre camminava nell'acqua dietro il mio culo bianco, troppo largo per essere il culo di un uo-

44

mo. Le piacevo ancora? Di sicuro mi preferiva vestito, protetto dagli stracci. Non trattenevo la pancia, e non avevo muscoli sulle braccia. Volevo che mi guardasse senza clemenza, che misurasse le imperfezioni dell'uomo con il quale avrebbe trascorso il resto della sua vita. Mi tuffai e nuotai senza tirare fuori la testa finché non sentii il petto gonfiarsi, farsi duro. Mi voltai sulla schiena e rimasi a galleggiare così, con l'acqua che mi pascolava in bocca. Sentii prima le sue braccia che spostavano l'acqua, poi tua madre affiorò accanto a me. I capelli bagnati le denudavano il volto. No, se anche le avessi raccontato la mia avventura erotica non mi avrebbe creduto. Pensai a certe scene di sesso al cinema, fotogrammi osé che dallo schermo franavano in fondo ai nostri corpi, nel buio della sala. Lei ammutoliva nel silenzio, smetteva di respirare. Io mi agitavo infastidito sulla poltrona. *Non sarà così scema da credere che nella vita si possa davvero scopare così?* Ma quando uscivamo dalla sala, lei era assente come una figura di carta.

Mi sputò in faccia un po' di mare, poi s'immerse e continuò a nuotare davanti a me. Ascoltavo il rumore del suo corpo che fendeva l'acqua, sempre più lontano. Ero fermo, avevo gli occhi socchiusi, le gambe un po' aperte, mi lasciavo cullare dalla corrente. Forse c'era qualche piccolo pesce lì sotto che scrutava la chiglia del mio corpo. Mi voltai e scesi a occhi aperti nel luccicore che penetrava l'azzurro, scesi fino al freddo, e rimasi sul fondo dove la sabbia si agitava piano. Mossi le labbra nella sordità dell'acqua.

«Ho violentato una donna» gridai.

E tornai su, insieme alle mie bolle, a braccia aperte come un grande pesce bianco, verso la luce che colmava la superficie.

Da studente, Angela, avevo paura del sangue. Durante le lezioni di anatomia rimanevo discosto, protetto dalla schiena di un altro. Ascoltavo i suoni di quel lavorio interno e la voce del professore che dettagliava l'intervento. Lì dove si dissezionavano i corpi, il sangue non era grigio come sui libri, aveva il suo colore e il suo odore. Certo, avrei potuto modificare il progetto che avevo per me stesso, potevo essere un internista senza talento, come mio padre. Anch'io non sarei mai stato un buon diagnostico, non avevo intuito. Non mi interessava il male murato dalla carne. Io volevo aprire, vedere, toccare, asportare. Sapevo che sarei stato bravo nel fondo, solo e unicamente lì. Mi sono accanito contro il mio destino, ho lottato a piene mani contro di lui, che mi scacciava dai miei sogni, mi buttava in un altro verso.

E una mattina nel cesso degli studenti, mi ferii la mano sinistra, con una lametta da barba incisi lentamente il muscolo adduttore del pollice. Sentii la ferita bagnarsi, colare. Dovevo resistere, aprire gli occhi e resistere. E alla fine ce la feci. Guardai il mio sangue gocciolare nel lavandino e non provai altro che un flebile malore. Quel giorno mi avvicinai al letto operatorio e finalmente guardai. Il mio cuore rimase immobile. Rimase immobile anche la prima volta che spinsi il bisturi nel corpo di un vivente. È speciale il tempo che corre sulla carne incisa prima che questa cominci a versare. Il sangue non affiora subito, per una frazione di secondo la ferita rimane bianca. Ho fatto migliaia d'interventi, e l'incisione è l'unico momento che mi provoca una piccola vertigine, perché la lotta che ho combattuto è ancora viva dentro di me. Alzo le mani e lascio al mio assistente il compito di cauterizzare. Per il resto non ho mai perso la lucidità, anche nei momenti più disperati. Ho sempre fatto tutto ciò che era nelle mie possibilità e, quando ho dovuto, ho lasciato che la gente morisse. Mi sono tolto la mascherina, mi sono lavato la faccia e le mani fino alle braccia, e ho guardato nello specchio i segni che lo sforzo aveva lasciato sul mio viso, senza pormi inutili domande. Non so, figlia mia, dove vanno le persone che muoiono, ma so dove restano.

Ora Alfredo avrà già cominciato, il lembo cutaneo è staccato, i vasi coagulati. Staranno incidendo la fascia del muscolo temporale. Poi segheranno l'osso, è un'operazione difficoltosa, non bisogna fare troppa pressione, si corre il rischio di intaccare la dura madre. Dopo, se ce ne sarà bisogno, t'insaccheranno l'opercolo osseo nella pancia per tenerlo sterile, dopo, alla fine, ora non c'è tempo per i ricami. Ora bisogna andare dritti al sangue. E speriamo che l'ematoma non abbia compresso troppo il cervello. Vorrei essere un padre qualunque, uno di quegli uomini fiduciosi che si affidano a un camice, e si ritraggono come di fronte a una veste sacra. Ma non posso fingere di non sapere quanto la volontà di un ottimo chirurgo sia ininfluente rispetto al compiersi di un destino. Le braccia di un uomo sono ferme alla terra, figlia mia. Dio, se c'è, è alle nostre spalle.

Sai, tesoro, non entro per pudore. Perché se te ne

andrai non voglio aver sorvegliato gli ultimi colpi della tua vita in circostanze indecenti. Voglio ricordarti come un padre, voglio non aver veduto il tuo cervello pulsare nudo, voglio ricordare i tuoi capelli. Quei capelli che ho carezzato di notte chinato sul tuo piccolo viso stretto nel broncio del sonno, mentre nascevano tanti pensieri per te. Uno era il giorno del tuo matrimonio, ho immaginato il tuo braccio chiaro sulla mia manica scura, quella passeggiata in fondo alla quale ti avrei consegnato a un altro. Sono ridicolo, lo so. Ma la verità degli uomini è spesso ridicola.

Qui fuori c'è silenzio, c'è silenzio su queste sedie vuote davanti a me, c'è silenzio sul pavimento. Qui fuori potrei pregare, potrei chiedere a Dio di entrare nelle mani di Alfredo e di salvarti. Solo una volta l'ho pregato, molto tempo fa, quando ho capito che non ce l'avrei fatta e non potevo arrendermi. Ho alzato le mani imbrattate verso il cielo, e ho intimato a Dio di aiutarmi perché se la creatura che avevo sotto i ferri moriva, con lei sarebbero morti gli alberi, i cani, i fiumi, e persino gli angeli. E tutto quello che di creato c'è.

Li ho visti in ritardo, quando già non potevo sottrarmi. Li ho visti quando ho avuto paura. A metà del corridoio, poco prima della radiologia. Due poliziotti accanto a una porta, braccia grigie nella divisa, pistole nel cuoio. Ascoltano un terzo, vestito in borghese, che parla a voce bassa, muovendo appena le labbra, scure come se avesse succhiato liquirizia. Sposta le pupille verso di me, quasi prendendo la mira, due sfere di materia vitrea che mi saltano addosso nel vuoto estivo dell'ospedale. L'uomo mi guarda, e anche uno dei due poliziotti adesso si volta verso di me. L'ascensore è oltre le loro spalle, un po' più giù, sull'altro lato. I miei passi continuano, svuotati come quelli di una marionetta. È passata una settimana dalla nefandezza di quel pomeriggio, da quell'alcol bevuto a digiuno.

Non conservavo memoria certa dei fatti, tutto si era svolto attraverso una parete di colla. Ma lei no, lei non doveva aver dimenticato. L'avevo lasciata contro quel muro, un nodo di membra sconfitte nell'ombra. Usata e lasciata come un preservativo. Forse era al di là di quella porta celata dal dorso dei poliziotti. Se l'erano portata dietro per il riconoscimento. Adesso, che ero quasi accanto a quel disgustoso individuo olivastro, lei sarebbe uscita allo scoperto. Senza viso, bassa, con la sua cesta di rafia in testa, avrebbe allungato un braccio verso di me: *è lui, prendetelo*. La sua zampa di blatta aveva attraversato la periferia, risalito i quartieri buoni, e mi aveva raggiunto. Mi avrebbero fermato, come si fa nei luoghi pubblici per non creare panico, con una stretta salda sul braccio, e la voce calma. *La prego di seguirci*. Invece, Angela, nessuno mi sfiorò. Il dito sul pulsante rosso, aspettavo che si aprisse l'ascensore. Loro erano ancora lì, immobili, non li guardavo ma li vedevo, tre sagome scure nella sezione laterale di un occhio. Entravo in ascensore e non ero più io. La camicia incollata alla schiena, sorrisi a una donna e a un bambino che salivano insieme a me: «Prego» come un animale scimunito. *Non ho fatto niente io, signora, vede? Sono un uomo gentile, glielo dica lei a quei brutti tipi lì sotto*, intanto i piani andavano intorno a quella scatola di latta argentata.

Sfuggii chiunque con gli occhi mentre facevo il consueto giro tra i letti di chi avevo operato nei giorni precedenti. Occhi professionali dietro lenti bifocali, bassi sulle cartelle cliniche, bassi sul pennino d'oro montblanc con cui aggiusto le dosi dei sedativi. Poi la sala operatoria, e nel tragitto le spalle tremano come ali. Entro con il solito calcio ai battenti, a mani sterili, in alto verso la ferrista che m'infila i guanti. Mani in alto come un criminale, penso, e troverei ancora la forza di sorridere. Poi la pace, la mia pace lavorativa. Soluzione iodata, bisturi freddo, sangue. Ho le mani calme, precise come sempre, più di sempre. Solo che non sono le mie, sono quelle di un uomo che sto guardando, un professionista ineccepibile, che non ammiro più. Mi guardo come un entomologo guarda un insetto. Sì, adesso sono io l'insetto e non lei, lei è solo una povera donna trascinata dal caso, che ho violato, ho succhiato, ho appinzato. Le mani di gom-

ma lì in basso, non mie, eppure così mie, uncini candidi nel mondo dove mi destreggio da benefattore
Bisturi elettrico. Cauterizzare i vasi. *Sono ancora lì fuori, mi stanno aspettando. Mi fermeranno vestito da chirurgo, ridicolo modo di farsi arrestare.* Pinza di Kocher.
Tamponi. *Mi lasciano il tempo del rimorso, ecco perché
non mi hanno preso prima, per lasciarmi questo tempo nero. Per crudeltà. Sì, era lì in quella stanza, mi ha visto passare e ha fatto un cenno di assenso. Poi si è chinata su una
sedia, come una canna rotta, le hanno portato un bicchiere
d'acqua: non ti preoccupare, quel figlio di puttana non ci
scapperà, lui e il suo lurido uccello. Non ho guardato oltre
la porta passando. Non ne ho avuto il coraggio, peccato.*
Mi sforzavo, ma non riuscivo a ricordare la destinazione di quella stanza. *La porta prima è quella dalla quale si accede alla sala dei prelievi, ma quelle due ante aperte
accanto al dorso grigio dei poliziotti...* Precipitavo col
pensiero in quello spazio vuoto, ignoto, dove forse si
celava quella donna che non ricordavo più. E mi
sembrava, Angela, che quell'amnesia bastasse a cancellare la mia azione. *Perché non sono tornato indietro a
farle una carezza, a convincerla che non era successo nulla? Quando voglio so come piegare un animo fragile. Potevo chiederle scusa, offrirle del denaro. Potevo ucciderla.
Perché non l'avevo uccisa? Perché non sono un assassino.
Gli assassini uccidono. I chirurghi stuprano.* Pinze va-
scolari. Aspiratore. *Mi ha denunciato, ha raccolto la sua
borsa patchwork ed è andata al commissariato di zona.* Mi
sembrava di vederla, mentre per farsi coraggio si tor-
mentava le unghie, in una di quelle stanze che odora-
no di timbri. Le gambe pallide strette sulla sedia, de-
scriveva l'uomo dall'aspetto distinto che aveva
abusato di lei, mentre qualcuno alle sue spalle batteva a macchina. Chissà cosa aveva raccontato... *Cosa
le sarà rimasto di me, mi piacerebbe sapere che traccia ho
lasciato nel suo corpo poco allettante. Ero cieco di alcol, di*

caldo, di una foia snaturante. Lei invece era sobria, mi ha guardato, mi ha subito. Chi subisce ricorda. Divaricatore autostatico. *Forse l'hanno sottoposta a un controllo gine-cologico, ha girato il viso da una parte sul lettino bianco e si è sottomessa a quella umiliazione. E lì, a gambe divari-cate, guardando il vuoto, ha deciso di rovinarmi per sem-pre.* Kelly. *Forse hanno prelevato i resti del mio liquido se-minale.* Ancora Kelly. *No, non è possibile che mi abbia raggiunto, non sa nulla di me, non conosce il mio indiriz-zo, il mio mestiere. Ma forse sì. Quando sono andato nel-l'altra stanza a telefonare, ha frugato nella mia borsa rima-sta sul divano. Stracciona, maledetta stracciona. Non ti crederanno.* Tamponi. *Mi difenderò. Dirò che è stata lei, a trascinarmi con una scusa a casa sua, per derubarmi, per uccidermi, magari. Non ho forse avuto paura mentre la se-guivo dentro le mura buie e fetide di quel palazzo occupa-to? È stata la paura ad alterarmi così, per difendermi da quella paura l'ho aggredita.* Isolare il coledoco. *Aveva modi indecenti, dirò, mi ha tratto in inganno, mi ha droga-to con un caffè... Sì, forse in quel caffè c'era qualcosa di strano. C'è puzza di veleno in quella stamberga, commis-sario, fate un sopralluogo.* Cistico. Filo. *Forse ci sono dei corpi sotterrati in quel giardino di polvere. Le auto passa-no sul viadotto, auto che fanno tremare i vetri, il loro ru-more cancella le grida delle povere vittime. Sono vivo per miracolo! Arrestate quella strega.* Tubo di drenaggio. *Disgraziata, come ti sei permessa? Come hai creduto di po-termi rovinare? Come hai sperato che qualcuno ti credes-se? E adesso le davo uno schiaffo in pieno viso, la sua* testa di rafia ondeggiava. *Crederanno a me, certo. I poli-ziotti mi chiederanno scusa, lascerò loro un biglietto da vi-sita. Un chirurgo fa sempre comodo.* Tamponi. L'uomo dalle labbra scure ha la faccia di uno che soffre di fegato. *Sarò magnanimo. Alzerò la cornetta, digiterò l'interno di un paio di colleghi per un check-up completo, saltando la trafila delle liste d'attesa, come faccio solo con gli amici più stretti. Mi ringrazierà, si inchinerà per ringraziarmi. Mi manderà una bottiglia di liquore, e un calendario dell'Arma che regalerò a un'infermiera.* Ricontrollare l'emostasi. *Tu invece uscirai in manette, spintonata. Troia, abusiva, come il quartiere dove vivi. Manderò una ruspa a cancellare la tua casa.* Contare le pezze laparotomiche. *La mia parola contro la tua.* Portaghi. *E vedremo chi avrà la meglio!* Nylon per la cute.

L'intervento era finito. Ed ero tornato a sollevare lo sguardo: dentro c'era il colore della sfida, del disprezzo. Accanto al mio secondo assistente, un giovane praticante in un camice troppo grande mi guardava imbambolato. Non mi ero accorto che ci fosse, si era avvicinato solo adesso. Aveva gli occhi di chi ha esercitato una volontà troppo dura su se stesso. Forse aveva soltanto cercato di rimanere in piedi Forse aveva paura del sangue. Idiota.

Ho buttato i guanti, sono uscito dalla sala operatoria, e sono entrato nello spogliatoio. Mi sono seduto sulla panca. Dalla finestra si affacciava la solita veduta del padiglione accanto, i vetri bassi sulle scale interne, dove passano i piedi di chi sale, di chi scende. Si vedono solo i gradini, solo le gambe, le facce sono coperte dal muro. Sono passati prima un paio di pantaloni da uomo, e poi le gambe bianche di un'infermiera. Ricordo di aver pensato che niente può salvarci da noi stessi, e che l'indulgenza è un frutto che cade a terra già cariato. Avevo tolto la briglia a tutti quei pensieri indecenti, e adesso ero inutile come un cecchino morto.

La camera operatoria era spalancata e in disordine, nel corridoio un uomo in vestaglia camminava verso i bagni con un rotolo di carta igienica in mano. Mi sono abbassato appena nella finestra a ghigliottina per salutare le infermiere, gli assistenti. Scendevo in ascensore e in me c'era solo quello contro cui avevo lottato. A piano terra, accanto a quella porta non c'era più nessuno, e dentro c'era una stanza come tutte le altre, una sala d'attesa per pazienti in dialisi. Due donne con la faccia gialla aspettavano sedute il loro turno. No, Angela, lei non era mai entrata in quella stanza, né in nessun'altra. Era rimasta contro il muro sotto il poster della scimmia. Non aveva mai alzato il viso.

C'era stato un imprevisto quell'anno, Angela, la notte di Pasqua avevo perso mio padre. Senza dolore, non lo vedevo quasi mai. Dopo la morte di mia madre i nostri incontri si erano molto diradati. Sapevo che viveva in un residence, ma non conoscevo nemmeno il suo indirizzo. Mi dava appuntamento in un bar di legno galleggiante sul fiume, accanto a un campo da tennis. Sempre al tramonto, nell'ora più morbida. A lui piacevano gli aperitivi, lo zucchero intorno al bicchiere, il piattino con le olive. Teneva in dentro la pancia, si sedeva dalla parte del suo profilo migliore. Gli piaceva sentirsi ragazzo. Di quei rari incontri ricordo solo il rumore della palla da tennis che rimbalzava schiacciata dalle racchette nel campo di polvere rossa.

Il giorno del funerale avevo assistito all'omelia del prete in piedi. Elsa era accanto a me, un velo nero, ricamato, le spioveva sulla fronte, piangeva. Non so bene per cosa. Soltanto perché le sembrava giusto farlo. Un uomo atticciato con i capelli bianchi sbucò da una colonna e mi passò accanto. La cravatta di rasone nero scucita, con l'etichetta interna che fuoriusciva sulla camicia. S'accostò al microfono e lesse una paginetta scritta di suo pugno. Parole retoriche, inutili, che sarebbero piaciute a mio padre. Doveva essere un suo grande amico, leggeva con una voce zuppa di dolore autentico, un fazzoletto lercio di muco stretto in mano. Aveva un'aria stravagante, bonaria e laida insieme, tutta la sua figura, dai capelli agli abiti, era ingiallita dalla nicotina. Sul sagrato fumava. Mi strinse la mano, cercando un abbraccio al quale mi sottrassi. Nessuno di famiglia sembrava conoscerlo. Si allontanò, saltellando con il suo corpiciattolo strizzato nella giacca cangiante lungo la scalinata. In quell'uomo sconosciuto, dall'impronta promiscua, mi parve di riconoscere l'unica eredità di mio padre.

E a lui pensavo, guidando verso il mare, verso tua madre. Questa morte senza dolore, a sorpresa, nei mesi successivi mi aveva tormentato più del previsto. Di notte mi ero svegliato, scoprendomi orfano in cucina, tra il frigorifero e il tavolo, non di lui, ma del desiderio di un padre, di una remota possibilità che forse lui conservava e che io per orgoglio avevo sempre ignorato. Il rimpianto si era cristallizzato dentro di me, cupo e silenzioso. Era estate e ancora vegliavo su quello strano sconforto. Forse il freddo mi avrebbe rimesso in moto. Guidavo verso il mare e adesso pensavo di andarmene in Norvegia con Elsa per le vacanze di ferragosto. Avevo voglia di camminare sul ciglio di immense fosse tettoniche, di risalire i fiordi, attraversare il Vestfjord e raggiungere le isole Loföten. E poi star lì con la pelle arrossata dal vento a pescare merluzzi più grandi di me nel mare cobalto. Una donna di mezza età guidava l'auto davanti alla mia, già da un pezzo le ero dietro. Potevo mettere la freccia, dare un colpo di clacson, e svicolare via sulla sinistra accelerando. Invece, appeso al volante, temporeggiavo. I capelli corti lasciavano scoperta la nuca pensierosa di una donna ferma su un crinale. Una donna che resiste con la sua schiena da ragazza, però ha perso il senso dell'orientamento. *Basta, ora spingo il clacson, lo faccio stridere dentro le ossa della sua schiena.* Ma già penso a mia madre. Aveva preso la patente tardi lei, si era fatta quel regalo. Saliva sulla sua piccola utilitaria che odorava di cera da mobili e andava, chissà dove. Il cappotto a spina di pesce piegato bene sul sedile accanto. Guidava proprio così, come questa donna che mi sta davanti, troppo attaccata al volante, con il timore che qualcuno le pugnalasse la schiena con un colpo di clacson. Angela, perché la vita si riduce a così poco? E dov'è la clemenza? Dov'è il rumore del cuore di mia madre? Dov'è il rumore di tutti i cuori che ho amato? Dammi un cesto, figlia mia, il cestino con cui andavi all'asilo. Voglio metterci dentro, come lucciole nel buio, i bagliori che hanno attraversato la mia vita.

La donna davanti a me rallentava, e rallentavo anch'io. Mi lasciavo portare, mansueto come un neonato dentro una carrozzina. Il prato a lato della strada era sporco. Più o meno da quelle parti la mia macchina si era fermata poche settimane indietro.

L'uscio verde era sbarrato. Bussai più d'una volta, senza risposta. Sul cavalcavia le macchine sfrecciavano, chissà quante volte ero passato lì sopra per andare al mare, ignaro di questa vita sottostante. Altre abitazioni sorgevano oltre i pilastri, baracche di ruggine, roulotte. La carcassa di un'auto bruciata spuntava ferale dall'erba, forse era caduta dal viadotto e nessuno si era mai preoccupato di rimuoverla. Accanto, in mezzo a un letto di argilla spaccata dal sole, stava passando un serpente. La sua scorza nera luccicava mentre di nuovo scompariva nell'erba. Lei non c'era. Mentre mi allontanavo, l'ombra della sua casa si allungava su quel paesaggio sconfortato, e mi seppelliva.

Salii in macchina, infilai la chiave d'accensione, ma non la girai. Mossi la manopola della radio per cercare una frequenza musicale. Appoggiai la testa sul sedile. Ero all'ombra, fuori c'era quella gran calura che non smetteva di ronzare, e il solito deserto. Ogni tanto un grido isolato rotolava in basso da chissà quale buco. Spensi la radio. Allungai le gambe oltre i pedali, socchiusi gli occhi, e la vidi. Tra le palpebre, in quella fessura da cinemascope. Attraversava il basamento sorretto da colonne di cemento del grande condominio incompiuto. Non mi ero sbagliato ad aspettarla lì. Di nuovo aveva scelto quella strada per ripararsi dal sole. Nelle zone di luce pareva affrettarsi, per poi rallentare quando entrava nelle lunghe ombre delle colonne dove diventava quasi nera. Avevo temuto di non riconoscerla, invece la riconobbi subito, appena la vidi. Lontana, minuscola, rabbuiata dall'ombra. La sua testa di spaventapasseri, le sue gambe sottili, storte. Ritrovavo quel passo disorientato, forse da un vizio delle anche. Camminava senza saperlo verso di me, come uno di quei randagi sfiduciati che filano via di traverso. Due grosse borse della spesa le affaticavano le braccia tese. Pesi che non davano stabilità al suo procedere, anzi la sbilanciavano. Ora casca, pensai, ora casca. E avevo agguantato la maniglia per uscire, per andarle incontro. Ma non cadde, si oscurò in un'altra ombra. Lasciai la maniglia e rimasi dov'ero. La sua fronte ampia riaffiorò alla luce e con essa la sensazione che non era lei che io stavo spiando, ma me stesso. Mentre avanzava, in quella griglia di luci e ombre, tornavo a impossessarmi fotogramma dopo fotogramma del tempo osceno che avevo trascorso con lei. Ero scivolato in basso nel sedile, sudavo immobile in un'apnea sessuale. Perché di colpo ricordavo... il suo corpo spento come quel caminetto senza fuoco, il collo bianco, reclinato, quello sguardo triste, enigmatico. No, non avevo fatto tutto da solo. Lei aveva voluto, quanto me. Più di me. E il muro, e la sedia che cadeva alle nostre spalle, e i polsi imprigionati in alto contro la carta lucida di quel poster, mi rinvenivano negli occhi. Il ricordo era nel buio del mio stomaco. Dove persino l'odore di noi due insieme tornava vivo. L'odore del delirio che cancella l'odore della cenere. Era stato un amplesso disperato. E la disperazione era tutta sua, incollata a quelle gambe scheletriche che ora camminavano verso di me. Lei faceva l'amore così, non io. Mi aveva tirato dalla sua parte. Camminava con le sue borse della spesa. E cosa aveva lì dentro? *Cos'hai comprato?* *Cos'è che mangi? Butta quelle borse in terra, lasciale alla polvere e vieni da me, cane.* Era magra magra, in controluce. Sembrava uno di quei piccoli invertebrati dall'esoscheletro anemico che emergono dalla terra in primavera. Così lei sembrava affiorare da una fatica. Andava verso la sua casa in un giorno qualunque della sua misera vita, senza stupore. Che carattere aveva? Perché si truccava così tanto? La borsa di patchwork a tracolla le sbatteva tra le gambe. Dovevo andarmene. Si era fermata dentro un cono d'ombra. Posò una borsa per terra e si toccò la nuca accaldata, si scansò i capelli albini. Rimasi per catturare quel gesto, l'alito di quella nuca appiccicata. Non avevo bevuto, lo stomaco era in ordine, la testa lucida... e proprio in quella lucidità, in quello stomaco digiuno, io la desideravo. Non mi fidavo più di me stesso, perché mentre la guardavo già le stavo mancando di rispetto. Non era vero niente, non l'avevo attesa per scusarmi, mi ero appostato come un falco per atterrarle addosso, per farle di nuovo la festa. Mi aveva quasi raggiunto. Sarebbe passata senza notarmi. L'avrei lasciata sparire nello specchietto e sarei andato via. Senza tornare mai più. Abbassai la testa, e mi guardai le mani ferme sulle gambe per ricordare a me stesso che ero un uomo perbene.

La sua pancia si fermò davanti alla portiera. Si chinò per guardare dentro. Alzai gli occhi, e dove credevo di trovare due fori di spavento trovai uno sguardo appena un po' spaesato. Uscii fuori dalla mia tana solo in parte, rimasi appoggiato allo sportello con un piede ancora dentro.

«Come va?»

«Bene, e lei?»

«Dammi del tu.»

«Come mai da queste parti?»

«Ho dimenticato di pagare il meccanico.»

«Me l'aveva detto, mi aveva anche detto se la conoscevo...»

«Dammi del tu.»

«Sì.»

«Cosa gli hai detto?»

«Che non ti conoscevo.»

Non sembrava arrabbiata, non sembrava niente. Forse è abituata, pensai, è una che va con chi le capita. E ora la guardavo senza temere più nulla. Un'ombratura scura circondava gli occhi, affondandoli ancor più nel cranio magro. Vene bluastre attraversavano il collo, morivano nella camicia gialla e nera a scacchi, di un tessuto elastico che brillava sotto il sole, roba da due lire, cucita a macchina da qualche minorenne asiatico. Non mi guardava più. Si portò una mano sulla frangia e cominciò a tirarsela, a stenderla in piccole ciocche per camuffare quella fronte troppo grande dove ora si era posato il mio sguardo. La luce spalancata lambiva le imperfezioni del suo volto, e lei lo sentiva. Doveva essere ben oltre i trent'anni, ai bordi esterni degli occhi aveva già una ragnatela esile di rughe. Era un volto patito in ogni scaglia di pelle. Ma negli spiragli, negli occhi, nelle narici, nel filo tra labbro e labbro, ovunque affiorasse il respiro interno di lei, frusciava un richiamo sommesso, indefinibile, come un vento carico incuneato nel folto di un bosco.

«Come ti chiami?»

«Italia.»

Accettai quel nome improbabile con un sorriso. «Senti, Italia» dissi, «mi dispiace per...» spinsi la mano nella stoffa interna della tasca. «Volevo chiederti scusa, ero ubriaco.»

«Vado, sennò i surgelati si squagliano.»

E reclinò lo sguardo dentro una delle due borse che non aveva mai posato.

«Ti aiuto.»

E già mi ero chinato a toglierle le borse dalle mani. Ma lei le trattenne con decisione. «No, non pesano...»

«Per favore» sussurrai, «per favore.»

Nei suoi occhi non c'era più nulla. C'era quell'assenza che avevo già visto, come se si stesse svuotando di ogni volontà. Nel palmo delle mani sentii il sudore dei palmi di lei rimasto sui manici delle borse. Scendemmo per le scale di ruggine, approdammo sul terrapieno. Lei aprì la porta, e io la richiusi alle nostre spalle. Tutto era avvolto dalla stessa immutata desolazione, il telo fiorato sul divanetto, il poster della scimmia con il biberon tra le zampe, lo stesso odore di varechina e di veleno. Sentii uno smottamento, una pasta morbida e calda che s'insinuava sotto la mia crosta lentamente. L'impulso sessuale non aveva fretta, ero molle, balordo. Posai le borse per terra. Una lattina di birra rotolò sotto il tavolo. Lei non si chinò a raccoglierla. Era appoggiata al muro, guardava verso la finestra, tra le lame delle persiane accostate. Mi allentai il nodo della cravatta mentre mi avvicinavo. I testicoli mi pesavano tra le gambe, mi facevano male. Questa volta la presi di spalle. M'impensierivano i suoi occhi, in fin dei conti era una faccenda mia. Volevo godermi quella sfilza di costole, quella nuca. Forse le graffiai la schiena, ma non riuscii a evitarlo. Dopo, cercai nella tasca dei pantaloni il portafoglio. Le lasciai il denaro sopra al tavolo.

«Per i surgelati...»

Non rispose, Angela. Forse ero riuscito a offenderla.

Tua madre era in giardino con Raffaella, che d'estate prendeva in affitto un cottage sulla spiaggia non lontano da noi. Ridevano. Mi abbassai e sfiorai la guancia di Elsa con un bacio. Era stesa su una sedia a sdraio, mi passò una fiacca mano in mezzo ai capelli. Mi ritrassi subito. Temevo che si accorgesse di un altro odore. Raffaella si alzò.

«Vado, ho promesso a Gabry che le avrei portato la mia mousse.»

Passava buona parte della giornata in acqua, con un cappello di spugna in testa. Galleggiava a pochi metri dalla riva in attesa che qualcuno dalla spiaggia si decidesse a farsi un bagno. Poche bracciate, e te la ritrovavi davanti come una boa. Adorava chiacchierare a mollo e aveva molte storie da raccontare perché viaggiava di continuo. Elsa si faceva viola al suo fianco. Raffaella invece non pativa il freddo, il suo costume era perennemente bagnato anche dopo il tramonto.

Fissai gli occhi sulle sue cosce robuste, senza motivo. Sconfisse il mio sguardo con la solita ironia. Rise. «Cosa vuoi» disse, indicando Elsa, «le magre hanno sempre un'amica del cuore grassa.» Raccolse il suo pareo. «Sei pallido, Timo, perché non prendi un po' di sole?»

È morta tre anni fa, lo sai. L'ho operata due volte. La prima al seno, la seconda ho inciso e richiuso l'addome nel giro di mezz'ora. L'ho fatto perché si trattava di un'amica, ma sapevo che non c'era speranza. Dopo la prima operazione non era mai tornata per un controllo, era andata in Uzbekistan. Aveva lasciato al sarcoma la possibilità di metastatizzare indisturbato. Era una donna tollerante, Raffaella, lasciava vivere chiunque. A quell'epoca naturalmente non aveva il cancro. Aveva un paio di zoccoli che a contatto con il mattonato producevano un rumore insopportabile. Rimasi in attesa finché quel fastidioso scalpiccio non sprofondò nel silenzio della sabbia.

Le caviglie di Elsa e i suoi piedi sporgevano oltre la sdraio. Mi sedetti lì in basso e cominciai a carezzarla. Le mie mani correvano fino ai suoi ginocchi, la sua pelle era liscia, profumata di doposole. Ogni volta che arrivavo da lei al mare, ogni volta che pensavo a quell'arrivo, ero contento. Adesso ero lì, accucciato in fondo alla sua sdraio, senza allegria. Mi ero accorto di uno scompenso. Quello che avevo aspettato non c'era. Trascurabili disattenzioni: niente di fresco in frigorifero, il mio costume rimasto a scolorire in un angolo assolato dopo l'ultimo bagno, la mia camicia preferita ancora da stirare. E soprattutto Elsa, la sua faccia senza stupore. Non mi sentivo atteso, non mi sentivo amato. Ingiustamente. Elsa mi amava, con la ragionevolezza a cui io per primo l'avevo piegata, perché lei senza dubbio era stata più appassionata di me. Per amore si era adattata ai miei cingoli frenati. Mentre io, morto mio padre, regredivo. Sentivo incertezze, sommosse interiori schivate durante l'adolescenza affiorare intatte. E mi aspettavo che lei, che era tutta la mia famiglia, si accorgesse di me. Ma tua madre, Angela, non ha mai amato le persone deboli, e io purtroppo lo sapevo, l'avevo scelta per questo.

Le carezzavo le gambe e non la sentivo fremere. Non mi restava che la scia dolciastra del suo doposole. La amavo, ma non ero più in grado di attirare la sua attenzione. La amavo, e deviavo dentro quella periferia, dentro le ossa di quell'altra donna. Lei non mi deludeva, non aveva ricordi posati sulla carne. Scopavo con nessuno. In quelle soste euforiche e patetiche, diventavo il ragazzo temerario che avrei voluto essere e che non ero stato. Scendevo a giocare in cortile a dispetto di mia madre, delle sue pallide mani ferme sul pianoforte. Squarciavo le rane. Sputavo nel piatto. Dopo ero solo, esattamente come prima. Però il profumo del crimine rimaneva, risaliva dal buio e mi faceva compagnia adesso, mentre un ciuffo di canne a lato del giardino si muovevano assecondando il verso leggero del vento.

«Ti ricordi quell'uomo al funerale di mio padre?»

Elsa era appoggiata sui gomiti, inclinò leggermente la testa verso di me. «Quale?»

«Quello che lesse.»

«Sì, vagamente...»

«Ti sembrava sincero?»

«C'è gente che s'infila nei funerali degli altri, poveracci che non hanno di meglio da fare.»

«Non credo che fosse uno così, conosceva il soprannome di papà, e poi piangeva.»

«Tutti hanno molte ragioni per piangere, i funerali sono solo una buona occasione.»

«Tu per cosa piangevi?»

«Per tuo padre.»

«Lo conoscevi appena.»

«Piangevo per te.»

«Ma io non ero triste.»

«Appunto.»

Mi sfilò le gambe da sotto le mani e scelse di ridere.

«Vado a farmi la doccia, che è tardi.»

Ma sì, fatti la doccia! Io resto ancora un po'. Mi guardo il sole che cala nel mare dalle frange porpora di questo cielo così bello che ti fa credere in Dio, in un mondo dove i tuoi morti ti aspettano per dirti che nulla andrà perduto. Mi brucia la punta dell'uccello, intanto che penso a mio padre. Ci penso da solo come è giusto che sia, sotto questo cielo cardinalizio. E forse mi prendo una birra dal frigo, oppure m'incazzo se sono rimaste calde sotto il tavolo.

C'era una foresta di gente a casa di Gabry e Lodolo, dentro un accerchiamento di torce che si allungavano nel vento. Facce abbronzate mi venivano incontro, denti bianchi nel buio. Indossavo il mio completo di lino chiaro, senza cravatta, i capelli ancora umidi sulla nuca mi regalavano un brivido di frescura che s'infilava sotto la camicia. La barba lasciata libera di crescere come ogni fine settimana. Con un calice in mano, salutavo quello e quell'altro. Docile come un apostolo. Accanto al tavolo degli aperitivi, Elsa parlava con Manlio e sua moglie, muoveva le mani e i capelli, sorrideva. Le labbra sontuose si schiudevano a ripetizione sull'anello della dentatura superiore, leggermente prominente, consapevoli del potere racchiuso in quel piccolo difetto. L'abito di raso, cremisi come il rossetto, carezzava i sussulti del suo seno solido, mentre rideva. Alle feste ci separavamo sempre, ci piaceva farlo. Ogni tanto ci sfioravamo per qualche commento sussurrato, ma quasi sempre rimandavamo a dopo, a casa, quando lei scendeva dai tacchi e ritrovava le sue espadrillas. I nostri amici ci facevano ridere, più erano tragici più ci facevano ridere. Ne parlavamo malissimo, ma con molto affetto, e questo bastava ad assolverci. Elsa catturava con disinvoltura il gheriglio di ogni legame, scansava la buccia e affondava nella fragilità della polpa. Aveva fatto l'autopsia a tutti i matrimoni che ci circondavano. Grazie a lei, sapevo che i nostri amici erano tutti infelici. Ora sembravano molto contenti. Mangiavano, bevevano, guardavano le donne degli altri. Evidentemente la loro infelicità era sufficientemente agile da svaporare nei bicchieri di prosecco e scivolare lontano, oltre il giardino pensile, sul mare in basso, oltre il motoscafo di Lodolo con i parabordi candidi nell'acqua notturna. No, non mi sentivo attorniato da anime in pena. Manlio parlava con Elsa, e solo ogni tanto lanciava un breve sguardo alla moglie svizzera. Martine muoveva la testa a scatti, seguendo il moto degli occhi troppo sporgenti e troppo sgranati. Minuscola, magra, rugosa: una tartaruga con un collier di brillanti. Beveva. Non adesso, perché Manlio era lì a sorvegliarla. Beveva sola, mentre lui operava. Parti, raschiamenti, impianto ed espianto di ovuli, prolassi uterini, preferibilmente in cliniche private. Manlio le era affezionato, se la portava appresso da vent'anni come un pupazzetto a molla. Sembrava proprio che l'avesse comprata in un negozio di giocattoli. Il coro degli amici diceva: «Che ci troverà?». Io non trovavo niente di speciale in lui. Martine era un'ottima padrona di casa, cucinava indifferentemente gigot d'agneau o amatriciana, e non aveva opinioni. Ti abbuffavi e ti scordavi di ringraziarla, non si ringrazia un pupazzo a molla. Naturalmente Manlio la tradiva; «naturalmente» diceva Elsa, «un uomo così brillante, sanguigno, con quell'anoressica alcolista». Li guardavo, facendomi largo tra le figure che avevo davanti, e ora pensavo che l'avrebbe tradita volentieri con mia moglie. Naturalmente. Elsa era così desiderabile, piena di capelli, di carne turgida, con quel sorriso leggermente impreciso, quei capezzoli appesi addosso come un invito. Era troppo spiritosa con Manlio, stasera. Era il suo ginecologo, le faceva il Pap test, le aveva messo la spirale. Se l'era scordato? Lui senz'altro non l'aveva scordato. Il sigaro infilato tra i denti, gli

67

occhi infiammati come tizzoni. E il pupazzetto lì in mezzo che tirava su il fumo dalla sigaretta al mentolo. Andai a prendermi un altro bicchiere di vino, sfiorai il raso rosso di Elsa. Manlio sollevò il suo bicchiere in aria, con un gesto che voleva essere d'intesa. *Vai dove devi andare, Manlio. Dritto nel magnanimo culo degli insulti. Hai le camicie di sartoria, con le cifre stampate sul taschino, ma hai la pancia, dai tempi dell'università hai messo su un bella riserva. E che vuoi? Vuoi scoparti mia moglie, panzone?* Manlio era il mio migliore amico. Lo era stato e lo sarebbe rimasto, lo sai. Un vitalizio affettivo che il cuore mi ha imposto senza nessuna ragione precisa.

Raffaella si era scatenata, muoveva le grosse anche nel caffettano turchese colmo di ricami, accanto a Lodolo, il padrone di casa: sguardo spinellato, camicia stropicciata, come un ospite povero. Livia, completamente andata, i capelli buttati sul viso, le braccia in alto, shakerava i suoi monili etnici, tutta protesa verso Adele, stretta in un tubino aragosta, che si dimenava solo con le spalle e la testa come una liceale al primo ballo. I mariti le ignoravano, leggermente discosti, affossati dentro una delle loro formidabili discussioni politiche. Giuliano, quello lungo e precocemente incanutito di Livia, era incurvato su Rodolfo, quello di Adele, il brillante civilista che nei tempi morti recitava in una compagnia amatoriale e che in un'altra estate ancora a venire avrebbe divorziato dalla povera Adele, chiudendole con accanimento forense i rubinetti dei privilegi da un giorno all'altro, senza pietà e senza vergogna. Ma la vita è soffice perché si dipana nel tempo, e ci lascia il tempo per tutto. Adele, quella sera, lontana dal suo futuro, scuoteva la testa e mostrava, ora l'uno, ora l'altro, gli orecchini a cuspide che le guarnivano i lobi.

«Vieni, chirurgo!» mi gridò.

Scavalcai con lo sguardo il muro di teste che avevo davanti e incontrai per un attimo gli occhi di tua madre. Anche lei doveva essere almeno un bicchiere oltre la soglia, gli occhi le luccicavano miopi. In ritardo si portò una mano sulla bocca per catturare un piccolo sbadiglio. Difficilmente ballo, quasi sempre mi tengo ben discosto dall'aggressione della musica a tutto volume. Ma se proprio capita, mi piazzo nel mio metro quadrato e non mi sposto di lì. Chiusi gli occhi e cominciai a oscillare, le braccia inanimate lungo i fianchi. La musica mi entrava dentro e ci rimaneva, cupa come il suono del mare dentro una di quelle grosse conchiglie dall'esterno lucido come smalto. Ne avevo vista una proprio così di recente. Dove? Ma sì, era lì, accanto a un elefantino di giada, sul mobiletto dalla laccatura scrostata in casa di quella donna. Me l'ero trovata più volte davanti, nel sudore degli occhi che solo a tratti aprivo, quella conchiglia pacchiana... il ricciolo dell'imboccatura, rosa e liscio come il sesso di una donna. Ora oscillavo con più tenacia, mi piegavo in avanti, molto in avanti, poi tornavo su, buttavo la testa all'indietro. In alto il cielo traboccava di stelle, un buio pieno di luce scordata come dopo uno spettacolo pirotecnico. Il bicchiere mi era caduto di mano, sentivo il vetro sotto le scarpe. Mi sbilanciai e quasi precipitai nelle braccia di Raffaella. «Stai attento, Timo, che io ti dico di sì!» e rise, fino alle orecchie, e risero anche Livia e Manlio, che ora mi zompettava alle spalle cercando la complicità di una bassetta con la faccia spiritata. Cinsi la larga vita di Raffaella e me la trascinai dietro in un duetto traballante. Lei inciampava nel caffettano troppo lungo, il suo ventre grasso gorgogliava contro il mio mentre la catapultavo tra la folla. *Balliamo, Raffaella. Balliamo. Tra pochi anni il tuo ventre sarà*

sotto le mie mani, un pezzo di carne isolato tra i teli, e dal
cuscino col marchio azzurro dell'unità sanitaria mi dirai:
«*Peccato, ero finalmente dimagrita...*» *e scoppierai a pian-*
gere. Ma adesso ridi, e balla, e dacci dentro! E ballo anch'io, Angela, nella samba dei ricordi. Anch'io ignaro, come tutti. Come tua madre. Si era tolta le scarpe,
ballava tenendole in mano. Le piante si inarcavano,
le dita indemoniate acciaccavano l'impiantito come
mosto. La musica era sotto i suoi piedi.
«Attenta, ho rotto un bicchiere.»
E svicolai dalla pedana dei danzanti.

Il giardino, sospeso su un'ampia terrazza, era gremito di piante esotiche dall'aspetto temibile: alcune,
altissime, presentavano nel gambo abnormi escre-
scenze, e un fogliame aguzzo e rigido, altre erano co-
stellate di aghi culminanti in una infiorescenza polverosa. La luna scolorava il loro anemico pigmento
con un'ulteriore folata biancastra. Attraversavo il
giardino e mi sembrava di passeggiare dentro una
colonia di fantasmi. Mi affacciai dalla staccionata.
L'acqua era calmissima, di un azzurro profondo.
Guardai oltre, in fondo all'orizzonte, lo sgomento del
mare nel buio. Mio padre era morto, portato via per
sempre. Era caduto per strada, un infarto. E io non
ero più un figlio. Il completo di lino chiaro, la faccia
nel buio. Adesso anch'io ero un fantasma. Tornai a
voltarmi verso la festa. Spiavo, oltre il sipario di quello spettrale giardino, i miei amici. Ci conoscevamo
dai tempi fragili degli ideali, delle barbette da stam-
becchi. Che cosa era cambiato? Lo spazio intorno a
noi, quel vento che ci sbatteva ovunque, quando abi-
tavamo zone aperte. Un mattino avevamo chiuso le
finestre, la primavera finiva, il corpo di una rondine
galleggiava nella gronda. Di botto ritirati in noi stessi. La rasatura nello specchio e sotto la lama la faccia

dei nostri padri, la faccia di chi avevamo deriso. Eravamo cravatte nel mondo, onorari, commercialisti, e discorsi che virano. Fino a quella sera, l'inverno passato, sul divano della nuova casa di Manlio, un bel divano lungo da design. Avevo cominciato misurando quello, e avevo scoperto che la sua casa era il doppio della nostra, o era stata Elsa a farmelo notare? Partecipavo alla conversazione, buttavo giù un goccio, Martine mi passava gli stuzzichini, parlavo, e con la coda dell'occhio includevo Elsa. Seduta sul bracciolo, le gambe accavallate, mia moglie guardava fuori. Non il cielo, no. Misurava i metri quadri del terrazzo affacciato sul fiume. Senza accorgermene avevo alzato troppo il tono della voce, ero diventato aggressivo. Manlio mi fissava stupito, la cravatta rossa di cachemire gli pencolava nel bicchiere di cristallo. Di ritorno, in macchina, tua madre, con gli occhi sulle strade dove aveva appena piovuto, diceva: «Scusa, quanto può guadagnare uno come Manlio?». Farfugliai una cifra. Più tardi a casa, mentre pisciavo, mentre mi reggevo l'uccello, piangevo. Avevo di colpo capito che eravamo diventati vecchi.

Invece adesso, stretto alla staccionata di quel giardino infernale, ridevo, ridevo solo come un folle. In basso, nascosta dietro uno scoglio, la piccola Martine pascolava beata, ubriaca.

In mezzo alla notte sono sveglio, guardo nel vano spalancato della finestra, lì dove la palma fruscia le sue foglie scure. Tua madre dorme, il suo vestito cremisi è sulla sedia. Una morsa di tensione mi afferra il braccio, e penetra in basso nel cuore delle spalle. Infilo un gomito sotto il cuscino per sollevarmi un po', scalcio. Lei si volta nel buio.

«Cos'hai?»

La sua voce è un fiato stanco, ma clemente. Non mi

sento più il braccio. Ho paura che mi venga un infarto. Le cerco una mano, la stringo. Indossa la canottiera di seta dalle bretelle luccicanti come piccoli nastri. È di fianco a me, i seni addossati con morbidezza l'uno contro l'altro, mi avvicino. Mi seppellisco dentro il suo profumo. Lentamente le allontano il lenzuolo dal corpo. Una striscia di luce corre lungo le sue gambe.

«Non hai sonno?»

Non le rispondo, le mie labbra sono già sulle sue gambe. Lei non dice più nulla, m'infila una mano nei capelli e mi carezza. Ha capito, mi conosce, sa come faccio l'amore. Non sa che lo faccio quando ho paura. So di non poterla stupire, ma non mi sembra così terribile. L'assenza di stupore ci rassicura, andiamo incontro a un benessere equamente distribuito. È un adagio il nostro, preciso come il ticchettio della sveglia sulla cassettiera. I corpi sono caldi, i sessi pulsano miti, muscoli bene educati. Ma in questa partitura, amore mio, c'è qualcosa di stecchito, lo penso mentre i tuoi capelli mi entrano in bocca, e ti stringo forte perché stanotte ho paura. Raggiungiamo il piacere a occhi serrati, raccolti dentro i nostri sessi come bambini in punizione.

Dopo, tua madre si alza perché ha sete. Attraversa il buio della stanza, sento che scende in cucina. Penso al suo corpo nudo appena illuminato dalla lucetta del frigorifero, e mi chiedo se mi ama ancora. Poi torna con una cocacola in mano.

«Ne vuoi un goccio?»

Si arrampica sul davanzale della finestra e va a bere lì mentre guarda fuori. Ora c'è lei al di qua delle foglie scure della palma, lei con la schiena appoggiata al muro e le gambe leggermente piegate. Il suo corpo nudo contro la notte, contro i miei fantasmi. È più in alto di me, è ferma e lucente come una statua di bronzo. E quel pensiero mi raggiunge come l'unico che esista.

«Facciamo un figlio.»

L'ho colta di sorpresa. Sorride, sbuffa dal naso, alza le sopracciglia, si gratta una gamba, una sequenza di piccole manifestazioni di disagio.

«Fatti togliere la spirale.»

«Stai scherzando?»

«No.»

E sento che vorrebbe non aver capito. Siamo marito e moglie da dodici anni, e non abbiamo mai sentito il bisogno di qualcosa che si aggiungesse a noi.

«Lo sai che non ci credo...»

«In cosa non credi?»

«Non credo nel mondo.»

Cosa stai dicendo? Che mi frega del mondo, di tutta quella carne anonima. Sto parlando di noi. Del mio piccolo uccello, della tua piccola cosa. Sto parlando di un puntino. Di una lucciola nel buio.

«Non me la sento di mettere un figlio in questo mondo...»

Ti stringi le gambe, ti fai piccola e vorresti essere uno scarafaggio per andartene via lungo il muro. E dove ti vuoi arrampicare? Non vuoi un figlio perché il mondo è violento, inquinato, triviale? Torna qui, torna in basso da me. Sono nudo sul letto che aspetto. Dammi una risposta migliore.

«Poi non credo che sarei capace di tenere un neonato in mano, avrei paura.»

O hai paura di rinunciare a quella donna che stringi? che ti piace? Lo so, amore mio, non c'è niente di male, l'egoismo ci consola, ci fa compagnia. E sei già stanca di sentirti scrutata, e forse adesso hai freddo. Ti muovi, ti tormenti. Hai paura di non bastarmi più.

«E tu perché vuoi un figlio?»

Potrei dirti che mi serve un filo per rammendare i pen-

sieri strampalati che faccio, per tenerli insieme. Perché perdo pezzi. E vorrei un piccolo pezzo nuovo davanti a me. Perché sono un orfano, potrei dirti.

«Perché voglio veder volare un aquilone» dico, e non so cosa ho detto.

Finalmente la tensione si allenta, è stato un gioco, uno scherzo. Tua madre torna a guardarmi senza sospetto.

«Cretino» ride.

E butta giù un sorso di cocacola. «Stiamo bene anche così, ti pare?»

Ma io sto pensando a un filo che vibra nel vento, a un piccolo polso che mi tenga attaccato alla terra. Sono io, Elsa, quell'aquilone, sono io che volo. Un trapezio di stoffa stracciata nel cielo e in basso la sua grande ombra che insegue il mio pulcino, il mio pezzo mancante.

Perché non ti ho accompagnata a scuola in macchina? Pioveva, ti accompagno spesso quando piove. Avevo il primo intervento alle nove, ma potevo farcela, ti lasciavo un po' prima, saresti rimasta sotto i portici a parlare con i tuoi amici in attesa della campanella. Ti piace arrivare a scuola in anticipo, e a me piace averti accanto in macchina mentre fuori piove. Il vetro si appanna del nostro respiro, ti allunghi e ci passi la mano sopra. Non sei mai insonnolita, sei sempre così vigile la mattina. Controlli tutto quello che si muove intorno. Parliamo poco, io guardo la punta delle tue dita fuori dalle maniche troppo lunghe, che ti tiri giù di continuo. Indossi queste magliette strane, corte in vita ma con le maniche lunghissime. Ma non hai freddo alla pancia, Angela? No, hai freddo alle mani, non è trendy avere freddo alla pancia. T'insacchi nel tuo giaccone, ma sotto sei davvero troppo svestita, estate e inverno per voi è la stessa cosa, non fate più il cambio di stagione, non si usa più.

«A scuola come va?»

«Bene.»

Dici sempre che va bene. Tua madre dice che non brilli, è lei che viene a parlare con i professori. Studi con la radio accesa, anch'io studiavo con la radio accesa, non te l'ho mai detto. Sei nella norma, è un problema di tutti i ragazzi di oggi, non sapete concentrarvi. Ma tua madre dice che sono troppo indulgente con te. È vero, ho lasciato a lei il compito di educarti. Ti fa tirare su il letto, ti fa riordinare il bagno dopo la doccia. Io invece accarezzo il tuo disordine senza rimproverarti. C'era un tuo assorbente abbandonato sulla lavatrice stamattina, l'ho buttato io.

«Ciao, papo.»

Mi piace quando mi chiami così. Sei buona, hai una faccia buffa, piena di ironia. Ti guardo mentre scendi dalla macchina, e corri sotto la pioggia. Forse ti bocceranno, chi se ne frega. Sei il mio artiglio nel mondo, Angelina, in questo mondo che avanza senza cambi di stagione.

È da poco che abbiamo cominciato ad annusarci io e te, da quando hai cominciato a battibeccare con tua madre. Sai, aspettavo quel momento, sono stato a braccia conserte tanti anni. Hai incontrato il mio sorriso fuori dalla porta del bagno, perché è sempre lì che vi azzuffate, in mutande, con gli ombretti rovesciati nel lavandino. Ti ho sorriso. Anche tu mi hai sorriso. Tua madre si è indispettita:

«Finalmente avete la stessa età» ha detto.

Lei non voleva che ti comprassimo il motorino, anch'io non volevo, ma non volevo dirti di no. Avevi menato quella solfa per tanto tempo, metodica, senza mai stancarti. Allora ho detto: «Comunque salirà su quello degli altri, salirà senza casco, salirà dietro qualcuno che magari guida troppo forte». Tua madre ha detto: «Non se ne parla nemmeno». Io sono rimasto in silenzio, e lei è uscita senza salutarmi quel giorno. Ma la verità è che volevo veder brillare i tuoi occhi, volevo quel tuffo intorno al collo: «Grazie, papo...», volevo come un ragazzino. E alla fine il più emozionato ero io. Ma anche mamma lo sapeva, eravamo già sconfitti.

Non sappiamo dirti di no. Non sappiamo dirlo a noi stessi. Lei si è sgretolata più in fretta di quanto credessi. Poi sono venute le raccomandazioni, i giuramenti. Piegato sul bancone del negozio, io riempivo l'assegno. Abbiamo scelto il casco più costoso. Tua madre ci ha battuto le nocche contro per saggiarne la durezza, un inutile ultimo gesto di difesa. Poi ha infilato la mano nell'imbottitura che avrebbe protetto la tua testa. La *sua* testa.

«Tiene anche caldo» ha detto, e ha fatto un sorriso triste. Tu l'hai stretta alle spalle, l'hai scossa, l'hai assalita come una tempesta dolce. La tua gioia ha scacciato la sua malinconia.

E siamo tornati per la prima volta a casa senza di te. Tu eri dietro in motorino, seguivi la nostra auto che andava pianissimo. Nello specchietto vedevo il tuo casco rosso. Mi ricordo di aver detto: «Non possiamo vivere di paure, dobbiamo lasciarla crescere». E avevo paura di pensare: dobbiamo lasciarla morire.

Buttai la chiave sul mobile all'ingresso e mi tolsi subito le scarpe. Avevo visitato tutto il pomeriggio nel mio studio. L'ultimo paziente era stata una donna visibilmente benestante. Gli occhi plastificati in un'unica espressione simili ai grossi bottoni del suo tailleur. Le iniziali dello stilista impresse su quei bottoni erano rimaste a galleggiarmi negli occhi, ultimo dispetto della giornata. Camminando verso il bagno già mi spogliavo. Entrai nella doccia, il telefono squillò.

«Ti sei fatto un po' di spesa?»

Tua madre era puntuale come sempre.

«Certo.»

Naturalmente mentivo. Quell'estate campavo di arancini, palle di riso bianco fritte e gustose. Mi fermavo a mangiarli in una gastronomia che oggi ha chiuso. C'era un bancone di marmo, e un uomo allampanato che mi serviva in silenzio la mia dose. Tre arancini, dentro un piatto pesante da osteria. Sai, figlietta, la vita è una carta adesiva piuttosto ingannevole, la colla sembra resistente, sembra che debbano resistere molte cose. Poi la srotoli, e ti accorgi che manca un sacco di roba, restano giusto quattro stronzate. Ecco, tra quelle quattro stronzate, per me, c'è un piatto fondo da osteria con tre arancini dentro.

Mi mancavano in città le cene di tua madre. Ma il

sapore di quella mancanza mi piaceva, nudo in piedi, dentro la mia piccola pozzanghera. Era il sapore della solitudine, di una mano in mezzo ai coglioni. E camminando da una stanza all'altra scoprivo che la nostalgia è un sentimento molto elastico, dentro il quale puoi far transitare tutto quello che ti va. Una di quelle muffe del cuore che saziano di buona compagnia. Accesi il televisore. C'era un programma così estivo che il presentatore fluttuava dentro una piscina su un'isola di polistirolo accanto a una sirena negra. Tolsi il volume e lasciai che quel celeste fasullo riverberasse intorno. Andai in camera, presi dal comodino il libro che stavo leggendo, tornai in soggiorno e sprofondai nudo sul divano. Come da ragazzo, quando i miei partivano per le vacanze e io restavo a studiare. Aiutavo mio padre a caricare l'ultima borsa nell'impraticabile bagagliaio della Lancia coupé. Trascorrevo i giorni disordinando la casa. Spargevo libri, mutande, avanzi, ovunque, a tappeto. Mi piaceva violare quei luoghi modesti che mia madre conservava lindi durante tutto l'inverno. E quando alla fine ogni cosa tornava in ordine riuscivo a sopravvivere meglio tra quelle mura perché conservavo memoria del mio affronto estivo. Credo che fosse lo stesso identico piacere che prova un sudicio cameriere quando sputa di nascosto nel piatto di un cliente troppo pretenzioso.

Un boato sordo e distante entrò dalla finestra e attraversò il silenzio. Forse il tempo stava cambiando. La sera prima avevo lasciato una sedia sul terrazzo. M'infilai l'accappatoio e uscii per prenderla. Un uccello sfuggito alla migrazione si era infilato nel cortile e adesso volteggiava spaventato in basso tra le piante del giardino condominiale cercando una via d'uscita. Lo osservai mentre si fermava in stallo, quasi lottando contro il peso di quell'aria afosa che si era

79

fatta di colpo scura. Tra poco sarebbe venuto a piovere. Rimasi all'aperto in attesa di quella frescura che forse si avvicinava. La sedia, nonostante l'imbottitura, non era affatto confortevole. Un nero battito di ali mi passò sulla testa, l'uccello finalmente era riuscito a spiccare il suo volo verso il cielo. Nel cortile, l'aria era tornata immobile e pesante. Il temporale sarebbe rimasto lontano. Tornai dentro e mi lavai i denti.

Che posso farci, sposa mia, questa sera ho voglia di infilarmi nel corpo di una donnetta, di strofinarmi addosso la sua testa di rafia. Ho voglia di un fiato caldo, di un cane che mi lecca la mano nel buio. È l'ultima volta, te lo giuro mentre dormi. Stavo per tradirla ancora, non mi andava di guastarmi la serata. A mano a mano, mentre abbandonavo la città e m'infilavo dentro quella bidonville, diventavo sempre più euforico, perché era come andare in un altro mondo, in una città di palafitte, al di là dell'acqua, una piccola Saigon. E tutta quella bruttura che si appressava, quelle luci tremolanti, mi saltavano incontro come un luna park rimasto aperto solo per me.

Era la prima volta che andavo di notte da lei. E mi piaceva riconoscere le cose, tastarle nel buio, come un ladro. Risucchiavo l'aroma malsano di quei luoghi come un balsamo, insieme a quella parte di me che temevo e invocavo nel buio. I gradini incerti, la sporcizia sotto le mie scarpe, le lunghe ombre dei piani, tutto taceva, tranne il mio cuore di lupo. La scala di ferro all'esterno era inghiottita dalla notte, precipitai nel suo tunnel, in un avvitamento sempre più allettante. L'ultima tappa, il terrapieno sotto il viadotto. Fermo come un mare finito. Poi gli ultimi passi verso la sua palafitta, verso la piccola maîtresse della mia Saigon. Dalla finestra oltre il ballatoio non arrivava nessuna luce. Chiusi la mano e bussai contro la porta verde. Ero inciampato sui gradini, mi faceva male una caviglia. Misi il pugno di traverso e bussai con più insistenza, a martello. Dov'era a quell'ora? Fuori con i suoi amici, perché non doveva avere una compagnia di amici? In uno di quei locali notturni che sembrano capannoni industriali con un faro puntato contro il cielo. Stava ballando tra la calca, con gli occhi chiusi, come la prima volta che l'avevo vista appesa al juke-box. Perché non avrebbe dovuto ballare? Magari aveva un uomo, un pezzente come lei, che ora la stava stringendo e io non esistevo nei suoi pensieri. Forse era una prostituta, d'altronde accettava i miei soldi senza sdegnarsi. In questo momento le sue gambe scheletriche solcavano un marciapiede buio, chissà dove, in un viale sperduto della città. Il braccio appeso al finestrino di una macchina, contrattava il prezzo di se stessa, con quella faccia patita, quegli occhi fondi, sudici di trucco. Forse dentro quella macchina c'era Manlio. Lui ogni tanto si divertiva a dragare qualche creatura notturna. Allora perché non lei? No, lei no. Avevo smesso di bussare, il braccio estenuato mi tremava. Lei non era bella, era scialba, deprimente. La sua pochezza mi sembrava una tutela, nessuno poteva immaginarla quando diventava un'altra e il suo corpo spento si accendeva di vita. Ma forse era così con tutti. Chi ero io per meritarmi qualcosa in più? Alzai il braccio dolorante e bussai ancora. Non era in casa. La puttana non era in casa. Sconfitto, voltai le spalle contro la porta e guardai la notte. Il viadotto deserto, e più giù le baracche dove frusciavano lievi sentori di vite ancora sveglie. *Forse è lì che va, dagli zingari, si ubriaca nelle loro roulotte, si fa indovinare il suo destino di stracci.*

Sentii un piccolo gemito e qualcosa che frusciava dall'altra parte della porta. Pensai al suo corpo, alle sue mani, e ancora una volta mi sorpresi a non ricordarla con nitore, come avrei voluto.

«Italia» sussurrai, «Italia…»

Ed era come metterle addosso un mantello, circoscriverla in un luogo, nella stanza chiusa del suo nome, lei e nessun'altra.

«Italia», e adesso carezzavo il legno della porta. Arrivò un guaito, una zampa che raspava, e riconobbi il cane. Aveva preso a ringhiare, quella bestia cieca, misera come la sua padrona. Un ringhio soffocato, subito stanco, da cane vecchio. Sorrisi. *Tornerà, se ha lasciato il cane vuol dire che tornerà, e io l'aspetterò. Farò i fatti miei nel suo corpo per l'ultima volta.*

Una macchina passò sul viadotto, la luce dei fari bagnò le mura della casa. Tra i mattoni sopra la mia testa, qualcosa brillò nel buio. Allora mi ricordai della chiave. Allungai un braccio e la trovai tra i mattoni sconnessi, nel suo pezzo di gomma americana masticata. Strinsi la mano. Ed era proprio come se agguantassi lei. Non dovevo farlo, ma intanto già cercavo nel legno la fessura dove infilare quella chiave appiccicosa.

Dentro, il buio totale, e il solito odore, solo più fermo. Ero nella sua casa, e lei non c'era, e quell'abuso mi eccitava… e adesso mi piaceva pensare che quella chiave appiccicata nel vano della porta non era un caso, ma che l'avesse lasciata lì per me. Tastai il muro intorno. Trovai l'interruttore, dentro un pomo di ceramica sbreccata. Una lampadina economica si accese in mezzo alla stanza. Il cane cieco era davanti a me con i suoi occhi bianchi, un'orecchia dritta, l'altra floscia. Davvero un misero guardiano. Spensi. No, nessuna luce, l'avrei aspettata al buio. Il buio mi nascondeva da me stesso. Feci qualche passo a tentoni e sprofondai nel divano. La casa era imbevuta di silenzio. C'erano solo i piccoli rumori del mio corpo di invasore, e il respiro del cane, che si era infilato al suo posto sotto il divano. Cominciavo ad abituarmi all'oscurità e ora distinguevo le sagome del mobilio, i gruppi neri dei soprammobili, e il rilievo del caminetto contro il muro. Sembrava un altare smesso. Perché nel buio la casa aveva una sua sacralità, e un suo abbandono. Lei c'era, nell'assenza, c'era ancora di più. L'ultima volta l'avevo trascinata sul divano. Non c'eravamo guardati mai. Mi chinai per cercare dove, tra il bracciolo e la spalliera, lei aveva inabissato i suoi sussulti. Ginocchi in terra, strusciai il viso nell'oscurità. Italia era stata così, braccata in quell'angolo. Frugavo con le narici, con la bocca... cercavo quello che lei doveva aver sentito mentre la prendevo. Volevo essere lei per sentire l'effetto che io provocavo nella sua carne. Nemmeno tentai di resistere. Corsi in fretta verso il precipizio senza quasi accorgermene. Il piacere si allargò nella pancia tiepido e profondo, entrò nelle spalle, nella gola. Proprio come il piacere di una donna.

Ma tornai presto uomo, Angela, e non mi rimase nessuna dolcezza. Solo l'odore del mio fiato mentre gli ultimi sussulti morivano dentro quel divano. E il disagio, e un'improvvisa tristezza, che in quel buio violato era ancora più triste. Avevo le gambe anchilosate ed ero sporco come un adolescente. Accanto ai miei ginocchi c'era quel cane che non si era perso uno spasimo della mia foia. Mi tirai su e urtando contro le cose cercai il bagno. Trovai una porta e un filo elettrico sul muro, lo seguii fino all'interruttore. M'incrociai nello specchio di fronte: gli occhi folgorati dalla luce in un lampo maligno. Ero in un loculo di vecchie piastrelle. Aprii il rubinetto. Mentre mi piegavo con il viso sul lavandino, vidi dentro un bicchiere appeso a una bocca di ferro uno spazzolino da denti troppo usato. Insieme al disgusto verso quelle setole slabbrate mi aggredì il disgusto di me stesso. Appeso sul bordo di una piccola vasca da bagno a semicupio c'era un tappeto di gomma. La tenda plastificata della doccia pencolava ammuffita sul fondo, avvolta in alto sull'asta che la sorreggeva. La saponetta era perfettamente in ordine nel suo contenitore. Sulla mensola sotto lo specchio c'era solo una crema per le mani, e il barattolo di vetro opaco dove s'intravedeva la pasta del fondotinta che Italia si stendeva sul viso. In terra c'era un cesto di vimini, sollevai il leggero coperchio, dentro vidi un mucchietto di panni sporchi. Mi fissai su un paio di mutande gualcite. E sentii dentro di me una voce greve che m'implorava di cacciarmele in fretta nella tasca e di portarle via con me. Rialzai lo sguardo nello specchio e chiesi ai miei occhi di lupo che razza di uomo fossi mai diventato.

Spensi la luce, e tornai di là. Passando accanto al divano, nel buio, mi chinai per aggiustare la fodera fiorata. Il cane guaì, gli avevo pestato una zampa. Chiusi la porta e spinsi la chiave nel suo nascondiglio, ma la gomma aveva perso di elasticità. Cercai di ammorbidirla tra le dita, non mi andava proprio di farlo con la saliva. Sentii un rumore, un ticchettio lontano. Tacchi contro gradini metallici. Infilai la gomma in bocca e masticai con forza. La chiave mi cadde dalle mani, mi chinai a cercarla. Il ticchettio era finito, affondato nella terra. Avevo trovato la chiave, spinsi con forza il pollice e riuscii a farla aderire nella fessura tra i mattoni. Frusciai in basso, tra l'erba, e mi nascosi dietro il muro della casa, accanto allo scheletro della macchina bruciata. Lei apparve quasi subito. Due gambe nere, senza fretta, abituate al buio. E in mezzo la solita borsa. Sembrava stanca, aveva la schiena più incurvata del solito. Allungò il braccio nel vano della porta, ma la chiave le cadde addosso, tra i capelli. Mi schiacciai contro il muro, mentre lei si frugava la testa. Con un solo occhio vidi le sue dita che sfioravano la superficie della chiave, e il suo volto intanto cambiava, lo vedevo a malapena, ma intuivo che si stava riempiendo di un sentimento preciso. Staccò la gomma e rimase a soppesarla tra le dita: si era accorta che era bagnata. Guardò intorno nel buio, poi i suoi occhi si piantarono nella mia direzione. *Ora mi scoverà, ora verrà a sputarmi in faccia.* Fece due passi, poi si fermò. La luce lunare la schiariva appena. Mi ero abbassato dietro lo scheletro di quella macchina bruciata. Lei guardava il buio dove io mi rintanavo e forse riusciva a vedermi. Il suo sguardo era versato nel vuoto, ma era come se sapesse che ero lì, il pensiero di me le stava passando sul viso. Non andò oltre. Si voltò, infilò la chiave nella toppa e si richiuse la porta alle spalle.

La sera dopo cenavo con Manlio in una di quelle trattorie del centro con i tavoli all'aperto che traballano sul selciato e devi chinarti a sistemare la zeppa sotto la gamba giusta, poi ti rialzi e ti accorgi che traballa da un altro verso, esattamente come la vita. Manlio scherzava, gonfiava il corpo dentro la giacca, ma non era allegro. Aveva avuto un guaio in sala parto, farfugliava qualche frase d'effetto, si commiserava, e naturalmente mentiva. Era suo malgrado insincero, non si era mai scrutinato, e non aveva nessuna intenzione di farlo. Lui seguiva i moti degli altri e finiva per assecondarli. Così, quella sera, con ardore da vero amico, tentava d'insinuarsi nella tana profonda dove io viaggiavo inappetente. Era già un po' che durava. Io, zitto, distratto, avevo aggredito l'antipasto con una forchettata violenta, ma poi lo avevo lasciato lì, senza ordinare più nulla. Manlio cercava di venirmi dietro, prendeva in prestito il mio umore, e intanto spilluzzicava in giro nei vari piattini, peperoni, ricotta fritta, broccoletti ripassati.

«Tu ci vai a puttane?»

Non se l'aspetta una domanda così, non da me. Sorride, si versa da bere, fa schioccare la lingua.

«Ci vai o no?»

«E tu?»

86

«Sì, io ci vado.»

«Ma va'?»

Sta correndo chissà dove, forse sta pensando a Elsa. Non gli sembra verosimile che con una moglie così io vada a pagare. Però il cambio di registro non gli dispiace, scivola bene nel corpo appresso al vino.

«Anch'io, ogni tanto...», e adesso sembra un bambino.

«Sempre la stessa o cambi?»

«Come capita.»

«E dove le porti?»

«In macchina.»

«Perché ci vai?»

«Per pregare. Che domanda del cazzo» ride, e i suoi occhi spariscono.

Non è una domanda del cazzo, Manlio, te ne accorgi in ritardo, mentre guardi una turista che passa abbracciata a un gigante in bermuda. Adesso hai una faccia amara.

Più tardi gli dico che non è vero, che non vado a puttane. Lui si irrita ma continua a ridere, gli si arrossa il viso, dice che sono uno stronzo, «il solito stronzo» dice. Però intanto la noia se n'è andata, la serata ha fatto un salto, si è infilata dentro stanze più intime, dove balugina qualcosa che sembra la verità, e forse lo è, e Manlio mentre cammina verso la macchina assomiglia a un uomo sincero. Disperato. Ci salutiamo rapidamente, due colpi battuti sulla spalla, pochi passi nel buio, e siamo già distanti, ognuno lungo il proprio marciapiede. Dell'altro nessun residuo. La nostra è un'amicizia igienica.

Potrei dirti, Angela, che le ombre dei lampioni sembravano cadermi addosso come uccelli morti, e in quella caduta sul parabrezza io vedevo scrosciare tutto ciò che non avevo, e potrei dirti che mentre guidavo forte, e le ombre piombavano sempre più veloci, montava in me il desiderio di colmare questa mancanza con una zeppa qualunque. Potrei dirti molte cose che ora suonerebbero vere, ma che forse non lo sono state. La verità non la so, non la ricordo. So solo che guidavo verso di lei senza nessun pensiero preciso. Italia non era nulla. Era il nero stoppino di un lume a petrolio, il fuoco era oltre di lei, in quella luce oleosa che avvolgeva i miei bisogni e tutto ciò che mi mancava.

Cominciava il lungo viale alberato dove si stagliavano figure mercenarie. I fari della mia auto battevano contro corpi fluttuanti come meduse nella notte. Li folgoravano di luce prima di restituirli all'oscurità. Rallentai accanto a uno degli ultimi alberi. La ragazza che venne verso la mia auto aveva gambe di rete nera e una faccia perfetta per la sua mercatura, aspra e infantile, torbida e malinconica: la faccia di una puttana. Gracchiò qualcosa, forse un insulto, mentre la lasciavo scomparire nello specchietto retrovisore.

C'era. Quella notte, c'era. La porta si aprì dolcemente, il cane si affacciò sul terrapieno, venne a odorarmi, a scodinzolare tra le mie gambe e sembrò riconoscermi. Italia era lì, davanti a me, la mano bianchissima ferma sulla porta. La spinsi dentro con il mio corpo. Forse stava già dormendo perché la sua bocca era più forte del solito. Mi piacque. Le catturai i capelli, la costrinsi a piegare il collo, ad abbassarsi. Mi strofinai il suo viso contro lo stomaco. Lì, dove il pensiero di lei mi faceva male. *Curami, curami…* Mi chinai e le passai la bocca su tutto il viso. Le spinsi la lingua nei buchi del naso, nel sale degli occhi.

Più tardi era seduta sul divano, con una mano si tirava giù un lembo della maglietta per coprirsi il sesso. Mi aspettava così mentre uscivo dal bagno. Mi ero lavato seduto sul bordo della vasca accanto a quella tenda muffita che cadeva dall'alto. Mi avvicinai, le presi un ciuffo di capelli, le scossi la testa, intanto le infilavo i soldi nella mano. Indugiai su quella mano priva di forza, gliela strinsi sotto la mia per costringerla. Lei accettò, come si accetta il dolore. Dovevo andarmene, non potevo riacchiappare me stesso davanti a lei. Sarebbe stato sconveniente, come guardare indietro i propri escrementi.

Anche tu vuoi restare sola, ormai ho imparato a conoscerti. Fai quello che voglio, poi scompari, come una zanzara quando viene il giorno, ti metti contro i fiori del tuo divano e speri solo che io non mi accorga di te. Sai di valere solo nella foia, sai che quando mi stringo il nodo della cravatta prima di andarmene ho già schifo di tutto. Non hai il coraggio di muoverti finché ci sono io, non hai il coraggio di farti vedere il culo mentre vai in bagno. Forse hai paura di finire uccisa, hai paura che io ti scaraventi nell'argilla di quel fiume secco, come quella macchina nera che è venuta giù dal viadotto. Non sai che la mia rabbia finisce quando ti muoio dentro, e che dopo sono un leone sleonato. Cosa fai quando me ne vado? Cosa ti lascio? Questo camino spento, questa stanza divelta da me, che ti ho offesa nel cuore della notte senza nemmeno amarti. Il cane ti verrà vicino, avrai bisogno di quel pelo, lo carezzerai con gli occhi fissi altrove. Tanto, lui è cieco. Ti verranno su cose della tua storia passata, chiodi. Poi, tornerà la confidenza con ciò che c'è, ti alzerai, metterai in ordine qualcosa, una sedia capovolta. E non hai bisogno di tenerti giù la maglietta, mentre ti chini senti il taglio nudo delle natiche e non ci fai caso. Il tuo corpo senza i miei occhi in giro vale quello che vale, vale come una sedia, come una fatica. Ma rialzandoti sentirai un filo del mio seme scivolare lungo una tua gamba e allora non lo so, ma vorrei saperlo. Vorrei sapere se provi schifo, oppure... No, lavati in fretta,

puttanella, infilati sotto la tua tenda muffita, a colpi di
spugna levati di dosso la merda e i fantasmi di questo ba-
lordo.

C'erano alcune nespole posate sul tavolo, ne presi
una. Era di una pasta dolce, ne presi un'altra.
«Hai fame?» disse.
La sua voce era fioca, proveniva dal silenzio. Anche Italia doveva aver pensato qualcosa di strampa-
lato. Quando la mia mano aveva smesso di stringere
la sua, lei aveva schiuso le dita e il denaro era caduto
in terra. Ora me la porgeva vuota quella mano:
«Dammi», e le diedi i noccioli.
«Ti faccio un piatto di spaghetti?»
«Come?» sussurrai, stupito da quella proposta.
«Con il sugo, o come vuoi tu.»
Aveva frainteso la mia domanda. Mi scrutava con
una faccia nuova, all'improvviso vivace, gli occhi vibravano dentro le loro orbite come teste appena
spuntate da un guscio. Non avevo intenzione di fermarmi. Ma c'era quella piccola speranza appesa al
suo viso. Una speranza così lontana dalla mia. Perché
anch'io speravo, Angela. In qualcosa che non era in
quella stanza, né altrove, che forse marciva insieme
alle ossa di mio padre. Qualcosa di cui non sapevo
nulla, davvero inutile da cercare.
«Lo fai buono il sugo?»
Rise, s'infiammò di gioia, e per un attimo pensai
che forse anche la mia speranza era modesta e facile
come la sua. S'incamminò sbieca verso la camera da
letto, tentando di coprirsi con quella maglietta troppo corta. Mi tornò davanti svelta con un paio di pantaloni da tuta addosso e i suoi sandali multicolori
slacciati: «Esco un attimo». La spiai dalla finestra,
mentre riappariva alle spalle della casa, dove, mi accorsi, cresceva un piccolo orto. I tacchi affondati nella

terra, con una torcia in mano, frugava in un filare di piante sorrette da canne. Riapparve con un fardello nella maglietta e s'infilò in cucina. Dalla porta vedevo la sua figura che si affacciava, ora intera, ora solo con un braccio, con un ciuffo di capelli. Si allungava verso un pensile e tirava fuori una pentola, un piatto. Aveva lavato i pomodori con cura, uno alla volta, e adesso, china su un tagliere, faceva correre in fretta un grosso coltello sminuzzando gli odori. La lama attaccata alle dita, senza incertezze. E scoprivo stupito che Italia era una cuoca pulita e precisa, padrona dei suoi gesti, della sua cucina. Aspettavo seduto, composto e un po' irrigidito come un ospite ossequioso.

«È quasi pronto.»

Lasciò la cucina e si chiuse in bagno, sentii che apriva l'acqua della doccia. Sprimacciai i cuscini intorno a me sul divano. Un buon odore di sugo fresco aveva invaso la stanza, e la mia fame. Incontrai sul muro lo scimpanzé abbracciato al suo biberon. Era identico a Manlio. Gli sorrisi come si sorride a un amico più stupido. In bagno l'acqua scrosciava violenta, poi si fermò. Pochi rumori e lei era già fuori. Bagnati i suoi capelli gialli sembravano legno. Aveva un accappatoio beige addosso. Si strinse la cinta di spugna e sospirò confortata.

«Butto la pasta.»

Tornò in cucina. Passandomi accanto mi lasciò nel naso un aroma di talco, dolce come vaniglia, l'aroma di una bambola.

«Vuoi una birra?»

Mi portò la birra, poi scomparve e riapparve con l'occorrente per apparecchiare. Mi alzai per darle una mano.

«Non ti muovere» disse, «ti prego.»

La sua voce era premurosa come le sue mani. Rimasi a guardarla mentre approntava la tavola. Andava e veniva dalla cucina, con una vitalità sorprendente a quell'ora di notte. Mi sembrava di vederla per la prima volta, come se quel corpo sotto l'accappatoio non fosse mai stato mio. Sapeva apparecchiare, disponeva le posate e i tovaglioli con accuratezza. Mise una candela al centro del tavolo. Si fermò davanti a me, aggrottò un sopracciglio, arricciò il naso, e sporse i denti superiori come un piccolo roditore.

«Al dente?» squittì.

«Al dente.»

Arricciai anch'io il naso per rifarle il verso, e mi accorsi di quanto fosse meno mobile del suo. Rise, ridemmo. Non era solo allegra, era qualcosa di più, era felice.

«Eccoci», e uscì con una zuppiera tra le mani. La posò. Sulla pasta, al centro, c'era un ciuffo di basilico sistemato come un fiore. Mi servì, poi si sedette davanti a me, posò le braccia sul tavolo.

«E tu non mangi?»

«Dopo.»

Affondai la forchetta nel piatto, avevo fame, da molto tempo non ricordavo di aver avuto una fame così.

«Ti piace?»

«Sì.»

Gli spaghetti erano davvero buoni, Angela. Gli spaghetti più buoni della mia vita. Mangiavo sotto lo sguardo vigile di Italia che non si perdeva un solo moto del mio appetito, lo assecondava con gli occhi, con piccoli assestamenti delle spalle, delle braccia. Sembrava che mangiasse a sua volta, che assaporasse con me ogni boccone.

«Ne vuoi ancora?»

«Sì.»

La sazietà era un benessere che avevo scordato. Forchettata dopo forchettata, sentivo che quel cibo mi faceva bene. Mi allungai per prendere la bottiglia di birra che era rimasta lontana da me, anche lei mosse il braccio, forse per aiutarmi. Oltre il vetro freddo di frigorifero tastai, inaspettata, una porzione della sua mano, calda, vibrante. Mi versai la birra malamente senza badare a quello che facevo, schiumò fuori dal bicchiere. Avevo faticato a staccarmi. Mi sarebbe piaciuto restare, ben oltre le sue dita. Per una frazione di secondo mi era corso dentro il desiderio di posare nel palmo di quella mano la fronte, affinché lei sorreggesse il carico della mia testa.

Italia allora guardò la piccola pozza di schiuma allargarsi sotto il bicchiere. C'era una luce speciale nei suoi occhi che scivolava sotto la pelle del viso, imprigionato da un alone fragile, intimissimo. Mi sembrò che fosse diventata di colpo triste. Seguii quella tristezza nel sentiero nero del collo in ombra, fino a raggiungere le costole dove si staccavano i seni. Lei se ne accorse, afferrò la spugna dell'accappatoio e si serrò il petto. Ora lei era in luce. In quella poca luce di candela, mi guardava mangiare. A braccia conserte come un amore nella notte.

Mi ero fermato lì, su quello spiazzo di asfalto spruzzato di sabbia, oltre un filare di oleandri. Guardavo il cancello accostato e, tra le sue grate, la casa. Il tetto di ardesia e le mura bianchissime, impregnate di fosforescenza nel nitore di quella luce appena nata. Non ero entrato in casa, ero rimasto in macchina a intirizzirmi di umido. C'era stato un salto di tempo, non so quanto lungo, in cui forse mi ero assopito. L'utilitaria di Elsa era parcheggiata sotto la tettoia di canne. Il suo corpo era fermo sul letto, ignaro di me. Spiavo le cose che l'alba svelava, il filo da stenditura vuoto, le nostre biciclette addossate al muro.

Ora nel cielo, insieme ai primi bagliori di sole,

avanzava un celeste intenso. In quella pulitezza tutto era estremamente visibile. Se la notte mi aveva protetto, la luce, restituendomi alle cose, mi restituiva a me stesso. Allungai il collo nel piccolo rettangolo di specchio e ritrovai la mia faccia. La barba era cresciuta senza che io me ne accorgessi.

Scesi dalla macchina, costeggiai la recinzione, m'infilai nel canneto, e sbucai sulla spiaggia. Non c'era nessuno, solo il mare. Camminai fino all'arenile e mi sedetti a pochi passi dall'acqua sull'ultimo lembo di sabbia asciutta. La casa era dietro di me, se Elsa avesse spalancato la finestra della camera da letto avrebbe visto il puntino della mia schiena sulla spiaggia. Invece dormiva. Forse in quel sonno più leggero cercava un destino diverso e ci s'immergeva con la stessa precisione con cui si tuffava nel mare, quando senza uno schizzo scompariva nella sua buca d'acqua.

Il corpo può amare ciò che la mente disprezza, Angela? Facevo questo pensiero, tornando verso la città. Una volta, costretto dalla cortesia, assaggiai, nella cantina di un contadino, uno speciale formaggio di fossa, dalla scorza annerita di muffe e dall'odore cadaverico, e dentro scopersi, con mia grande sorpresa, un gusto violento e gentile insieme. Mi rimase nella bocca il sapore di un pozzo, di una profondità, che portava in sé la nostalgia e insieme il disgusto di quel formaggio, del suo fortore.

Erano le sei, avevo un buon anticipo sui miei impegni di lavoro. Mi fermai a bere un caffè nel solito bar. Sarebbe stato come tornare in un bordello al mattino presto per un ombrello scordato, e scoprire dietro la prostituta che ci ha appagato nella notte una donna in ciabatte, assonnata, e senza nessuna attrattiva.

Fu sorpresa di vedermi. Se ne stava lì trasecolata e sorridente nel vano della porta e nemmeno mi diceva di entrare.

«Come mai a quest'ora?»

«Così.»

Mi prese una mano e mi tirò dentro: «Vieni». Aveva smesso di temermi. Era bastato un piatto di spaghetti. Mi aveva già assorbito nella sua infima normalità, come la scimmia del poster, come il cane cieco. Le finestre erano spalancate, il giorno penetrava nella stanza. Le sedie erano capovolte sul tavolo e il pavimento a tratti brillava d'acqua. Italia aveva già rigovernato. Aveva addosso l'orgoglio di quel lavoro compiuto, e nello sguardo lo stesso lucore del pavimento. Io, invece, ero scontento, sfibrato.

«Spengo il ferro.»

E si diresse verso un'asse da stiro aperta in un angolo, dalla quale pendeva uno spicchio di cotone celeste, forse un grembiule. Era già vestita per uscire, ma non si era ancora truccata il viso. I suoi occhi slavati mi carezzarono. Dalla barba lunga, dalla giacca gualcita, le venne facile capire che non avevo dormito in un letto.

«Vuoi farti una doccia?»

«No.»

«Vuoi un caffè?»

«L'ho già preso al bar.»

Sprofondai sul solito divano. Lei prese a tirare giù le sedie intorno al tavolo. I capelli legati in una coda breve e sfilacciata le spogliavano la fronte bombata. Provai a ricercare nella mente l'unica immagine che volevo conservare di lei, quel corpo confuso, sottomesso. Ma la donna che avevo davanti era troppo distante da quell'immagine. Struccata, Italia aveva la pelle di un biancore polveroso, che si arrossava sotto gli occhi, sul naso. Ed era più bassa del solito, calzava un paio di scarpe da ginnastica nere, di stoffa. Venne a sedersi davanti a me. Forse si vergognava che l'avessi sorpresa disadorna, nella sua normalità casalinga. Le sue mani erano arrossate, cercava di nasconderle, stringendole l'una dentro l'altra. Pensai che era molto più attraente così, molto più pericolosa. Era senza età, come una suora. E anche la casa ora mi ricordava una di quelle chiese che s'incontrano nelle località di mare. Chiese moderne, senza affreschi, con un Gesù di gesso e fiori fasulli in un vaso senza acqua.

«È tua la casa?»

«Era di mio nonno, ma prima di morire se l'è venduta. Io sono salita per dargli una mano, si era rotto il femore, poi sono rimasta, ma devo andarmene.»

«Di dove sei?»

«Di giù, del Cilento.»

Il cane attraversò la stanza e venne ad accucciarsi ai piedi di Italia. Lei si curvò. La sua mano percorse il pelo della testa.

«È stato male stanotte. Forse ha mangiato un topo...»

Mi avvicinai alla bestia. Si lasciò palpare senza fatica, stendendosi sul dorso e allargando le zampe. Mugolò appena, quando affondai le dita in una zona più dolente.

«Non è niente, basta un disinfettante.»

«Sei un dottore?»

«Un chirurgo.»

Le sue gambe erano lì, a pochi centimetri da me. Faticai a divaricarle. Baciai le cosce bianchissime, quasi azzurre. Mi spinsi con la testa nello spazio tra l'una e l'altra, erano fredde anche se sudavano. Italia si piegò su di me con il suo respiro. Sentivo la mia nuca che si bagnava della sua bocca... Mi sollevai di scatto urtando contro il suo viso. Tornai a sedermi sul divano. Avvicinai le mani, le strinsi forte l'una all'altra. Fissai gli occhi su quelle dita annodate.

«Io sono sposato.»

Non la guardavo, la intuivo, in una zona fuori fuoco, nella fascia estrema dello sguardo.

«Non verrò più, sono tornato per dirtelo...»

Aveva il capo chino e una mano ferma sul naso, forse l'avevo colpita malamente.

«... Per scusarmi.»

«Non ti preoccupare.»

«Io non sono uno che va in giro a tradire sua moglie.»

«Non ti preoccupare.»

Dal naso le colava un rivolo di sangue. Mi avvicinai a lei e le sostenni il mento: «Tieni indietro la testa».

«Non ti preoccupare, perché ti preoccupi tanto?»

Un sorriso inespressivo le ingentiliva il volto. Dietro tanta clemenza adesso mi sembrava di raccogliere una sconfitta. Le spingevo quel mento in aria, volevo vincere, volevo vincerla.

«Scopi spesso con la gente che non conosci?»

Non si scompose, ma aveva ricevuto un colpo. Spostò la mira davanti a sé, e non so in quale orto rotolarono i suoi pensieri. Il suo sguardo era colla, come quello del suo cane. No, non avevo alcun diritto di offenderla, aprii le mani e mi nascosi lì dentro. *Dimmelo che non è vero, dimmelo che solo con me ti torci, e diventi grigia e vecchia come un serpe moribondo, solo con me hai il coraggio di morire.* Crevalcore le aveva rubato una delle sue pantofole fucsia e adesso la teneva in bocca senza morderla.

«Scusa.»

Ma lei non mi ascoltava più. *Forse un giorno si ucciderà, forse si toglierà dal mondo, non per me, ma per un al-*

tro simile a me, per un predatore che atterrerà sul suo cor-
po con la stessa voracità, lo stesso disamore.

«Devi andartene» disse, «devo andare a lavorare.»

«Che lavoro fai?»

«La puttana.»

E adesso era vuota come la scoglia di un serpe dopo la muta.

Ho negli occhi il viola di quella sciarpa cangiante che ti giri intorno al collo, Angela, quella che rubi a tua madre, è di lana che resiste agli anni, è più vecchia di te, la comprammo in Norvegia.

Sul traghetto verso le isole Loföten lei rimase all'interno a sorseggiare un tè con le mani incollate al bicchiere di vetro bollente, mentre io mi attardavo sul ponte nonostante le raffiche gelate del vento che trascinavano il mare in alto. Il traghetto, screpolato come i fiordi che si allontanavano alle nostre spalle, era deserto di turisti, ma gremito di ruvida gente locale, pescatori, commercianti di pesce. Nell'aria bianca e ventosa non s'intravedeva altro che il disordine del mare. Il cambio di colori, di clima, il golf doppio che indossavo, il puzzo di pesce sotto sale che veniva su dalla stiva m'incoraggiavano a sentirmi un uomo diverso, come spesso accade in vacanza. Ero felice di essere solo, felice che il maltempo non spingesse tua madre a raggiungermi lì fuori. Un marinaio con un mantello di tela cerata risalì il ponte a fatica e passandomi accanto gridò qualcosa d'incomprensibile, indicava la porta per farmi capire che era meglio che tornassi dentro. L'acqua mi gocciolava nel collo del maglione, scrollai la testa. Sorrisi.

«It's okay» gridai.

Sorrise anche lui. Era giovane, ma aveva la pelle del viso già segnata da quel mestiere di vento, puzzava di alcol. Alzò le braccia al cielo. «God! God!» e si allontanò verso prua.

Un uccello si è posato accanto a me, improvviso, non l'ho visto arrivare. Il piumaggio di un sudicio colore tra il grigio e il verde, le zampe palmate strette intorno al ferro della balaustra, come piccole mani. È uno strano incrocio tra un martin pescatore e una cicogna nera. Il suo ventre si gonfia e si sgonfia sistematicamente. Deve aver retto la fatica di un volo difficoltoso per raggiungere questo trespolo galleggiante. Non è affatto mite, fa quasi paura. Scruta il mare con gli occhi rapaci orlati di pelle rossa, sembra cercare lo spazio per il suo prossimo volo. Ha un becco da uccello mitologico e qualcosa di umano nello sguardo. E perché, mi viene da pensare, una creatura così piccola accetta senza tregua le sfide che la natura le impone, mentre noi ci ritraiamo di fronte a uno spruzzo di mare, noi con le nostre scarpe, i nostri golf, perché siamo così privi di coraggio?

Credo che tua madre abbia avvertito qualcosa durante quella vacanza, guardando la mia schiena che avanzava a pochi passi da lei, lungo i sentieri di roccia a strapiombo sul mare, durante quelle passeggiate in cui io mi assentavo. Ma non disse nulla. La sera ci stringevamo insieme ad altri commensali sullo stesso tavolo oblungo in un locale di legno e mattoni rossi, a mangiare pesce e patate, davanti a un boccale di birra. Lei allungava una mano, la posava sopra la mia, e mi offriva uno dei suoi sorrisi, straripanti di grazia, di calore. Mi lasciavo catturare dalla sua allegria. L'abbracciavo tra quella gente sconosciuta, in quel locale pieno di fumo e di musica.

E quando tornai a posare le mani sul suo corpo, lo feci con assoluta devozione. Fui inaspettatamente generoso nell'amore, Elsa se ne accorse. «Ti amo» mi disse più volte nella penombra, carezzandomi i capelli. Forse nei giorni precedenti aveva avuto paura, quando avevo insistito per portarla via dalla casa al mare. Paura di noi due soli insieme. L'accompagnai con dolcezza fino all'ultimo sussulto, poi mi allungai accanto a lei. L'appagamento le aveva smosso negli occhi una resina di dolce. Tese un braccio sfibrato verso di me.

«E tu?»

Raccolsi la sua mano, sfiorai con le labbra la fede nuziale.

«Io sono felice così.»

Il mio membro era già piccolissimo, ingoiato dentro le cosce. Vano come quello di un bambino. Mi guardò, la resina dentro i suoi occhi si era fatta più spessa. Ora aspettavo che mi chiedesse qualcosa. Mi passò una mano sulla faccia per strapazzarmi, per disturbare quel mio sguardo bisognoso fisso nel suo. No, non aveva nessuna voglia di complicarsi quel momento di abbandono. Di lì a poco si addormentò. Rimasi a fissare il soffitto di legno, senza rimpianti. Avevo condotto mia moglie oltre le rapide dei miei fantasmi, fino alla sponda di rena calda dove si era sciolto il suo piacere. Ora lei riposava, sarei andato a camminare lungo la strada di roccia. L'indomani, in una mattina di cristallo, entreremo insieme in un negozio con una piccola donna davanti a un grande telaio. Tua madre sceglierà i fili viola e porpora per la sua sciarpa, li vedrà avvolgersi sul subbio di legno. La porterà per tutta la vacanza, la guarderà nella luce, e nella notte, per vedere come cambiano i colori. Navigherà nella nostra vita quella sciarpa, scordata, ripresa, finché un giorno, Angela, finirà intorno al tuo collo, s'infittirà del tuo odore.

Al rientro, quando scendemmo dall'aereo, ritrovammo quell'aria infuocata. Elsa posò la valigia, s'infilò il costume e nuotò verso Raffaella. In quei giorni cruciali di agosto, il paese si popolava senza criterio in maniera convulsa, e tutti, anche il nostro alimentarista, o il giornalaio, perdevano un po' della loro cortesia. Solo un bar rimaneva quasi spopolato, una baracca con un tetto di iuta e pochi tavoli sparsi sulla sabbia. Era attaccato alla foce, dove il mare puzzava e per questa ragione la spiaggia era disertata dai bagnanti. Il proprietario si faceva chiamare Gae, un vecchio ragazzo con un corpo da Cristo coperto solo di un pareo stinto.

Era stata una scoperta casuale di quell'estate durante una passeggiata fino alla foce. Non c'era altro che un cantiere di rimessaggio per le barche, con due polacchi sudici che smontavano i motori, poi la spiaggia finiva. Elsa aveva trovato quella baracca deprimente e poco pulita. Io le avevo dato ragione, ma poi avevo preso l'abitudine di spingermi laggiù quasi ogni giorno. Al mattino prendevo un caffè e leggevo il giornale. Al tramonto Gae si scapricciava nella preparazione di aperitivi densi e alcolici, che dopo pochi sorsi ti lasciavano stordito. La compagnia era modesta, i polacchi si ubriacavano, parlavano a voce alta, Gae si sedeva al mio tavolo e mi offriva uno spinello che io rifiutavo. Eppure mi piaceva quel posto. Lì il mare, forse a causa del fondo algoso, acquistava dei riverberi diversi.

Un pomeriggio mi trovai circondato da una colonia di handicappati che, con l'aiuto di grucce o spinti in sedia a rotelle, sbucarono sulla spiaggia lasciando sulla sabbia i solchi del loro passaggio faticoso. Occuparono i pochi tavoli del baretto e ordinarono delle bibite. Uno degli accompagnatori cavò fuori da una sacca una radio, e nel giro di pochi minuti si diffuse nell'aria un sapore di sagra paesana. Una donna anziana con una faccia da opossum e le spalle grassocce scottate dal sole si mise a ballare sulla sabbia. Provai un senso di disagio, mi alzai e mi diressi verso la baracca per pagare la consumazione e andarmene. Ma poi il mio sguardo corse su un ragazzo con un viso ebete, le braccia magrissime irrigidite in uno spasmo, le dita allargate a rastrello. Muoveva il capo al ritmo della musica per quanto gli riusciva, e intanto guardava una compagna in carrozzella che gli sorrideva con denti aguzzi e isolati come quelli di un pesce. La ragazza aveva nel viso il segno di una vita ottusa che procedeva adagio, e sui lobi due orecchini di plastica. Ricambiava lo sguardo dello spastico in un modo che mi tolse il fiato. Non badava alle sue movenze strappate, lo guardava negli occhi. Lo amava, semplicemente lo amava. Dovevo sbrigarmi, il sole era già tramontato, Elsa mi aspettava per la cena, avevo bevuto almeno mezzo bicchiere di uno di quei micidiali aperitivi di Gae, contavo di smaltirlo nella passeggiata di ritorno. Ma, con il gomito appoggiato al banco e diecimila lire in mano, penso che volentieri lascerei il mio posto nella schiera dei sani per essere guardato così, come quella povera offesa guarda lo spastico, almeno una volta nella mia vita. Allora, figlia mia, Italia fece un breve ingresso nella mia pancia, l'attraversò come un sottomarino.

Era di nuovo sera, ero di nuovo solo in città. Svuotai sul piano del mio scrittoio un cassetto colmo di fotografie. Mi venne tra le mani un'immagine di me adolescente con un paio di pantaloni corti, e una faccia piena di ombre. Ero grasso, non ricordavo di esserlo stato. Pochi anni dopo ero già magrissimo, come testimoniava una foto da matricola universitaria. Alla curiosità poco alla volta subentrò uno strano sconcerto. Mi accorgevo di una latitanza. La mia vita era lì, potevo scorrerla sotto le dita nella carta lucida, fino alle immagini più recenti, dove io comparivo di rado, mai al centro dell'inquadratura, gli occhi abbagliati, sorpreso per caso. In quel progressivo esodo forse era nascosta una mappa segreta. Volutamente ero sfuggito alla prigionia dei ricordi. Se fossi morto di colpo, pensai, Elsa avrebbe faticato a trovare una mia fotografia recente da mettere sulla lapide. Questo pensiero non mi rattristò, anzi mi consolò. Non avevo testimoni. Forse era stato lo sdegno verso il patetico egocentrismo di mio padre a condurmi nell'ombra, un'ombra dove abitava un narciso molto più subdolo. Forse anche nella vita, nelle relazioni più intense, avevo finto. Avevo preparato l'immagine, poi ero uscito dal campo e avevo scattato. Era accesa solo l'abat-jour, mi tolsi gli occhiali e affacciai lo sguardo nello spazio buio davanti a me. Spalancai la porta finestra del mio studio e approdai sul terrazzo. Pisciai sulle piante, guardando il vapore caldo che risaliva da quella terra addomesticata nei vasi. Il telefono squillò, rientrai.

«Elsa, sei tu?»

Nessuna risposta.

«Elsa...»

Poi, in fondo alla cornetta un fiato grigio che riconosco.

Appena la raggiunsi la strinsi, la imprigionai con il mio abbraccio. Respirava aggrappata addosso a me. Restammo così, non so quanto tempo, immobili e stretti.

«Ho avuto paura.»

«Di cosa?»

«Che non venivi più...»

Tremava contro il mio collo. Sprofondai il naso nella scriminatura nera dei suoi capelli albini, avevo urgenza di tirarmi dentro l'odore della sua testa. L'unica cosa di cui avevo bisogno. E finalmente stavo bene. La sua bocca era scivolata fino al mio petto. La tirai su per le braccia.

«Guardami, ti prego, guardami.»

Cominciò a sbottonarsi la camicia, rapidi i bottoni uscivano dalle asole di lurex, correvano sotto le sue dita come un rosario. E apparve il suo piccolo seno. Le fermai la mano.

«No, non così.»

La presi in braccio e la portai sul letto in camera sua. La spogliai lentamente, muovendomi intorno a lei senza affanno, con mani oculate, come se stessi preparando un corpo per un'autopsia. Lei mi lasciava fare, cedevole. Quando rimase completamente nuda, mi allontanai per guardarla. Italia abbozzò un sorriso pieno di imbarazzo. Si portò le mani sul pube.

«Sono troppo brutta, ti prego...»

Ma io gliele presi quelle mani e le condussi in alto, oltre la testa, oltre i capelli sparsi sul copriletto di ciniglia.

«Non ti muovere.»

Camminai lentamente con gli occhi lungo il suo corpo, lo solcai pezzo a pezzo. Poi anch'io mi spogliai, completamente, come non avevo mai fatto davanti a lei. E anch'io non ero bello, avevo le braccia troppo sottili, un po' di pancia, e quella canna sbieca appesa tra i peli, e anch'io provai vergogna. Ma volevo che fossimo così, nudi e poco attraenti. Uno di fronte all'altra, senza fretta, senza foga, immersi nel tempo. Quando le fui addosso, rimasi dentro di lei a lungo senza muovermi guardandola negli occhi chiari e sfatti. Restammo così, fermi in quel campo di fuoco. Una lacrima le scese sulla tempia, la raccolsi con le labbra. Non avevo più paura di lei, le pesavo addosso come un uomo, come un figlio.

«Ora sei mia, solo mia.»

Più tardi, accovacciata in fondo al letto, mi tagliava le unghie dei piedi con una piccola forbice.

«Quanti anni hai?»

«Quanti ne dimostro?»

Ci addormentammo incollati. Le carezzavo la testa e solo il sonno fermò la mia mano. E quando mi svegliai, Italia non era più accanto a me. Trovai un biglietto sul tavolo. *Faccio prima che posso. La macchinetta del caffè è già pronta.* In fondo al biglietto c'era un bacio lasciato con il rossetto. Baciai quel bacio.

Andai in cucina e accesi il gas sotto il caffè. Aprii un pensile e scrutai con quale ordine aveva disposto le cose all'interno, i piatti impilati, i bicchieri piccoli, quelli più grandi, il pacco dello zucchero e della farina chiusi da una molletta di legno per i panni. Nascosto dietro la porta vidi un calendario a pagina unica. Nei due mesi appena trascorsi, qua e là, c'era un segno, una piccola croce. Corsi a ritroso con la memoria, e non ce n'era bisogno, lo sapevo già, erano le date dei nostri incontri. Feci un'altra scoperta, sopra il frigorifero. Chiuse dentro un barattolo di vetro, trovai alcune banconote, certe stropicciate, altre semplicemente piegate. Contai, non mancava nemmeno una lira.

Mi ero affacciato alla finestra. Il sole friggeva sul viadotto, gracchiava sui campi di sterpi. Accanto a una roulotte una donna zingara stendeva il bucato. Tre galline nane con i ciuffi ritti delle code camminavano una in fila all'altra accanto all'orto che aveva le zolle scure, innaffiate da poco. *Italia non ha toccato i miei soldi, li ha accettati e cacciati in quel barattolo.*

Mi feci una doccia, poi con l'accappatoio di Italia addosso, e le maniche che mi arrivavano al gomito, raccolsi il telefono e mi sedetti sul letto. Dissi a tua madre che quel fine settimana non l'avrei raggiunta.

«Come mai?»

«Sono reperibile in ospedale.»

Sul muro la scimmia mi guardava e io guardavo lei. Sentii girare la chiave nella toppa.

«Ci sei ancora?»

«Certo che ci sono.»

L'abbracciai. Aveva addosso un odore diverso, di mura diverse.

«Dove sei stata?»

«A lavorare.»

«Che lavoro fai?»

«Sono stagionale in un albergo, faccio le camere.»

Era un odore di autobus quello che aveva addosso, di folla.

All'imbrunire uscimmo. Camminammo mano nella mano dentro quel suburbio spettrale, quasi sempre in silenzio, ascoltando il suono dei nostri passi, affidando a quel mondo notturno i nostri pensieri. Non allentai mai la presa della mia mano, e lei non allentò la sua. Mi pareva strano avere accanto quella donna che non conoscevo troppo bene, e che pure sentivo così intima. Si era truccata per uscire. L'avevo spiata china su un boccone di specchio, mentre in fretta ricalcava i contorni di quei lineamenti che dovevano sembrarle troppo fragili. Quel belletto, gli zatteroni dove si era arrampicata, i capelli decolorati... Non c'era una sola cosa in lei che corrispondesse ai miei gusti. Eppure era lei, Italia, e mi piaceva tutto di lei. Senza saperne la ragione. In quella notte lei era tutto ciò che desideravo.

«Corriamo!» gridò.

E corremmo, e inciampammo l'uno nell'altra, e ridemmo, e ci abbracciammo contro un muro. Facemmo tutte le cose prive di senso che gli amanti fanno. Il giorno dopo, quando ci salutammo, Italia tremava di nuovo. Mi aveva preparato una frittata con le uova delle sue galline, mi aveva lavato e stirato la camicia, e adesso tremava mentre la baciavo, mentre le voltavo la schiena. Gli amori nuovi sono pieni di paure, Angela, non hanno un posto nel mondo e non hanno capolinea.

Il cellulare vibra. L'ho posato sul davanzale perché lì la ricezione è migliore. Non rispondo subito, spalanco la finestra, poi spingo il tasto verde. Ho bisogno di aria. La voce di tua madre è incredibilmente presente, non c'è nessun trambusto aeroportuale intorno a lei, nessun annuncio di voli in arrivo, in partenza.

«Timo, sei tu?»

«Sì.»

«Mi hanno detto...»

«Cosa ti hanno detto?»

«Che è successo un incidente a qualcuno della mia famiglia... ho in mano un biglietto di ritorno.»

«Sì.»

«È Angela?»

«Sì.»

«Cos'ha?»

«È caduta con il motorino, la stanno operando.»

«Stanno operando cosa?»

«Il cervello.»

Non piange, raglia nella cornetta come se qualcuno la stesse facendo a pezzi. Il rantolo cessa di colpo e torna la sua voce, sommessa, stonata.

«Sei in ospedale?»

«Sì.»

«Che hanno detto? Che dicono?»

«Sono fiduciosi, sì...»

«E tu? Tu che dici?»

«Io dico che...»

Un rutto di pianto mi si è infilato nella bocca, ma non voglio piangere.

«... Speriamo, Elsa, speriamo.»

Mi curvo nelle spalle, mi sporgo fuori dalla finestra... Perché non cado? Perché non cado laggiù in basso, dove ora passeggiano due malati con il cappotto sul pigiama?

«Quando parti?»

«Tra dieci minuti con la British.»

«Ti aspetto.»

«Ma il casco? Non ce l'aveva il casco?»

«Non l'aveva allacciato.»

«Come? Come, non l'aveva allacciato?»

Perché non hai rispettato i patti, Angela? Perché la giovinezza è questa disattenzione? Un sorriso nel vento e vaffanculo, mamma. Le hai tagliato le gambe, la testa. Come farai a chiederle scusa, adesso?

«Timo?»

«Sì?»

«Giurami su Angela che Angela non è morta.»

«Te lo giuro. Su Angela.»

I malati in basso si sono fermati, fumano, seduti su una panchina. Accanto alle aiuole sta passando una donna di mezza età con un cappotto color mattone. L'umanità, figlia mia, l'umanità che brulica, si arrampica. L'umanità che continua. Cosa sarà di noi, di me e di tua madre? Cosa sarà della tua chitarra?

Abbiamo fatto l'amore, poi non ci siamo più mossi, ascoltiamo il rumore delle macchine sul viadotto, così vicine che sembrano passare sul tetto. Devo vestirmi e tornare a casa, ma fatico a lasciare quella pece che ci tiene prigionieri. *Dove sono i calzini, i pantaloni, le chiavi della macchina...* ma intanto resto fermo. Domani parto, devo intervenire a un congresso di chirurgia oncologica, non ho nessuna voglia di andarci. Italia mi carezza un braccio lentamente, sta misurando la solitudine che le resterà addosso. Visualizzo il salone della conferenza, i miei occhiali, il mio viso dietro al mio nome stampato, i colleghi con la foto plastificata appesa alla giacca, l'accappatoio dell'hotel, il frigo bar nella notte...

«Vieni con me.»

Si gira sul cuscino, ha gli occhi larghi, increduli.

«Vieni.»

Scuote la testa. «No, no.»

«Perché?»

«Non so cosa mettermi.»

«Vieni in mutande, stai benissimo in mutande.»

E più tardi, nel cuore della notte, sto correggendo la mia relazione, la scorro, vado avanti e indietro con un lapis rosso, sottolineo, casso, aggiungo, le telefono.

«Stavi dormendo?»
«È meglio che non vengo, vero?»
«Passo alle sei. È troppo presto?»
«Se ci ripensi non ti preoccupare.»

E alle sei del mattino è già in strada, già truccata. Un pagliaccio nel grigio. La bacio, ha la pelle ghiaccia.
«Da quanto tempo aspetti?»
«Sono appena scesa.»
Invece è gelata. Ha una giacca con le spalle troppo imbottite che le salgono sul collo, nera a maniche corte. La pelle delle braccia è chiazzata come marmo. Si strofina le mani nella fessura tra le gambe. Accendo il riscaldamento al massimo, voglio che abbia subito caldo. Ha una faccia spiritata, persino gli occhi hanno freddo. Sul sedile non si muove, non si aggiusta, rimane così, rigida, con il busto leggermente discosto dal sedile. Poi il caldo la fa rilassare, mentre l'auto fugge lungo la striscia deserta dell'autostrada. Le tocco la punta del naso.
«Va meglio?»
Lei sorride, annuisce.
«Ciao» dico.
«Ciao» risponde.
«Come stai?» e le infilo una mano tra le gambe.

È una cittadina di tufo e sensi unici e frecce che ti rimandano sempre alla stessa rotonda. Lascio la macchina in un parcheggio. Ne abbiamo parlato, ho prenotato una stanza a suo nome. Non posso correre rischi, al congresso partecipano molti colleghi, ci sarà anche Manlio. Per strada restiamo un po' discosti. Italia è più preoccupata di me, non sa dove andare ma cammina impettita. Si è portata una valigia a rotelle, troppo grande per pochi giorni. Mezza vuota, le cammina storta accanto. Io invece sono abituato ai

112

viaggi brevi, ho una sacca di pelle, piccola, funzionale, elegante: un regalo di Elsa. Stamattina non ho la pancia, ho stretto di un buco la cintura. Avanzo leggero, di ottimo umore, mi sento un ragazzo in gita scolastica. Da dietro le tocco il sedere. «Pardon, signorina.» Lei è seria, non si volta a guardarmi, sa di essere un'intrusa. Indossa quella misera giacca e una gonna più lunga del solito, uno sforzo per essere meno vistosa.

La chiave mi arriva subito nelle mani. Italia parla con l'uomo dietro il banco della reception. Due colleghi mi raggiungono, ci salutiamo.

«La sauna è già calda, o bisogna aspettare?» chiedo alla ragazza in gilet blu che registra il documento, una scusa per attardarmi lì accanto. L'uomo davanti a Italia ha una matita in mano e scorre l'elenco delle prenotazioni. Lei si volta verso di me con uno sguardo sperduto. Mi avvicino.

«C'è qualche problema qui per la mia collega?»

L'uomo alza gli occhi e mi guarda, poi lancia un'occhiata stravagante a Italia.

«Stiamo vedendo di sistemarla, la signora non è accreditata.»

Le labbra piene di rossetto, i capelli scorticati dalla decolorazione... Si stringe nella giacchetta sintetica, tira a sé la sua valigia troppo grande, sente che quell'uomo la sta giudicando. Guarda la testa curva dietro il banco, e forse si è già pentita di essere venuta.

Attraversa la hall con un'espressione sfrontata, quasi ostile. I suoi tratti sembrano più rozzi perché dentro il suo animo è cupo. Si sta difendendo. Saliamo insieme in ascensore. Siamo soli eppure non la sfioro. Ora mi fa pena, cammina nel corridoio con i suoi tacconi storpi e mi fa pena. Le camere sono sullo stesso piano. Non c'è nessuno in giro. Italia entra da me. Rimane in piedi senza nemmeno guardarsi intorno, si rosicchia le mani.

Il congresso va avanti per quattro giorni, conferenze, riunioni, corsi di aggiornamento. Italia non vuole uscire dall'albergo, resta sul letto a guardare la televisione, le ordino qualcosa da mangiare e glielo faccio portare in camera. Io ceno nel ristorante dell'hotel con gli altri colleghi. Non ho fretta, gusto il cibo, parlo, scherzo. Dentro di me sciaborda un piacere sottile. Lei è di sopra, nascosta, pronta a scivolare nelle mie braccia. Mi aspetta, è chiusa dentro a chiave. Ogni volta che busso sento i suoi passi scalzi, affrettati, sulla moquette. Parla a bassa voce, ha sempre paura che qualcuno possa sentirci. Le dispiace per quell'altra camera che rimane vuota, ha letto il prezzo dietro la porta, è diventata rossa. Non prende nemmeno l'acqua dal frigo bar, beve dal rubinetto, io mi arrabbio ma lei si ostina. Non esce neppure quando vengono le cameriere a rifare la stanza, si siede in un angolo e le guarda. Di notte ci amiamo per ore, non ci addormentiamo mai. Italia torce il collo oltre il cuscino, la sua gola freme, i capelli piovono in terra. È come se cercasse qualcosa oltre me, un luogo dove ricongiungersi con una parte smarrita di se stessa. Fugge, pezzi di lei fuggono dalle mie mani. I suoi occhi guardano la finestra dove riverberano le luci della corte interna dell'hotel. Lì sotto c'è una fontana che a una certa ora viene spenta. Italia si alza dal letto per assistere a quello spegnimento, le piace quello spruzzo che finisce. Parla poco, non reclama un posto, sa di non essere una sposa in viaggio di nozze. *Non saprò mai quanti uomini l'hanno amata prima di me, ma so che ognuno di loro, accudendola o scalfendola, ha contribuito a plasmarla, a farla così com'è.*

La seconda sera usciamo nel cuore della notte, lasciamo le chiavi e scivoliamo fuori dalla hall. Le ho regalato un paio di scarpe bianche, le ho viste in una vetrina e le ho prese. Sono più grandi dei suoi piedi, Italia ha spinto nelle punte un po' di carta igienica. La cittadina è tutta in salita, vicoli dentro vicoli, e case di pietra greggia. I talloni di Italia escono dalle scarpe troppo larghe. Ci inerpichiamo fino alla rocca, oltre il palazzo del comune. Affacciati al belvedere, guardiamo in basso la piana notturna costellata di luci. Scendiamo pochi gradini e ci troviamo in uno slargo di ciottoli, al centro qualche gioco da bambino. Un'altalena cigola mossa dalla brezza che batte quell'altura, c'è buio, solo il campanile dalle guglie romaniche spunta illuminato tra i tetti neri. Seduti su una panca di pietra, guardiamo davanti a noi il cavallo di legno con una grossa molla al posto delle zampe, e un po' di melanconia scolora nella nostra clandestinità. Quei giochi senza bambini ci rattristano. L'altalena che non vuole smetterla di cigolare ci guasta l'umore. Italia si alza, va a sedersi sul seggiolino di ferro, si dà una spinta, poi un'altra. Le sue gambe si piegano nell'aria, la sua schiena va e torna. Le scarpe bianche da sposa sono cadute dai suoi piedi, lei non le ha trattenute.

Il giorno dopo la trovo in corridoio, ha fatto amicizia con le cameriere dell'albergo, segue il loro carrello che si sposta da una stanza all'altra, le aiuta, si china a prendere le lenzuola pulite e gliele passa. Non mi vede subito, così ho il tempo di guardarla. Parla in fretta, con il suo accento del sud. È più se stessa tra quelle ragazze in grembiule, è scivolata fuori dalla prigionia e si è unita alle sue simili. Ha una cuffia da doccia sui capelli asciutti, sta facendo la stupida. Mima le movenze di una cliente pretenziosa rimasta senza acqua. La ragazza grassoccia ac-

115

canto a lei ride di gusto. Non sapevo che Italia fosse così spiritosa. La chiamo, si volta, si voltano anche le cameriere. Italia si strappa la cuffia dalla testa e viene verso di me. Ha il viso arrossato e freme come una bambina.

«Sei già qui...» sussurra.

L'ultima sera cenò al ristorante, fui io a pregarla di scendere. Avevo voglia di guardarla in mezzo alla gente che ci credeva estranei. Scese in ritardo. Si diresse spedita verso un tavolo in fondo, accanto alla porta a vetri che si apriva su un'altra sala. I miei commensali avevano aliti di vino e di livore professionale. Manlio era arrivato solo quella mattina e già non ne poteva più. Sparava a zero su un ricercatore statunitense, guru della farmacologia alternativa. Disprezzava e aspirava il fumo dalla sigaretta. L'accendino d'oro accanto al tovagliolo. Io pensavo a quello che aveva ordinato Italia, mi sarebbe piaciuto servirle un bicchiere di vino. Non le avevano portato ancora nulla, forse si erano dimenticati di lei, mi guardavo in giro cercando con gli occhi il cameriere. Non era tranquilla, mi aveva fatto quel favore e adesso, gomiti sul tavolo, si pizzicava il mento con una mano, aspettava solo l'ora di andarsene. Potevo percepire il suo imbarazzo anche a quella distanza. Il cameriere si piegò su di lei, sollevò il coperchio a cupola che teneva calda la portata. Italia mangiò con il cucchiaio, una minestra, forse. Mi voltai verso Manlio: la stava fissando. Lei doveva essersene accorta, aveva smesso di mangiare, giocherellava con un lembo del tovagliolo. Alzò lo sguardo e vidi che lo spingeva senza nessuna cautela nel campo visivo di Manlio. Di nuovo aveva quella faccia sfrontata. Manlio mi colpì con il gomito. «Mi guarda...» sibilò dentro un greve sorriso che gli gonfiava le mascelle. «Sta sola, invitiamola, no?»

E prima che io possa trattenerlo, sempre che ne abbia l'intenzione, lui è già in piedi, e senza smettere quel sorriso da scimpanzé la raggiunge. Gli altri intorno ridono, sono tutti un po' brilli. Vedo Italia che scuote la testa, si alza, indietreggia, urta contro il carrello dei dolci, poi si allontana. Manlio si risiede accanto a me, mette mano all'accendino d'oro.

«Da lontano era volgare» dice, «da vicino invece è brutta.»

Lei è sul letto. Sfoglia un dépliant dell'albergo.

«Chi era quel cafone?» dice, senza sollevare la testa.

«Un chirurgo ginecologo, cafone.»

Ho mangiato bene, ho bevuto bene, ho voglia di fare l'amore. Ma Italia resta troppo tempo in bagno, e quando esce non viene a letto, prende la sedia e si mette vicino alla finestra, guarda la corte interna, ha il viso ingiallito dalla luce che sale da lì, sta aspettando che la fontana si spenga.

Italia ha preparato dei panini per il viaggio, è scesa a comprare il formaggio, il salame, poi ha spaccato il pane sul letto. Mi sono svegliato che raccoglieva le briciole con la mano. Accanto all'ascensore ha salutato le cameriere, si è fatta lasciare gli indirizzi, le ha strette come sorelle. In macchina, durante il viaggio di ritorno, parliamo poco. A un certo punto Italia dice: «Ti vergogni di me, vero?». Lo dice senza guardarmi, buttata dalla sua parte, mentre fissa la strada. La sua borsa patchwork è colma di piccoli barattoli di miele e confetture della prima colazione che lei ha conservato ogni mattina. Sorrido, allungo un braccio e sistemo lo specchietto retrovisore. Ho la testa occupata da pensieri farraginosi, che si mescolano tra loro senza nessun nesso preciso. Stamattina Elsa ha telefonato, lo squillo mi ha raggiunto in camera, avevo

117

già i bagagli pronti, pensavo fosse la reception, così ho risposto senza cautela. Italia ha detto qualcosa, qualcosa legata al suo documento, si era scordata di farselo restituire. Tua madre ha sentito la sua voce.

«Chi c'è lì con te?»

Ho detto che era la cameriera, che la porta era aperta, che stavo andando via. Ho alzato il tono della voce.

«Perché ti arrabbi?»

«Perché ho fretta.»

Poi le ho chiesto scusa. Lei ha detto ancora qualche altra cosa, la sua voce era leggermente cambiata. E mentre guido penso che non sono più certo di quello che faccio. Lascio Italia davanti al palazzo occupato, le raccolgo una mano e gliela bacio. Ho fretta di separarmi da lei, forse se ne accorge. Sono gentile, scendo per prendere la sua valigia nel bagagliaio, ma quando scompare nell'androne, risucchiata da quel cattivo odore, mi sento sollevato. Non resto un attimo di più. Quel posto stamattina mi sembra terrificante.

Vado direttamente in ospedale, sprofondo nel mio mestiere con precisione. La strumentista è un po' incerta, dev'essere una nuova, mi passa i ferri senza forza. Mi arrabbio. Una pinza le cade dalle mani. Con un calcio scaravento quella pinza dall'altra parte della camera operatoria.

Nella casa al mare tua madre comincia a raccogliere le sue cose, l'estate è quasi finita. Sono seduto in giardino, guardo il grande e il piccolo carro, la stella polare. Mi raggiunge, ha un cardigan posato sulle spalle e un bicchiere in mano.

«Vuoi qualcosa da bere?»

Scuoto la testa.

«Cos'hai?» dice.

«Niente.»

«Sei sicuro?»

L'autunno arriverà, il mare diventerà grigio, la sabbia sporca, il vento la farà volare, la casa sarà già chiusa. Elsa sente nelle spalle quel piccolo assaggio di malinconia. A letto si stringe a me, vuole fare l'amore.

«Vuoi già dormire?»

Non mi sposto, rimango dalla mia parte: «Ti dispiace?».

Le dispiace. Smette di baciarmi, ma resta a respirarmi addosso, con intenzione. Il soffio carico del suo respiro mi allontana dal sonno.

«Scusami, sono stanchissimo...»

Mi volto, la sua faccia è ferro nel buio. Il suo corpo fruscia sul lenzuolo e si allontana dal mio. Ora mi dà la schiena. Aspetto. Non voglio che sia triste. Allungo un braccio verso di lei, mi scaccia con un lieve moto della spalla.

«Dormiamo» dice.

L'indomani mi sveglio tardi. Trovo Elsa in cucina, indossa la sua vestaglia di seta cruda. «Ciao» dico. «Ciao.» Mi preparo la macchinetta del caffè, la metto sul fuoco e, mentre aspetto che il caffè esca, mi siedo. Mia moglie è alta, le sue spalle sono un trapezio perfetto, due linee oblique che corrono fino alla strettoia della vita. Sta sistemando dei fiori dagli steli lunghi.

«Dove li hai presi?»

«Me li ha regalati Raffaella.»

È ancora arrabbiata, lo capisco da come muove le mani, gesti sbrigativi che hanno il solo intento di ignorarmi. Da quanto tempo non le regalo dei fiori?, penso. E forse anche lei sta facendo lo stesso pensiero. Si è infilata i capelli dietro le orecchie. È contro la finestra, da dove penetra una luce vivida, appena soffocata dal cotone della tenda. Le guardo il profilo, le sue labbra scolorite sono due bolle di carne burbera. Ci sono molti pensieri per me in quelle labbra, forse contro di me. Mi alzo, mi riempio una tazzina e bevo.

«Vuoi un po' di caffè?»

«No.»

Mi servo un'altra tazzina e bevo anche quella. Elsa si è tagliata. Ha lasciato cadere le forbici sul tavolo e si è portata il dito ferito nella bocca. Mi avvicino a lei. «Non è niente» dice. Ma io le prendo la mano e la spingo sotto il getto dell'acqua. Acqua rosata del suo sangue scompare dentro il buco nero al centro dell'acquaio. Le asciugo il dito nella mia maglietta, poi cerco il disinfettante e un cerotto nel pensile dei medicinali. Tua madre mi lascia fare, le piace quando mi occupo di lei come medico. Poi le bacio il collo. Me lo ritrovo accanto, il suo collo, e lo bacio, lì dove scompare nella nuca invasa dai capelli. E ci abbracciamo in cucina accanto ai fiori sparpagliati sul tavolo.

Quando esco dalla doccia, lei sta battendo a macchina in un angolo riparato del salone. Deve sbrigarsi, dice, perché è rimasta indietro con il lavoro. Non ha più voglia di bagni e di sole. Lascerà che la sua pelle scura scolorisca nell'inverno. Non si è vestita, indossa ancora la vestaglia. In basso quella seta cade sul pavimento e le lascia scoperte le gambe. Ho messo sul piatto del giradischi la *Patetica* di Čajkovskij. Le note invadono come una tempesta di cristalli il salone dove entra il sole, ho i piedi nudi e leggo. Gli occhi di tua madre viaggiano sui tasti, ogni tanto tira via un foglio, lo accartoccia e lo butta nel cestino di vimini che ha accanto. Ha una natura sdegnosa, altera negli intenti, nelle linee del corpo. Non mi appartiene, non mi è mai appartenuta, ora ne sono certo. *Non siamo programmati per appartenerci, siamo programmati per vivere insieme, per condividere lo stesso bidet.*

Mi guarda, abbandona la macchina da scrivere e si avvicina. Si siede sul divano di fronte a me, una gamba piegata sotto le natiche, un piede scalzo che sfiora il pavimento. Comincia a parlare, e le sue parole sono un accerchiamento ponderato. Frasi generiche sul suo lavoro, su una collega al giornale che le ha fatto uno sgarbo, poi di punto in bianco: «E tu cosa hai fatto al congresso?».

E subito dopo mi chiede chi c'era e chi non c'era, e sento che il cerchio si chiude mentre dice: «La stanza com'era?».

«Anonima.»

Sorrido, non sono io quello in difficoltà, ma lei. La lascio abbrustolire nei suoi pensieri, sono calmissimo, se ha qualcosa da chiedermi, lo faccia pure. *Co-*

*raggio, moglie, fatti avanti. Se hai davvero bisogno di chia-
rezza questa volta te la sbrighi da sola, non sarò io ad aiutarti. Non mi sento in colpa, non ci riesco.* Čajkovskij
suona, e dentro la sua musica stamattina nulla mi
sembra più così drammatico. Elsa si sta accanendo su
una ciocca di capelli che sembrano bianchi perché il
sole li bagna da dietro. Si affanna in bilico tra la curiosità e il timore di soffrire. Eppure, se ora mi chiedesse di farlo, sarei pronto a frantumare il presepio.
Ma la verità ha le ascelle sudate, non è adatta alla re-
galità di mia moglie. Mi guarda in un modo che conosco, anche se solo adesso mi sembra di decifrare il
sentimento imprigionato dentro quelle retine opache:
lì c'è una mancanza, un arresto, un muro. I suoi sono
gli occhi di una stupida. È una scoperta esplosiva.
Dietro tanta apparente intelligenza si cela una patina
di coriacea sordità, quasi un'assenza di coscienza: è
la sua scappatoia al dolore. Sono gli occhi che mette
su quando è in difficoltà, quelli con i quali finge di
capirmi, mentre invece mi abbandona a me stesso.

Ora si alza, va verso la cucina, ha quasi raggiunto
la porta. La sua schiena diritta, i suoi magnifici capelli che sussultano nei passi. Prendo la mira al centro
del suo corpo e le lancio il coltello...

«Vuoi sapere se scopo con un'altra?»

Si volta: «Hai detto qualcosa?».

Čajkovskij copre. Non ha sentito. O forse sì, per
questo traballa un po'.

Quella sera facciamo l'amore. È tua madre che mi
prende, non l'ho mai vista così ardita. «Piano» sussurro ridacchiando, «piano.» Ma lei è più forte di me,
ha un suo progetto. Mi sta abbattendo addosso un
carico di energie costipate, stanotte sono la sua presa
a terra. La sua è una farsa erotica, che deve aver assi-
milato in qualche lettura, o al cinema. Stanotte ha de-

ciso per la passione bruciante. E io sono in mezzo, sbalestrato, un ronzino scaraventato in una gara al galoppo. Ora è scivolata in basso, ansima sotto il mio ventre. Non sono abituato a vederla così sottomessa. Mi sento in colpa come se a causa mia lei acconsentisse a depravarsi. Voglio andarmene, voglio scappare via da questo letto, invece rimango. Ora sono eccitato, ho guardato la sua testa e ho pensato... E quel pensiero mi ha eccitato. Mi rovescio addosso al corpo di tua madre, lo maltratto. La spingo ai piedi del letto e la prendo come una capra e mentre lo faccio mi chiedo cosa sto facendo.

Dopo era sotto di me come un uovo rotto, si era girata nel suo guscio frantumato e mi guardava con una nuova intenzione. Sembrava felice e malvagia come una strega che è riuscita in un sortilegio. Per la prima volta da quando l'avevo conosciuta, ho pensato che volevo lasciarla.

Il piccolo corpo della mia amante era curvo sulla sponda del letto, guardavo il punto dove la schiena magra si allargava nelle natiche. L'avevo leccata, la mia lingua aveva viaggiato dalla scriminatura dei suoi capelli fino ai piedi, si era infilata in ogni fessura, tra dito e dito. Lei aveva avuto piacere e freddo insieme, la sua pelle si era aggricciata al mio passaggio. Sentivo di volerla amare così, tratto a tratto, nell'immobilità, nel silenzio. Non era più come era stato, non erano più amplessi furiosi, ciechi, i nostri. Avevo preso l'abitudine di tenerla lì ferma sul letto solo per baciarla. Volevo che attraverso le mie cure lei percepisse se stessa. Con la lingua dolorante la solcavo, senza più saliva alla fine. Era impudica, quasi sfacciata nel sesso, invece si vergognava delle callosità che indurivano le piante dei suoi piedi, si vergognava dell'amore. Solo in ultimo la prendevo, quando ero già stanco, m'infilavo dentro di lei, come un cane. Un cane che ha corso giorni e giorni tra sterpi, rovi, sassi, e slombato ritrova la sua cuccia.

«Lasciami» sussurra. La sua voce è sottile e fredda come un filo di metallo.

«Cosa dici…» Mi avvicino, le carezzo quella schiena solitaria.

«Io non posso, non posso più...» e scuote la testa.
«È meglio adesso, sai, adesso.»
Si è presa il viso nelle mani: «Se mi vuoi un po' di bene, lasciami».
La stringo forte, i suoi gomiti si piazzano nella mia pelle.
«Io non ti lascerò mai.»
E sono così certo di quello che dico che il mio corpo s'indurisce, ogni mia fibra s'indurisce mentre l'abbraccio, come se una corazza di forza si fosse stretta intorno a me. E restiamo così, ognuno con il mento nella spalla dell'altro, a guardare ognuno nel proprio vuoto.
Cosa vuol dire amare, figlia mia? Tu lo sai? Amare per me fu tenere il respiro di Italia nelle braccia e accorgermi che ogni altro rumore si era spento. Sono un medico, so riconoscere le pulsazioni del mio cuore, sempre, anche quando non voglio. Te lo giuro, Angela, era di Italia il cuore che batteva dentro di me.

E faceva sempre un sogno. Sognava che il suo treno partiva senza di lei. Arrivava in anticipo alla stazione, aveva un abito buono addosso, comprava una rivista, poi camminava sotto la pensilina, tranquilla. Il treno era lì che l'aspettava, un treno elegante, rosso e grigio, diceva. Stava per salire, ma ecco che perdeva tempo, frugava nella borsetta, cercava il biglietto. Voleva leggere la destinazione, per quello perdeva tempo... Il treno si staccava dai binari, e lei rimaneva lì, e non aveva più la borsetta, né le scarpe. La stazione alle sue spalle era vuota e lei era nuda, «come in un quadro» diceva. Mi raccontò che questo sogno l'aveva straziata a lungo fin da giovanissima, poi si era smarrito, e solo con me era riapparso.
Io credo che nei sogni ci puniamo, Angela, difficilmente ci premiamo.

«Dammi la mano» disse, «la sinistra.»

L'allargò, passò il suo palmo sul mio come volesse pulirlo, sgombrarlo dal pulviscolo di altre cose che non ci riguardavano.

«Hai la vita lunga, con un taglio al centro.»

Io non credo a queste scemenze, scrollai le spalle.

«Cosa vuol dire?»

«Che sopravviverai.»

Ma ora mi chiedo se quel taglio eri tu, Angela. Se Italia ti ha incontrata nella mia mano.

«Ora stringi forte, così vediamo i figli.»

Scrutò tra le pieghe del mio pugno, accanto al mignolo.

«Ce n'è uno, anzi due. Bravo» rise.

«E tu?» dissi. «Fammi vedere la tua mano, com'è la tua vita?»

Si alzò in piedi senza smettere di ridere.

«È lunghissima, non ti preoccupare, l'erba cattiva non muore mai, mia madre mi chiamava Gramigna.»

Quando ci salutammo mi corse dietro, si aggrappò a me.

«Non mi prendere mai sul serio quando ti dico di lasciarmi. Tienimi, ti prego, tienimi. Vieni quando ti pare, una volta al mese, una volta all'anno, ma tienimi...»

«Certo che ti tengo. Io ti amo, Gramigna.»

Scoppiò a piangere, eruttò pianto, una lava di lacrime che mi bruciava addosso.

«Perché?»

Si era staccata dal mio abbraccio. La faccia rossa, gli occhi rossi fissi nei miei, adesso mi prendeva a pugni un braccio: «Scopo da quando ho dodici anni, e nessuno mi ha mai detto ti amo. Se mi prendi in giro, ti ammazzo!».

«Con questi pugnetti?»

«Sì.»

E tu, Angela, hai mai fatto l'amore? Ricordo il giorno in cui sei diventata donna, tre anni fa. Eri a scuola, la professoressa d'inglese ti ha accompagnata in direzione, hai telefonato a tua madre al giornale, lei è venuta a prenderti per portarti a casa. In macchina ha scherzato, tu hai sorriso fiacca, come un'ammalata, eri stranita, un po' arrabbiata. Avevi aspettato quel momento, però adesso ti dispiaceva crescere. Eri stata una bambina indipendente e ruvida, abituata a sbrigartela da sola, adesso eri un fungo di dodici anni. Il tuo corpo era ancora infantile, molto più di quello delle tue amiche, e i tuoi pensieri, i tuoi giochi erano ancora da bambina. Ma dentro qualcosa si era mosso, malgrado te. Il primo ovulo era maturato e si era rotto. Il sangue suggellava la fine dell'infanzia.

Me lo disse tua madre, mi venne incontro all'ingresso. Aveva una faccia di luce, non era più la donna uscita di casa al mattino, aveva una faccia da levatrice. Voi donne siete mutevoli, pronte a catturare la vita, a riempirvi di farfalle. Noi maschi siamo incolonnati lungo il vostro muro come lombrichi. Ho sorriso, mi sono attardato sul soprabito. Stavi stesa sul letto, con quegli occhi neri, grandi, quella faccia lunga da gatto magro. Mi avvicino e mi curvo accanto a te.

«Angela...»

Sorridi appena, la tua pelle si arriccia nel pallore.

«Ciao, papo.»

Vorrei dirti chissà che, ma non mi viene fuori niente. In questo momento sei solo di tua madre, io sono un ospite imbranato, di quelli che rovesciano i bicchieri. Hai le mani sulla pancia, le gambe piegate, ferme. Sei il mio asparago, il mio profumo preferito. Quante volte ti ho spinta in altalena, quante volte la tua schiena è tornata indietro nelle mie mani. E non ho fermato quel momento, l'ho lasciato andare, e forse non mi andava nemmeno di spingerti, volevo leggere il giornale. Ti sfioro la fronte.

«Brava» dico, «brava.»

E, curvo nel mio studio, sotto quell'ombrellino liberty che centra con la sua luce calda il piano del mio scrittoio e la mia testa calva, penso ancora a te. Mi sono ritirato qua dentro, a voi donne il resto della casa, panni bianchi, ovatta, sangue di vergine. Tua madre ha preparato il tè, lo ha portato in camera tua sul vassoio londinese con i gatti. Inzupperete biscotti con le gambe incrociate sul tappeto come due coetanee. Oggi è una giornata speciale, si resta chiusi in casa, al caldo, non si cenerà. Io mangerò un po' di formaggio da solo in cucina, più tardi. Penso che un giorno farai l'amore. Un uomo si avvicinerà a te con le sue mani, con la sua storia. Si avvicinerà alla mia lungona con i pantaloni sempre troppo corti, non per un cambio di figurine, o per reclamare il suo turno all'altalena, ma per infilzarti con il suo stecco. Mi ciancico gli occhi sotto le mani, brutalmente, perché l'immagine che mi rimbalza davanti è troppo forte. Sono tuo padre, il tuo sesso per me è quel panino di carne implume che si riempiva di sabbia sulla spiaggia. Ma sono un uomo. E sono stato un uomo livido e barbaro che ha stuprato una donna, una bambina appena invecchiata. L'ho fatto perché l'ho amata subito e non volevo amarla, l'ho fatto per ucciderla e volevo salvarla. Mentre mi stropiccio gli occhi per ricacciare indietro quell'immagine di me stesso, vedo un maschio, una schiena di foia che si avvicina a te. E adesso lo prendo per la collottola e gli dico: stai attento a te, quella è Angela, il bianco della mia vita. Poi lascio la presa. Lascio quei pensieri che ti offendono, non ho alcun diritto di pensare a te che fai l'amore. Sarà come vorrai tu. Sarà dolce. Sarà con un uomo migliore di me.

Il giorno del mio compleanno. Non è una ricorrenza che accolgo con particolare favore, lo sai; nonostante gli anni mi torna su l'amarezza che provavo da ragazzino. Le scuole non erano ancora aperte, i miei amici latitavano chissà dove, così non ho mai avuto una vera festa. Crescendo ho cominciato io stesso a ignorare questa data. Ho pregato tua madre di non perdere tempo a organizzare feste a sorpresa, che non mi sorprendono affatto. Lei si è lasciata convincere, e io, senza mai confessarglielo, ho provato risentimento nei suoi confronti per avermi trascurato con tanta facilità.

La giornata non era delle migliori. Il sole rimaneva soffocato dietro un ammasso di nubi calcinose e indefinite. I miei suoceri, appena rientrati da una crociera in Mar Rosso, erano venuti a farci visita. Di pomeriggio tornammo sotto gli ombrelloni. Nonna Nora esibiva un'abbronzatura punteggiata di abrasioni che le aveva procurato l'estetista per cancellarle le macule senili. Dalla fronte di nonno Duilio sporgeva la visiera di un cappello da capitano di lungo corso. D'estate si vestiva così, pantaloni corti, calzettoni tesi sui polpacci ancora robusti, scarpe di corda intrecciata. Seduto su una bassa sediola da spiaggia, tamburellava le dita sui ginocchi, scandendo il tempo del suo poderoso silenzio. Non mi trovavo a mio agio con mio suocero. Tu lo conosci per come è oggi, sperduto, soave, e con te molto affettuoso. Ma sedici anni fa conservava ancora il piglio sdegnoso, la penuria di clemenza che nella sua professione lo avevano condotto tanto in alto. È stato uno degli architetti più potenti di questa città, quando morirà una strada porterà senz'altro il suo nome. Cominciava appena a essere anziano, e faticava a rimanersene nel canto della discrezione che la sua età suggeriva. Si comportava in maniera orribile con la moglie, che era troppo svampita per accorgersene. Elsa aveva un'autentica venerazione per il padre, i primi anni di matrimonio le attenzioni smisurate che gli dimostrava mi offendevano. Quando lui era presente io non esistevo. Poi la cosa si è attenuata con il passare del tempo, lui è invecchiato del tutto, e purtroppo ho cominciato a invecchiare anch'io. Adesso, che trascorre le giornate davanti alla televisione con la piccola filippina che lo assiste, siamo buoni amici, lo sai, e se almeno due volte la settimana non passo da lui per misurargli la pressione ci resta male.

Il volto infilato nelle braccia, Elsa era rovesciata su un fianco, parlava con la madre. Aveva modeste complicità con lei, non riusciva a perdonare alla povera Nora la sua frivolezza. Elsa, come suo padre, non è mai stata indulgente, la sua vera debolezza è questa. «Mia madre è tanto buona» diceva, «e tanto cretina.» Quando è morta, come d'incanto, Nora ha cessato di essere una cretina. Tua madre, spinta da un'ansa furtiva del suo inconscio, ha cominciato a plasmarla come una donna diversa, vulnerabile ma volitiva, limpido esempio per lei. Fino a quel giorno, poco tempo fa, quando l'ho sentita dirti: «Tua nonna non aveva una grande cultura, ma era la donna più intelligente che abbia mai conosciuto». L'ho guardata, ha risposto al mio sguardo tranquillamente. Tua madre sa dimenticare, sa muovere le cose per come le servono nel momento esatto in cui le utilizza. Da un lato è terribile, da un altro è come se desse a tutto ciò che la circonda la capacità di rinascere continuamente. Io devo essere rinato molte volte tra le sue mani, senza accorgermene.

Stavo così, sprofondato nel silenzio della vita riconosciuta. Qui ero un uomo libero, non avevo bisogno di nascondermi. La gente mi conosceva, mia moglie, mio suocero, tutti mi conoscevano. Eppure ora mi sembrava che fosse questa la vita parallela, non l'altra. Quella con Italia, nei sussurri, nella segregazione, quella era la vita vera. Clandestina, senza cielo, spaventata, ma vera.

Una donna faceva il bagno nel mare, la sua testa scompariva e riaffiorava tra le schiume. Uscì dall'acqua fino alla vita. Si strizzò i capelli, attorcigliandoseli con le mani, poi scosse la testa. Camminò fino alla riva, nell'acqua sempre più bassa il suo corpo si rivelò a poco a poco. Indossava un due pezzi turchese. Non era abbronzata. La pancia bianca leggermente prominente, come quella di un bambino che ha appena mangiato. Avanzava verso di me, oscillando le anche ossute. Credetti di sentire il fruscio del suo respiro, le gocce di mare che si staccavano dal suo corpo in movimento e ricadevano sulla sabbia. Credetti di voler alzare un braccio per fermarla, ma nessun gesto si staccò da me. Tutto era immobile, congelato. Lei sola si muoveva al ralenti. Incastonato nel mio blocco di pietra, aspettavo la fine. Passò, e nemmeno trovai il coraggio di seguirla con la testa, avevo il collo indurito dallo choc. Ma nelle iridi rimaneva il miraggio di lei, quella sagoma deperita che si avvicinava scalzando la sabbia.

Poi tornò il sonoro intorno a me, il soffio del vento che si era levato ancora, e, a poco a poco, le chiacchiere di mia suocera sempre più presenti, il duro respiro di mio suocero. Come quando ci si riavvicina alla riva con la barca, e si ricomincia a sentire sempre più prossimo il murmure della spiaggia. Allora mi voltai, alle mie spalle trovai solo il muro farinoso delle dune. Italia era scomparsa.

Trascorsi quel che avanzava del giorno in trance. Tutto mi sembrava eccessivo, troppo acute le voci, troppo invasivi i gesti. Chi era quella gente ottusa che mi viveva intorno, che stazionava nella mia casa? E dire che un tempo mi era sembrato un bel balzo sociale imparentarmi con questa specchiata famiglia di imbecilli! A cena faticai per portare la forchetta verso la bocca. Quel transito dal piatto alle labbra era diventato lunghissimo. Mi alzai da tavola per andare in bagno. Nel corridoio lo yorkshire terrier di mia suocera saltò fuori da un angolo buio, digrignando i denti. Slanciai la gamba e colpii quel cagnetto da salotto. Zoppicando, filò di là dalla padrona, che gli stava già correndo incontro.

«Scusami, Nora, l'ho urtato per sbaglio.»

Mi stesi in terra sul tappeto in una delle stanze al piano di sopra. Mi sentivo uno di quei fiacchi vermi che d'estate pencolano appesi a un viticcio secco, quei vermi che, storditi, cascano in terra senza rumore.

Dopo cena i genitori di Elsa se ne andarono, io mi mossi subito dopo. Elsa mi aveva raccomandato di scortarli fino alle prime luci della città. Mio suocero guidava lentamente lungo quelle strade buie che non conosceva troppo bene. Oltre il parabrezza, osservavo quelle due teste immobili, mute. A cosa stavano pensando? Alla morte forse, è facile pensare alla morte la domenica sera. Oppure alla vita, a una cosa da comperare, da mangiare. A quella vita che in ultimo diventa solo voracità. Si prende e non si ha più il desiderio di dare qualcosa in cambio. Verso quello stesso silenzio io e Elsa ci stavamo incamminando. La solitudine che lambivo con i fari sarebbe stata nostra tra qualche anno. Due fantocci correvano davanti a me nella notte. Ero ancora in tempo per fermare quel viaggio e riconsegnarmi alla vita, una vita diversa nella quale magari non avrei fatto in tempo a raggiungere quelle figure anziane.

Sterzai e mi fermai ai margini dell'asfalto. La macchina dei miei suoceri scomparve davanti a me oltre una curva nera. Quella sera sentivo che sarei morto giovane, e che Italia era un dono al quale non avrei rinunciato.

«Come hai fatto a trovare la casa?»

«Ho camminato sulla spiaggia.»

«Ma perché?»

«Volevo farti un regalo di compleanno, volevo che tu mi vedessi in costume da bagno.»

Era ancora in accappatoio, intorpidita si stringeva al suo cane.

«Ti lascio dormire.»

«No, usciamo.»

Per strada camminò lentamente, il braccio infilato dentro il mio. Entrammo nel bar, il solito.

«Cosa prendi?»

Non mi rispose. Si era appoggiata con tutto il peso del corpo al bancone. Vidi la sua mano che strisciava sul piano di metallo verso i tovaglioli di carta. Con un gesto aggressivo li divelse dal loro contenitore e si precipitò fuori con la schiena curva in avanti, arrancando. La raggiunsi, si era appoggiata al muro, la testa bassa.

«Cos'hai?»

Aveva le mani strette tra le cosce, i tovaglioli stretti lì in mezzo. «Non sto bene, portami a casa...» sussurrò.

C'era poca luce, ma adesso vedevo che i tovaglioli bianchi si erano fatti scuri tra le sue dita.

«Stai perdendo sangue...»

«Portami a casa, ti prego.»

Ma intanto era svenuta. La presi in braccio, camminai fino alla mia macchina e l'adagiai sul sedile. Avrei corso il rischio di portarla nel mio ospedale. Guidavo e cercavo di ricordarmi se qualche amico era di guardia quella sera. Lei si era ripresa, pallida, gli occhi mogi aperti sulla città notturna.

«Dove mi porti?»

«In ospedale.»

«No, voglio andare a casa, sto meglio.»

Era scivolata giù dal sedile e si era accucciata in basso.

«Che fai?»

«Così non ti sporco il sedile.»

Staccai una mano dal volante e mi chinai verso di lei. Agguantai un lembo della sua maglietta: «Tirati su!».

Ma lei riuscì a resistere. «Sto bene quaggiù, ti guardo.»

Il pronto soccorso era spopolato, solo un vecchio in un canto, con una coperta sulle spalle. Conoscevo uno degli infermieri di guardia, un ragazzo corpulento con il quale ogni tanto parlavo di calcio. Avevo dato a Italia il mio asciugamano da mare rimasto sul sedile posteriore, era scesa dalla macchina con quella spugna girata intorno ai fianchi. L'infermiere l'aveva fatta stendere nell'astanteria su una lettiga, dove Italia con il collo torto mi guardava. Il medico di turno arrivò quasi subito, una giovane donna che non ricordavo di aver mai vista prima.

«Venga, saliamo a fare un'ecografia.»

Entrammo tutti e tre in ascensore. La donna aveva tracce di sonno sul viso, sui capelli schiacciati, mi sorrideva ossequiosa, sicuramente sapeva chi ero. Italia adesso aveva un colorito migliore, era salita in ascensore con le sue gambe.

Durante la visita mi allontanai e mi diressi verso il mio padiglione. Approfittavo per dare uno sguardo a un paziente che avevo operato il giorno prima. Mi avvicinai al letto dell'uomo: dormiva e aveva un buon respiro.

«Domani possiamo togliergli il drenaggio, professore?» mi chiese la suora che mi aveva seguito nella camerata.

Quando ritornai, Italia stava uscendo dalla stanza per le ecografie.

«È tutto a posto, c'è stato un parziale distacco di placenta, ma l'embrione ha resistito.»

Rimasi per una frazione di secondo a guardare il volto della dottoressa, le mascelle squadrate, la pelle lucida del naso, gli occhi troppo ravvicinati. Feci un passo indietro e istintivamente mossi lo sguardo oltre le sue spalle, quasi temessi che qualcun altro avesse udito le sue parole.

«Bene» credo di aver detto, «bene.»

La donna aveva senza dubbio registrato il mio turbamento. Ora mi guardava con una strana complicità.

«Io, professore, farei comunque il ricovero. Sarebbe meglio che la signora non si affaticasse, almeno per un po'.»

La signora era rimasta qualche passo dietro di lei, tramortita; potevo percepire chiaramente la sua agitazione. Non era una signora, era una signorina, la mia amante. Ci guardammo per un solo istante, di sfuggita. Spostai leggermente il peso del corpo sull'altra gamba per evitare che l'asse del mio sguardo la includesse. Non dovevo stabilire nessun contatto con lei, non ora almeno. Ero lì nel mio ospedale, davanti a una donna che mi conosceva per i miei meriti professionali e che adesso di sicuro indovinava qualcosa della mia vita intima. Dovevo portarla via, sì, bisognava che sparisse, poi avrei riflettuto. Cam-

137

minavamo verso l'ascensore, le natiche della dottoressa ondeggiavano sotto il camice. Chi mi garantiva che fosse una donna discreta? Mi sembrava di cogliere qualcosa di sciatto nel suo modo di camminare. Domani forse la notizia avrebbe fatto il giro dell'ospedale, sguardi maliziosi mi avrebbero raggiunto, trafitto nella schiena, chiacchiere che non avrei potuto mettere a tacere. Italia era dietro di me, ora sentivo di essere furioso con lei. Non mi aveva detto nulla, mi aveva tenuto all'oscuro, aveva lasciato a un'estranea il compito di rivelarmi una cosa del genere, qui nel mio ospedale. S'era goduta la mia faccia trasecolata. Avevo quasi voglia di colpirla, di affondarle una manata, cinque dita rosse stampate su quel muso bugiardo.

Tornammo di sotto per l'accettazione. Mi voltai verso Italia e la guardai in un modo che dovette sembrarle terribile.

«Cosa vuole fare, signora?»

«Voglio andare a casa» balbettò.

«La signora firma per uscire» mi rivolsi all'infermiere: «dammi il modulo».

Tirai fuori la penna dal taschino interno della giacca e compilai io stesso il modulo, poi lo spinsi sotto le mani rosicchiate di Italia, porgendole la penna. Mossi gli occhi sul suo viso, era tornata molto pallida... Trattenni la penna. Non ero più certo di quello che stavo facendo, ero un medico, non potevo rischiare. E se le fosse venuta un'emorragia? Non potevo lasciarla andare così. Avrei avuto modo di maltrattarla più tardi, ora era importante che restasse lì, al sicuro. Stracciai il modulo: «Facciamo il ricovero».

Lei tentò di opporsi, ma senza forza: «No... voglio andarmene, sto bene».

La dottoressa mosse un passo verso il tavolo.

«Signora, il professore ha ragione, è meglio che per questa notte rimanga.»

Sbrigammo la pratica del ricovero rapidamente, poi risalimmo verso ginecologia. L'ascensore si aprì al piano. Nel corridoio notturno c'era silenzio e il solito odore di medicinali e di minestra. Io amo l'ospedale di notte, Angela, per me ha il sapore furtivo di una donna struccata, di un'ascella nel buio. Italia invece sembrava spaventata, camminava quasi aggrappata al muro, l'asciugamano con le stelle marine intorno al sedere, come una naufraga. Restammo soli per qualche istante.

«Perché non mi hai detto che eri incinta?»

«Non lo sapevo.»

Si stringeva l'asciugamano alla vita, la sua voce tremava.

«Non voglio restare qui, sono tutta sporca.»

«Ti farò dare qualcosa dalle inservienti.»

Arrivò un'infermiera.

«Venga, che l'accompagniamo al suo letto.»

«Vai» sussurrai, «vai.»

E la vidi che si allontanava in quel corridoio dalle luci ammezzate, senza voltarsi.

A casa, mi sfilai le scarpe senza sciogliere i lacci e le scaraventai lontano da me, poi mi stesi sul letto così com'ero. Sprofondai in una fossa di bitume, e mi svegliai all'alba, perplesso, già stanco. M'infilai sotto la doccia. Italia aspettava un figlio, l'acqua scivolava, s'incanalava, correva lungo la pelle e Italia aspettava un figlio. Cosa avremmo fatto adesso? Ero nudo nel bagno della casa che dividevo con mia moglie, m'insaponavo il ciuffo di pelo dell'inguine. Dovevo riflettere, e invece correvo, i pensieri si accavallavano, come fondali dietro le quinte di un teatro.

Arrivai in ospedale molto in anticipo, ero in ansia, avevo il presentimento di non trovarla. Infatti non c'era, aveva firmato e se n'era andata.

«Quando?» chiesi all'infermiera.

«Adesso.»

Risalii in macchina e percorsi il viale che costeggiava gli edifici dell'ospedale. La trovai alla fermata dell'autobus. Stentai a riconoscerla perché indossava un camice da infermiera. Era appoggiata al muro, da una mano le pencolava un sacchetto di plastica da cui traspariva la spugna del mio asciugamano.

Mi fermai accanto a lei, non mi vide. Le strade cominciavano appena ad animarsi. Mi tornò in mente quella volta che l'avevo attesa in macchina, e l'avevo spiata. C'era caldo, lei era truccata, ancheggiava, mi piacevano i suoi tacchi alti, mi piaceva che fosse volgare. Quanto tempo era passato? Ora indossava quel camice troppo largo, si era smagrita ancora di più durante quell'estate. Solo adesso mi accorgevo di quanto fosse cambiata. Si era scolorata, per colpa mia, forse, si era scolorata così. Un pagliaccio senza belletto. Eppure, per me era ancora più bella, ancora più desiderabile. E ora non c'era più nulla, solo lei addosso a quel muro, al centro del mirino. Fui assalito da un timore insensato. *E se qualcuno la centrasse? Se una pallottola le finisse nel petto, e se lei scivolasse a terra scordando solo una scia di sangue sul muro dove la sto guardando...* Volevo gridarle di togliersi da lì perché qualcuno ora stava premendo il grilletto, un cecchino appostato alle mie spalle, magari sul tetto dell'ospedale. Aveva una faccia così, di una che sta per essere colpita ma non ha la forza di scansarsi. Invece si muove, esce dal muro e non è successo niente. C'è il dorso dell'autobus, è lui che la copre. Non faccio in tempo a fermarla, è già salita. Mi metto appresso all'autobus, al suo tubo nero che rutta un fumo appestante. Si ferma di nuovo, lascio la macchina in mezzo alla strada e salgo anch'io. Cerco Italia per farla scendere con me, ma la trovo troppo tardi, quando la porta si è già richiusa. È sprofondata dentro un sedile, la testa appoggiata al vetro. Mi porteranno via la macchina, pazienza.

«Ciao, Gramigna.»

Ha un sussulto, si volta, riprende fiato.

«Ciao.»

«Dove stai andando?»

«Alla stazione.»

«Parti?»

«No, volevo vedere gli orari dei treni.»

Restiamo così, in silenzio, gli occhi sulle strade che stanno cominciando a riempirsi del primo traffico. C'è una madre che attraversa con due bambini, Italia la guarda. Le metto una mano sulla pancia. Una mano grande, ferma. Il suo ventre geme.

«Come ti senti?»

«Bene», e mi toglie la mano, si vergogna di quel rumorio interno.

«Di quanto sei?»

«Di poco, due mesi, nemmeno.»

«Quando è successo?»

«Non lo so.»

I suoi occhi sono immensi e calmi.

«Non ti devi preoccupare di niente, non mi devi dire niente, ho già deciso da sola.»

Scuoto la testa, ma non dico nulla. E forse lei si aspetta che io dica qualcosa. Guarda di nuovo fuori, le strade che traballano oltre il vetro.

«Ti chiedo solo un favore, non ne parliamo più. È una cosa brutta.»

Scendiamo dall'autobus, passeggiamo uno accanto all'altra, senza toccarci. Italia è vestita da infermiera e siamo così deboli insieme. Dentro la vetrina di un negozio c'è una ragazza che toglie il cartello dei saldi per allestire la mostra autunnale, si muove a piedi scalzi su un tappeto di foglie e castagne di plastica. Italia si ferma a guardare la vetrinista che adesso sta infilando un vestito a un manichino spettinato.

«Va di moda il verde quest'anno...»

Stiamo camminando verso il parcheggio dei taxi. Ci sono tre vetture che aspettano. Attraversiamo di corsa perché il semaforo sta per scattare. Apro la portiera e faccio salire Italia, poi mi chino su di lei e le metto in mano i soldi per pagare la corsa.

«Grazie» sussurra.

«Non ti preoccupare» dico a bassa voce perché non voglio che l'autista mi senta, «adesso organizzo tutto io, stai tranquilla.»

Lei stira le labbra in un modo che vorrebbe sembrare un sorriso, invece è solo un ghigno esausto. Ha voglia di restare sola, e forse non si fida più di me. Allungo una mano nell'abitacolo, gliela passo sul volto, voglio redimerle quello sguardo ferito, sbarrato. Chiudo lo sportello e il taxi se ne va.

Rimango solo, faccio qualche passo: verso dove? A riacchiappare i pensieri, la macchina ferma in mezzo alla strada. Sono in ritardo per la camera operatoria, pazienza. Ha sperato fino all'ultimo che le dicessi qualcosa di diverso. C'era una speranza appoggiata in fondo ai suoi occhi, come una scopa dimenticata in un canto, ho finto di non accorgermene. Non ho avuto nemmeno il coraggio di essere spietato, di indurla io a quella decisione. Ho lasciato che facesse la sua scelta, che prendesse lei la colpa, e in cambio le ho offerto un taxi.

Tua madre è tornata in città. Non c'è più traccia del mio bivacco solitario, il tavolino dove posavo le gambe quando leggevo è di nuovo al suo posto, lontano dalla mia poltrona, al centro del tappeto, nel cerchio dei divani. Su quel basso tavolino di legno a intarsi sono posati i bicchieri dal gambo rosato, una ciotola di crudités e una terrina di prugne avvolte nel bacon. Elsa ha invitato i nostri amici a cena. Ho operato fino a tardi con molti disguidi, diverse assenze in camera operatoria, perché da settembre sono ricominciati gli scioperi. Ho buttato le chiavi nella ciotola di ebano all'ingresso e ho sentito le voci che provenivano dal soggiorno. Mi sono infilato nel bagno di servizio e mi sono sciacquato il viso prima di andare di là. Ciao, ciao, ciao. Pacche sulle spalle, baci. Zaffate di profumo, ciocche di capelli, aliti di vino e sigarette.

Sono appoggiato alla libreria, Manlio è davanti a me. Parla, di tutto. Di barche, di Martine che è di nuovo in clinica per disintossicarsi, di una sutura addominale liscia come un culo che poi si è infettata, ha fatto lo scalino. Ha un sigaro in mano, e quella mano è troppo vicina al mio viso.

«E tu come stai?»

«Il sigaro, Manlio…»

«Ah, sì, scusa» e allontana un poco il braccio.

«Ti devo parlare.»

Mi guarda, butta fuori uno sboffo puzzolente: «Hai una faccia da zombie, che hai fatto?».

«È arrivata la pasta.»

A tavola non ascolto nessuno, mangio, guardo il piatto e affondo la forchetta, bevo un bicchiere di vino, poi mi allungo verso la zuppiera e mi servo di nuovo. Ho una fame da zotico. La tavola brulica di rumori, di voci. Un rigatone è caduto sulla tovaglia, lo raccolgo con la mano. Tua madre mi guarda. Ha una maglietta verde marezzata di venature trasparenti, ai lobi due piccoli smeraldi. I capelli raccolti, e una sola ciocca libera che le spiove sul viso, è bellissima. Penso alla ragazza scalza dentro la vetrina, e Italia che dice: quest'anno va di moda il verde.

«Il dolce non lo vuoi?»

Mi sono alzato da tavola: «Scusatemi, devo fare una telefonata».

Vado in camera e compongo il numero, il telefono suona a vuoto.

Mi distendo sul letto. Elsa entra:

«Chi stai chiamando?»

«Nessuno, è occupato.»

Si è infilata nel nostro bagno e adesso sta facendo pipì, nello specchio dell'armadio la vedo riflessa, la gonna sollevata sulle natiche.

«Un paziente?»

«Già.»

Tira la catena, spegne la luce e esce dal bagno.

«Un cancro "importante"?» sorride.

Non è facile vivere con un uomo che fa un lavoro così triste, ha finito per accettare il mio gergo, per riderci su.

Sorrido in risposta.

«Almeno togli le scarpe dal letto» e esce dalla stanza.

«Pronto?»

«Dov'eri?»

«Qui.»

«Ho provato tanto.»

«Forse non ho sentito.»

Ha il fiatone e un frastuono che le rimbomba intorno.

«Cos'è?»

«L'aspirapolvere, aspetta che spengo.»

Si allontana e torna nel silenzio.

«Ma che fai, pulisci a quest'ora?»

«Mi scarica.»

«Volevo mandarti un bacio.»

Manlio è fuori con me, sul terrazzo dove l'ho tra-
scinato.

«È una paziente che ho operato due anni fa al seno, corre troppi rischi, deve fare un'interruzione.»

«È nei tempi?»

«Sì.»

«Allora, perché non va in ospedale?»

In basso il camion della nettezza urbana ha agganciato un bidone. Manlio si è alzato il bavero della
giacca, forse ha capito, perché adesso fischietta.

La serata finisce sui divani, poi i divani si svuota-
no, restano solo le fosse dei corpi che li hanno appe-
santiti, i cuscini ciancicati, i bicchieri ovunque, i posacenere colmi di cicche. Elsa è già senza scarpe:
«Bella serata».

«Sì.»

Mi alzo e raccolgo un posacenere.

«Non toccare niente, ci pensa domani Gianna...»

«Butto solo le cicche, così non puzzano.»

Va in camera, si strucca, s'infila la camicia da notte. Io rimango davanti alla televisione in mezzo a quel cimitero di bicchieri sporchi. Quando la raggiungo mi corico dalla mia parte, pochi assestamenti, e resto così, allungato su un fianco. Tua madre mi posa una gamba addosso, poi la sua bocca calda sfiora il mio orecchio. Mi irrigidisco, non ce la faccio, stasera non posso proprio. Lei cerca la mia bocca, la trova, ma io non apro le labbra. Ricade sul lenzuolo con un sospiro fondo, di pancia. «Sai» dice, «forse potremmo provare a fare l'amore in un modo diverso.»

Mi volto verso di lei, ha una strana faccia mentre fissa il soffitto.

«Potremmo provare a guardarci negli occhi.»

La sua voce è rigata da un livore che si arrotola fiero intorno a ogni parola.

«Hai bevuto?»

«Un po'.»

Mi sembra che i suoi occhi stiano brillando, il mento le trema.

«Noi ci guardiamo, lo sai, sei così bella, perché non dovrei guardarti?»

Mi volto, aggiusto il cuscino, non ho sonno. E che cominci pure una nottata di stillicidio coniugale, vai con il valzer delle rivalse! Invece mi arriva un calcio nella pancia, e subito dopo un altro, e ancora un altro. Poi le mani di tua madre spalancate mi colpiscono in viso. Cerco di ripararmi, ma sono assolutamente impreparato a quell'attacco.

«Tu! Tu! Chi credi di essere, tu! Chi ti credi di essere?!»

Ha la faccia stravolta, la voce arrochita, non l'ho mai vista così. Mi lascio colpire e ho pena di me, di lei, che fatica a trovare le parole per offendermi:

«Tu... Tu... Sei una merda! Una merda egoista!»

Riesco a catturarle una mano, poi l'altra, l'abbraccio. Lei piange. Le carezzo la testa, respira tra i singulti. *Hai ragione, Elsa, sono una merda egoista. Sto rovinando la vita a tutte le persone che mi circondano, ma credimi, non so nemmeno io quello che voglio, sto semplicemente prendendo tempo. Ho desiderio di una donna ma forse mi vergogno di lei, mi vergogno di desiderarla. Ho paura di perderti, ma forse sto facendo di tutto per essere lasciato. Sì, mi piacerebbe vederti preparare una valigia e scomparire nel cuore della notte. Correrei da Italia e forse lì scoprirei che mi manchi. Ma tu rimani qui, aggrappata a me, al nostro letto, no, non te ne andrai nella notte, non lo farai, non correrai il rischio, perché io potrei non avere nostalgia di te, e tu sei una donna prudente.*

Il tergicristalli è spento. Sul vetro c'è una cortina di sporcizia, un velo torbido che ci separa dal mondo. Nella macchina c'è l'odore della macchina, dei tappetini, della pelle dei sedili che stamattina è più tesa e scricchiola a ogni movimento, il retrogusto del vecchio arbre magique scolorito dal sole, c'è un po' del mio odore, del mio dopobarba, dell'impermeabile che è rimasto appeso all'ingresso tutta l'estate e che ora è di nuovo con me, arrotolato sul sedile posteriore come un vecchio gatto. E soprattutto, dentro tutto, c'è l'odore di Italia, delle orecchie, dei capelli, dei vestiti che indossa. Oggi ha una gonna a fiori che culmina in vita con una grossa banda di elastico nero, e un cardigan di cotone indurito. Ha una croce sul petto, una croce argentata appesa a una catena dalle maglie sottilissime. Se la porta in bocca mentre guarda il mondo sfuocato oltre il parabrezza che sembra così distante. Poco fa le ho chiesto se non aveva freddo senza calze, mi ha detto di no, che non ha mai freddo. Ha i capelli trattenuti da un'infinità di mollette di metallo smaltate, molte delle quali screpolate. È una piccola cafona che si veste sulle bancarelle, o in quei negozi senza porte con le commesse intirizzite che masticano gomma americana. È il primo sabato di ottobre, la sto portando ad abortire.

È arrivata in centro con l'autobus, l'ho aspettata accanto alla fermata, mi ha sorriso. Non so se soffre, non ne abbiamo parlato. Forse ha già abortito altre volte, non gliel'ho chiesto. Sembra tranquilla. Si è seduta accanto a me e non ci siamo baciati. In centro non corriamo questi rischi. È una passeggera prudente, una creatura in transito fuori dal suo recinto. Stamattina è più severa, indurita come il cardigan che indossa. Succhia la sua croce d'argento, e sento che c'è qualcosa che le manca, qualcosa che ha dimenticato nella sua piccola tana. In lei c'è una riservatezza che mi lascia un po' solo. Forse sarebbe stato più facile averla accanto piagnucolosa e malinconica, come me l'aspettavo, invece lei stamattina sembra forte, ha occhi vispi, combattivi. Forse è meno delicata di quello che ho creduto, forse sta solo cercando di farsi coraggio.

«Vuoi fare colazione?»

«No.»

La clinica privata dove Manlio lavora è una villa d'inizio secolo circondata da un parco di alberi d'alto fusto. Percorriamo il viale in salita fra i tronchi scuri, fino allo slargo dove ci sono altre macchine. Italia guarda quella costruzione dall'intonaco rossiccio.

«Sembra un albergo.»

Sa quello che deve fare, le ho spiegato tutto, andrà all'accettazione e dirà il suo nome, la stanno aspettando, c'è una camera prenotata. Io naturalmente non posso rimanere, è già sconveniente che l'abbia accompagnata fin lì. La chiamerò nel pomeriggio. Salendo lungo il viale, Italia non se ne è accorta, le ho guardato la pancia, per un attimo ho creduto che si potesse già vedere qualcosa, un rigonfiamento. Non so cosa ho creduto di cercare lì sotto, qualcosa che non avrei più visto... E una ruota si è affossata in una cunetta, ho dato gas, ho sentito uno sbalzo, qualcosa di cui avrei avuto nostalgia per sempre. Se è vero che il tempo ha pratiche diverse da quelle che crediamo, e se una vita intera può affacciarsi in un lampo, io credo di aver visto in quella frazione di secondo mentre sterzavo per non finire in quella cunetta, lo strazio che mi aspettava, ho visto anche te, Angela, il tuo ematoma sul diafanoscopio. C'è stato un salto nella stanza circolare del tempo piena di porte che sono tutte lì, nel cerchio, senza un ordine d'ingresso, quando l'irreale si affaccia e diventa lecito.

Ho fermato la macchina sullo slargo davanti alla clinica. Italia ha guardato la porta scorrevole di vetri bruniti, le ho raccolto la mano e l'ho baciata.

«Non ti preoccupare, è una sciocchezza.»

Si è voltata e ha preso la sua borsa patchwork.

«Vado.»

Scende e va diritta verso l'ingresso. Sto facendo manovra per andarmene. Nello specchietto vedo i suoi passi, più instabili del solito, forse per colpa della ghiaia. Ma so che non cadrà, è abituata a quei tacchi troppo alti, a quella borsa troppo lunga tra le gambe. Invece cade, un ultimo passo e si accascia di botto. Riacchiappa la borsa, ma non si alza, resta lì accovacciata in terra. Non si volta, è convinta che io sia già andato via. *Non ti muovere*, dico, senza sapere quello che dico. E forse lei sa che ci sono. *Non ti muovere*. Perché ora mi sembra che quella parte di lei che mancava l'abbia raggiunta, come un brandello di stracci alati le sta coprendo la groppa.

Lascio lo sportello aperto e corro sulla ghiaia.

«Cos'hai?»

«La colazione... forse è meglio se la faccio.»

L'aiuto a rialzarsi, e mentre l'abbraccio sollevo lo sguardo oltre la sua testa. Al primo piano, dietro una grande finestra scura c'è un uomo in camice che ci sta guardando.

Ma sì! Ma se anche finisse adesso, se entrassimo nel buio così. Ho questi occhi addosso, questa mano unta che mi trattiene. Nessuno mi ha mai amato così, nessuno. *Non ti porterò lì dentro, nessuna cannula ti pulirà. Io ti voglio, e adesso sono forte e troverò il modo per non offenderti più.*

«Pensa a te, pensa a te, davvero» sussurra.

Io ho già deciso, io ti amo. E se vuoi la mia testa, dammi un'accetta, ti darò la testa di un uomo che ti ama.

«Andiamocene.»

E lo dicevo a nostro figlio, Angela. Una piccola foglia rossa era caduta senza rumore sul vetro della macchina, e lì era rimasta accanto al tergicristalli. Una foglia rossa, dalla nervatura esile, forse la prima della sua stagione, era caduta per noi.

Mi rimisi al volante, e ripresi a guidare, lontano dalla clinica. Ci fermammo in uno dei primi paesi alle porte della città, a nord, dove il paesaggio cambia, diventa più selvatico. La zona è ancora urbana, ma già si sente il respiro dei boschi, di quei monti senza vette che si stagliano all'orizzonte come bisonti addormentati.

Ci infilammo in un cinema. Una di quelle sale di provincia che aprono solo il sabato e la domenica. Il primo spettacolo era quasi vuoto, ci sistemammo al centro sui sedili di legno. C'era freddo anche lì dentro, Italia posò la testa sulla mia spalla.

«Sei stanca?»

«Un po'.»

«Riposa.»

Rimase a sonnecchiare addosso a me nel buio, una guancia appena schiarita dalla luce dello schermo. Era un film comico, un po' triviale, andava bene, andava bene tutto. Eravamo una coppia, per la prima volta forse. Una coppia in vacanza che va al cinema, si ferma a mangiare un panino, e poi prosegue il viaggio. Sì, mi sarebbe piaciuto fare un viaggio con Italia, dormire negli alberghi, fare l'amore, ripartire. E magari non tornare più. Potevamo andarcene all'estero, avevo degli amici a Mogadiscio, uno era un cardiologo, lavorava in un ospedale psichiatrico, aveva una casetta sul mare, la sera fumava marijuana in compagnia di una donna dalle gambe sottili come braccia. Sì, una vita nuova. Un ospedale povero, ragazzini scuri, senza scarpe, dagli occhi lustri come bacherozzi. Andare dove c'era bisogno di me, operare sotto le tende, curare i miserabili.

«Ti piacerebbe partire?»

«Sì.»

«E dove ti piacerebbe andare?»

«Dove vuoi tu.»

Tua madre parte, un viaggio di lavoro di un paio di giorni, una boccata di tempo per me. Sta sistemando le ultime cose nella valigia, quella del viaggio di nozze, di camoscio maculato. Il suo braccio mi sfiora mentre cerca un foulard nell'armadio a più ante che riempie tutta la parete. Indossa un tailleur pantalone con un collo sciallato, di un morbido jersey color noce moscata, e una collana molto semplice, fatta di grossi grani di ambra trattenuti da un filo di raso nero. Prendo una camicia, io ho solo camicie bianche, e completi con la cravatta girata intorno alla stampella, così non sbaglio. Elsa qualche volta mi ha spinto a osare, almeno con un cappello. C'è un suo amico, uno scrittore berlinese, che sfoggia baschi, zuccotti, panama, feluche, a lui stanno bene, è eccentrico, bisessuale, intelligentissimo. Lo scrittore berlinese sicuramente l'avrebbe resa più felice. Magari s'incontrano in qualche caffè letterario, lui posa il suo sombrero o il suo colbacco sulla sedia, le legge i suoi scritti, e lei si emoziona. Sì, è matura al punto giusto, borghese al punto giusto, per un amante bisessuale. Avere una donna così elegante accanto mi ha sempre riempito di orgoglio. Oggi invece la sua eleganza mi rende triste. L'ennesimo travestimento. Stamattina è la giornalista in viaggio, confortevole e femminile. Anche i

153

suoi gesti mi danno fastidio, è sbrigativa, persino un po' rude. Si è già infilata nel ruolo che dovrà sostenere lì fuori, tra quelle canaglie dei suoi colleghi. Io m'infilo i pantaloni. Ho preso quelli con la cintura già nei passanti, così mi risparmio una fatica. Adesso glielo dico. Sì, magari adesso glielo dico. Così poi parte e ci pensa su da sola, e torna che ci ha già pensato. Adesso le dico: *amo un'altra donna e questa donna aspetta un figlio, quindi dobbiamo separarci.* Non ho intenzione di prenderla alla larga, dicendole che voglio stare solo o palliativi simili. Non voglio stare solo, voglio stare con Italia e se non avessi incontrato lei probabilmente non avrei trovato una sola ragione valida per separarmi da Elsa. Non ho nulla da rimproverarle, o forse troppo. Non la amo più, e forse non l'ho amata mai davvero, sono stato sedotto da lei. Ho subito la sua tirannia, a tratti estasiato, a tratti intimorito, e infine con sommessa fatica. Se la guardo attentamente adesso, tanto lei non si accorge di me, sta facendo l'inventario dei cosmetici nel beauty-case, se la guardo adesso, che ha uno sguardo fisso e ottuso, la mascella rilassata, adesso penso: *Che ci fa questa donna qui? Che c'entra lei con me? Perché non sta nella casa di fronte con quell'uomo che ogni tanto vedo passare in mutande, un uomo con un po' di pancia ma nerboruto? Perché non attraversa la strada, s'infila nell'altro portone, e va sul letto di quell'uomo a frugare lì nel suo beauty-case? Sì, sarebbe meglio se fosse lì adesso, con questa faccia un po' abbovata. Magari io prendo la piccolina, quella rossa che vive accanto all'uomo nerboruto con la pancia, magari è simpatica, magari parliamo un po', magari le piace sentire i pensieri di uno che tutto il giorno sbuzza la gente. Guardo mia moglie e non c'è una sola cosa che mi piaccia di lei, una sola cosa che m'interessi. I suoi capelli sono bellissimi, è vero, ma per il mio gusto sono troppi, il suo seno è perfetto, pieno senza essere esagerato, eppure non ho nes-*

sun desiderio di toccarlo. Si sta infilando gli orecchini, ha già chiamato il taxi. Le lascio tutto, non discuto su nulla, non mi metto a dividere neanche i libri, butto qualcosa in una valigia e me ne vado. Ciao.

«Ciao, io vado.»

«Dov'è che vai?»

«A Lione, te l'ho detto.»

«Mandami una cartolina.»

«Una cartolina?»

«Sì, mi farebbe piacere. Ciao.»

Elsa ride, prende la sua borsa di camoscio maculato e esce dalla stanza. *Chissà se lo scrittore berlinese ha il cazzo floscio come una papalina o rigido come un képi?*

Baciai l'ombelico di Italia. Era un ombelico grinzoso e rientrante. Quel piccolo nodo di carne mi risucchiava a sé. Lì si era stretto il suo laccio con la vita. Ora mi sembrava di poterlo penetrare, di poter schiudere con le labbra quell'uscio molle per infilarci dentro il capo, poi le spalle, una alla volta, e tutto me stesso. Sì, volevo essere nel suo ventre, attorcigliato e grigio come un coniglio. Chiusi gli occhi nella mia saliva. Ero un neonato nel suo fondo d'acqua. *Fammi nascere, fammi rinascere, amore mio. Avrò più cura di me stesso, ti amerò senza maltrattarti.*

Aprii gli occhi, guardai il poco che c'era intorno, la cassettiera laccata, lo scendiletto a righe stinte, e, oltre i vetri, il grigio pilastro del viadotto. E poi la foto di quell'uomo appoggiata allo specchio.

«Chi è?»

«Mio padre.»

«È vivo?»

«Non lo vedo da troppi anni.»

«Come mai?»

«Non era un uomo per la famiglia.»

«E tua madre?»

«Lei è morta.»

«E non hai fratelli, sorelle?»

«Tutti più grandi di me, tutti sparsi in Australia.»

«Mi piacerebbe vedere il tuo paese...»

«Non c'è niente. C'era una chiesa bella, ma l'ha tirata giù il terremoto.»

«Non importa, voglio vedere dove sei cresciuta, la strada dove abitavi.»

«Perché?»

«Per sapere dove stavi quando non ti conoscevo.»

«Stavo qui dentro», mi toccò la pancia, e la sua mano era caldissima.

Quel pomeriggio la condussi nei miei luoghi, Angela. In quel quartiere dignitoso di operai e piccoli impiegati, che ai tempi della mia infanzia era decentrato, ma oggi, che la città si è enormemente allargata, è diventato quasi centrale, vi sono cinema, ristoranti, un teatro, e un'infinità di uffici. Entrammo in quel parco, che da piccolo mi sembrava immenso, e invece è di dimensioni ristrette, maltenuto e soffocato dai palazzi. Sembra uno scampolo di lana vecchia spersa tra rotoli di gessato. Cercai il punto esatto dove mia madre si fermava, sotto un albero, mentre io giocavo. Si portava una coperta, la stendeva sull'erba e si sedeva lì sopra. Credetti di riconoscere l'albero e così ci sedemmo. Italia guardava davanti a sé, un uomo con un cane passava.

«Com'eri da piccolo?»

«Così, sempre un po' scocciato.»

«Perché?»

«Ero grasso e pauroso, e sudavo... Forse ero scocciato perché sudavo, sudavo perché ero grasso e avevo paura di farmi male.»

«E poi?»

«Poi sono cresciuto, sono diventato magro, non ho sudato più. Però sono sempre un po' scocciato, è il mio carattere.»

«A me non sembri così.»

«Sì, che lo sono. È che sono molto bugiardo.»

157

La gradinata della scuola. Sono passati trent'anni ma è ancora lì, tale e quale. C'è ancora la striscia di cortile circondato dall'inferriata nera, e persino il colore dell'intonaco è rimasto identico, lo stesso giallino. Il giorno se ne sta andando, la luce si dirada, ma resiste per noi due che da un bel pezzo siamo allo scoperto, e ci vediamo ancora, più cupi i colori degli abiti e quello delle mani intrecciate. Volevo parlare, e invece sto zitto, incavernato nei ricordi. Siamo seduti su un gradino di marmo, in cima, la schiena contro l'inferriata. Da questa posizione in gruppo con gli amici ho visto tante mattine, ma nessun imbrunire. E mentre tutto si oblitera sento che la vita è soave anche se sta passando. L'importante è che rimanga una scuola, un cancello dove posare la schiena. Un luogo che ci ha visti ragazzi e ci riprenda da adulti, un giorno feriale, per caso. E adesso sapevo che non ero cambiato, che ero sempre lo stesso, e che forse non si cambia, Angela, semplicemente ci si adatta.

«Andavi bene a scuola?»

«Sì, purtroppo.»

«Perché purtroppo?»

Purtroppo perché poi ti ho stuprata, purtroppo perché non ho pianto quando è morto mio padre, purtroppo perché non ho amato nessuno, purtroppo, Italia, Timoteo ha avuto paura della vita.

Camminiamo e io ho la testa in uno strano limbo, dove i ricordi sono sfocati e si mischiano al presente. Mi stringo Italia e ce ne andiamo un po' sciancati per le vie come due innamorati in una città straniera, perché stanotte mi è sconosciuta questa parte di città che mi ha veduto bambino.

La gente passa, ci sfiora. Non sanno come siamo innamorati. Non sanno che lei è incinta. E mi ritrovo per caso sotto quello che era il mio palazzo. Siamo sbucati da una stradina in discesa, c'è un forno all'angolo da dove proviene un buon odore di pizza, ho pensato che ne avremmo mangiato uno spicchio, ed eccomi sotto la mia casa.

«Ci sono stato fino a sedici anni, al secondo piano, le finestre non le vedi, sono interne, però, aspetta...» Scavalchiamo un basso recinto di mattoni e siamo nel cortile.

«Eccola, quella era la mia finestra.»

«Saliamo» dice Italia.

«No...»

«C'è il portiere in guardiola, chiediamo a lui. Ti apriranno, figurati se non ti apriranno.»

È lei che mi trascina su fino alla porta. Apre una ragazza, non la guardo, guardo alle sue spalle. Ci fa entrare. Non ci sono nemmeno più i muri, c'è una grande stanza di parquet scuro con una libreria di metallo sul fondo, un divano bianco e un televisore per terra. La ragazza è carina, moderna come la sua casa, con Italia si guardano come due cani di razze diverse. Non riconosco nulla, sorrido.

«Volete bere qualcosa, un tè?»

Scuoto la testa, Italia la scuote con minore convinzione, lei forse resterebbe a guardare quella giovane donna sofisticata dai capelli lisci e neri come petrolio. Le maniglie delle finestre sono ancora quelle...

«Sì, gli infissi li abbiamo lasciati.»

La ragazza abita qui da nemmeno un anno.

«Prima c'era una coppia, però si sono divisi. Ho comprato a un buon prezzo.»

Mi avvicino alla maniglia e la sfioro. Alle mie spalle non c'è niente di quello che ricordo, niente. Così, ora so che i miei ricordi si collocano in un luogo che non esiste più, è stato spazzato dalla terra, e che quelle quattro stanze, quel bagno, quella cucina vivranno solo in me. Tutto ciò che sembrava inamovibile ora non c'è più. Incenerita la tazza del cesso, inceneriti i

159

piatti, inceneriti i letti. Non c'è traccia del nostro passaggio, l'odore della mia famiglia è scomparso per sempre. Che ci sono venuto a fare?, penso. Mi aggrappo alla maniglia, l'unica cosa rimasta, quel piccolo gambo di ottone... prendevo la sedia per raggiungerla. Sbircio fuori, e anche la prospettiva di quello sguardo è diversa. Nuove costruzioni hanno stretto l'orizzonte, il cortile è identico, ma è pieno di macchine parcheggiate.

«Grazie.»

«Ci mancherebbe.»

E siamo di nuovo in strada, c'è ancora odore di forno.

«Ti ha fatto impressione?» dice Italia.

«Ti va la pizza?» dico io.

Mangiamo sulla strada del ritorno, io a morsi grossi mentre guido. Italia mi carezza un'orecchia, una porzione di viso, di testa. Sa che sto soffrendo, le dispiace. Lei non si scansa davanti al dolore, anzi gli va incontro. Quella sua mano mi conforta.

Più tardi, sul letto, mentre le bacio ancora il ventre, mi dice:

«Io ci rinuncio sai, se tu vuoi rinuncio, però dimmelo adesso, dimmelo mentre facciamo l'amore.»

Non è stato facile amare per me, Angela, credimi, non lo è stato, ho dovuto imparare. Ho dovuto imparare a carezzare una donna, a mettere la mano nel verso giusto. Mani di gesso, ho sempre avuto mani di gesso nell'amore.

Le macchine passano sul viadotto, scuotono i muri della casa. Il rumore rimbomba all'interno attraverso la finestra. I vetri vibrano, pericolanti, tenuti da una banda di nastro adesivo rovinato dal sole.

«Facevo la quinta elementare, c'era un vestito su un banco al mercato, un vestito di voile a fiori rossi.

Era sabato, giravo per il mercato ma tornavo sempre a quel banco per guardare il vestito. Era l'ora di pranzo, il mercato era mezzo vuoto, quelli dei banchi stavano mettendo via la roba. C'era un uomo che piegava magliette. "Lo vuoi provare?" mi dice, io gli dico che non ho i soldi. "Provare mica costa." Salgo sul camion, l'uomo mi aiuta a salire. Mi provo il vestito dietro una specie di tenda. L'uomo viene anche lui dietro la tenda e mi comincia a toccare: "Ti piace il vestito...". Io non posso muovermi, così rimango ferma mentre quello mi tocca. Dopo, è tutto sudato: "Non dire niente a nessuno", e mi regala il vestito. Io cammino con le gambe che sono di gomma, ho i vestiti miei in mano e il vestito con i fiori addosso. A casa me lo levo, lo metto sotto il letto. La notte mi sveglio, ci faccio la pipì sopra perché penso che quel vestito mi porterà solo cose brutte, il giorno dopo lo brucio. Nessuno lo sa, però a me sembra che lo sanno tutti, e che tutti possono portarmi sopra un camion a fare le porcherie.»

È la prima volta che mi parla di sé.

Elsa è tornata dal viaggio, la sua borsa è all'ingresso sul tavolo, accanto ai suoi occhiali da sole. Arriva odore di curry e il suono di una musica che non riconosco, sembra pioggia sui vetri e vento tra gli alberi. Tua madre avrà comperato un nuovo disco. In soggiorno la tavola è apparecchiata. Su quel piano di lavagna e ciliegio stasera non ci sono le solite pile di libri e di giornali, c'è una bottiglia di vino francese, una candela azzurra, e i bicchieri a stelo lungo.

Tua madre si è affacciata sulla porta della cucina.

«Ciao, amore.»

«Ciao.»

Mi sorride, è truccata, ha i capelli spazzolati, indossa un pullover a maniche corte avorio e pantaloni neri, un grembiulino da cuoca stretto intorno alla vita.

Verso il vino nei bicchieri e la raggiungo in cucina; è attaccata ai fornelli, sta girando un mestolo in una pentola.

«Com'è andato il viaggio?»

«Noioso. Cin cin.»

I bicchieri si toccano.

«Come mai?»

«Sono diventati tutti così scadenti.»

162

Alza le sopracciglia, beve, poi abbandona il mestolo e fa un passo verso di me.

«Un bacio.»

M'ingobbisco verso le sue labbra, si stringe a me. Ed è come se la sua figura stesse cercando un posto nuovo tra le mie braccia. Forse è l'esatto contrario di quello che penso, ha ricevuto una delusione dal suo viaggio.

«Ti hanno licenziata?»

«No, perché ho l'aria di una a spasso?»

Prendo il pane e comincio a tagliarlo. Lei è alle mie spalle, sontuosa come sempre, lei che riempie i luoghi di se stessa. Ma sembra più appartata, un insolito riserbo l'accompagna, china su quella pentola, su quell'agnello stufato che cura con estrema attenzione. Devo parlarle, devo dirle che me ne andrò. Non sarò più l'uomo di questa casa.

Ci sediamo a tavola. Anche il cibo è più ricercato del solito.

«È troppo piccante, vero?»

«No, va benissimo.»

Ho la bocca in fiamme, butto giù un sorso di vino. Voglio mangiare in fretta, condurla sul divano e dirle come stanno le cose, però non immaginavo di trovarla così disarmata. Ha messo troppe spezie in questo ridicolo spezzatino esotico e adesso sembra addirittura mortificata. Sta sfoderando una zona di sé che teneva ben nascosta, forse ha capito di avermi perso. Peccato, poteva pensarci prima. Ora è tardi, queste premure inattese mi imbarazzano, mi danno fastidio. Non basterà un vino francese, una candela, a farci tornare indietro. O c'è una sorpresa in serbo per me, dietro quella maglietta di cachemire avorio? Forse è lei che vuole lasciarmi. Ha il bicchiere posato contro una guancia, il vino oscilla lievemente nella trasparenza del vetro, le colora il naso e parte di un occhio.

163

Sollevo il tovagliolo. Sotto c'è una cartolina. Uno scorcio della vecchia Lione con un uomo e una donna in costume regionale seduti davanti a una porta azzurra.

«Non me l'hai spedita.»

«Non ho fatto in tempo.»

Volto la cartolina e leggo. Due parole, nient'altro che due parole scritte a biro.

«Cos'è?» soffio.

Elsa ha gli occhi color del vino, e il vino oscilla con i suoi riverberi rossi sul suo sorriso.

«È così.»

Non dico nulla, respiro, soprattutto respiro... sto fermo perché se mi muovo cado, inciampo e cado all'indietro, dove quel sorriso mi spinge.

«Sei felice?»

«Certo.»

Ma non so dove sono, né cosa sto pensando. I suoi occhi mi ricordano una strada di notte, che si chiude all'orizzonte tra gli alberi, tra i rami.

«Vado a prendere la crème caramel.»

Sono incinta, due parole scritte con la biro nel retro di una cartolina azzurra. Adesso sta rovistando nel frigorifero e io sono qui davanti a questa candela immobile nel vento. Un vento che si è alzato improvviso, polvere che mi acceca. Chiudo gli occhi, e mi lascio tartassare. Non posso pensare a niente, è troppo presto. Ingoio la crème caramel in pochi bocconi, poi con un dito rimango sul piatto, lo intingo in quel fondo di zucchero marrone e me lo porto in bocca.

«Quando l'hai saputo?»

«Avevo un po' di ritardo, ho comprato i tappi per le orecchie perché li avevo dimenticati e ho chiesto un test di gravidanza. Poi l'ho dimenticato nella borsa, l'ho fatto solo stamattina in albergo prima di partire... Quando è uscito il pallino sono rimasta a guardarlo per non so quanto tempo, il taxi era sotto e non riuscivo a muovermi dalla stanza. Volevo dirtelo subito, ho provato a chiamarti in ospedale ma eri già in camera operatoria. Dopo ho camminato con una mano sulla pancia, avevo paura che qualcuno mi urtasse.»

I suoi occhi erano lucidi, una lacrima le colava accanto al bicchiere su una guancia, la luce della candela danzava sulle sue emozioni. Il primo sussurro di te, Angela, l'ho udito senza gioia, con la gola che ardeva.

«Abbracciami.»

L'abbraccio, e cerco pace nascosto nei suoi capelli. *Cosa farò con lei? Il vento trascina lontano tutto ciò che credevo di volere. Sono un disgraziato a spasso nella vita.*

Bevo un whisky, il vento si placa e mi consente di raggiungere il divano, di sedermi. Elsa si acciambella dall'altro capo, si sistema un cuscino sotto la schiena, si toglie le scarpe. Il disco è finito ma lei lo ha rimesso, e continua quella musica d'acqua che ha scelto perché è incinta. Si gira i capelli tra le mani, ogni tanto dice qualcosa, ma sono soprattutto le sue lunghe pause quelle che ascolto. Non mi stacca gli occhi di dosso; sono brutto, non mi sono nemmeno lavato i capelli, ma lei mi guarda come un miracolo. L'ho fecondata, sono stato capace di cambiare il corso dei suoi progetti e questo deve sembrarle un miracolo. Sta soppesando il nostro futuro, la madre e il padre che saremo. Con quegli occhi sognanti, dal cielo della sua pienezza mi posiziona nella vita terrestre che ha deciso per me. E tu sei già lì in mezzo a noi, Angela. Mi avresti scelto come padre se avessi saputo con quale animo ti accoglievo? Non credo. Non credo di averti meritata. Eri già lì, una mosca infilata nella pancia di tua madre e io non ti ho degnata di un pensiero dolce, non pensare che me ne sia dimenticato.

Sei apparsa in questa casa la stessa sera in cui io avevo deciso di lasciarla e ti sei inghiottita il mio destino. Per te, moschina innocente, nemmeno un pensiero. Per te, spersa nella polveriera di questi cuori adulti che non hanno certezza di nulla, e non sanno chi sono e che vogliono, e non sanno dove andranno.

Ada è uscita dalla camera operatoria. Due infermiere corrono dietro di lei. Hanno aperto l'armadietto dei ferri, ho sentito vibrare il vetro dello sportello. Mi alzo come un automa.

«Cosa c'è?»

Ada è pallidissima, mi sta venendo incontro.

«Dobbiamo farle l'adrenalina, c'è un problema di ventilazione polmonare, la pressione sanguigna sta scendendo.»

«Quanto?»

«È a quaranta.»

«C'è un'emorragia in corso.»

La sua faccia è una supplica.

Mi affaccio all'oblò. Conosco questi momenti estremi. Quando si fa silenzio, quando le persone diventano ombre che si muovono insieme, a onde. Si affannano, poi si allontanano dal tavolo operatorio... Guardano nei monitor in attesa di un segno, di un tracciato che ricominci. Si scostano come se sentissero il gelo del passaggio, immobili in quella terra di nessuno, dove la vita è ferma e la morte ancora non arriva. Quando l'impotenza entra nelle mani, negli sguardi, quando senti che non ce la farai e quel catafalco di stracci verdi mostra la sua faccia più cruda: sotto il sudario di teli c'è una persona che se ne sta andando. Sento il beep dei monitor in allarme. La pressione scende. Alfredo urla: «Svelti! È in arresto!», e la mascherina gli è scivolata sotto la bocca. Corro verso di te, verso il tuo cuore. I miei artigli di padre addosso al tuo torace, spingo, un colpo, un altro. Ascolta il furore delle mie mani, Angela, dimmi che valgono ancora qualcosa. Aiutami, figlietta coraggiosa, e scusami se lascerò un livido sul tuo seno. Intorno c'è silenzio, siamo dentro un acquario, pesci senza branchie, annaspiamo muti. C'è solo il rumore dei miei colpi addosso a te, il gemito della mia speranza. Dove sei? Fluttui sopra di me, mi stai guardando dall'alto, oltre questo capannello di ombre in camice, e forse ti faccio pena. No, non ti lascerò andare. Non ci sperare. Ogni colpo ti riprendo, pezzo a pezzo. I tuoi piedi fuori dal letto, la tua schiena curva sui quaderni, tu che mangi un panino, tu che canti, la tua tazza da tè, la tua mano sul manico. Non ti lascerò andare. L'ho promesso a tua madre. È partita adesso. Prima di salire sull'aereo mi ha chiamato di nuovo. «Ti prego, Timo, salvala...» ha singhiozzato nella cornetta. Non sa che per un chirurgo l'amore è una controindicazione. Non sa nulla del mio mestiere. La spaventa pensare che vi accarezzo con le stesse mani con cui squarto le persone. Eppure ho visto cose sotto queste mani di orologiaio sanguinario, ho sentito sussulti che non provenivano dalla carne, vite che lottavano con una tenacia improvvisa come se godessero di un ausilio che non era il mio, né quello delle macchine, vite che chiedevano ancora e, sotto i miei occhi increduli, ottenevano. Ora, Angela, tu sei davanti a quel mistero, che dicono sia luce. Ti prego, chiedi a Dio di lasciarti a queste piccole tenebre terrestri dove abitiamo io e tua madre.

«Sta tornando... è tornato.» È la voce di Ada.

È tornato il battito del cuore su quel cazzo di monitor.

E ora l'ago dell'intracardiaca è dritto nel tuo petto, Ada spinge lo stantuffo. Le mie mani tremano, non riescono a fermarsi. Sono bagnato fradicio, respiro, inghiotto fiato, mentre intorno riprende il respiro degli altri.

«Dopamina in vena.»

«Si sta normalizzando.»

Bentornata, tesoro, sei di nuovo nel mondo.

Alfredo mi guarda, prova a sorridere, ma sfiata soltanto:

«Ha scherzato... ci ha fatto uno scherzo.»

«La milza, è stata quella a sanguinare...»

Non ho guardato il buco sulla tua testa, ho visto un lembo chiaro che doveva essere la tua pelle, ma non ho guardato dentro. Continua Alfredo, io non resto. Ho sudato e adesso tremo, sento il buio, sto per svenire.

Guardavo i malati mentre gli passavo accanto e cercavo tra loro un letto vuoto. Sì, mi sarebbe piaciuto infilarmi in una di quelle asole bianche e restare così nell'attesa di qualcuno che si prendesse cura di me. Un termometro sotto l'ascella, una mela cotta, un pigiama che mi togliesse dal mondo.

Volevo dire a Italia la verità, invece la strinsi e chiusi gli occhi. Aveva già una faccia da gatta gravida, dove spesso affiorava il fastidio di una nausea, non potevo spaventarla. Facemmo l'amore, e solo dopo mi accorsi di averla amata come se l'avessi già persa. Non volli staccarmi, rimasi a farmi piccolo dentro di lei, rimasi finché non ci venne freddo. Perché adesso la casa era gelata, sopra al copriletto di ciniglia c'era un vecchio plaid che non bastava a scaldarci. Il cane si raggomitolava in fondo al letto, vicino ai nostri piedi. Schiacciata dal peso del mio corpo lei chiedeva: «Perché mi ami?».

«Perché sei tu.»

Mi prese una mano e la posò sul suo ventre. Quella mano mi pesava, si era incagliata in un orto di pensieri tristissimi. Italia era troppo versata su di me, per non accorgersene.

«Cos'hai?»

«Un po' di febbre.»

Mi portò un bicchiere dove friggeva un'aspirina. E un presentimento forse le venne, ma lo scacciò in fretta. La gravidanza le faceva dono di una timida fiducia. Per la prima volta il suo sguardo si staccava dal presente e si azzardava oltre. Ero stato io a farle alzare la testa verso quell'orizzonte benevolo che lei si vergognava di desiderare.

Tua madre è in ospedale, mi ha raggiunto verso le undici, prendiamo qualcosa al bar. Manlio e altri colleghi medici le stanno intorno, sanno che è incinta, la colmano di complimenti che lei accoglie con un susseguirsi di quei sorrisi che le bucano le guance, la riempiono di luce. È qui per un'ecografia, la prima. È mia moglie, mi cammina accanto lungo le scale, affilata nel suo tailleur antracite. Manlio ci segue, scherza, mi invidia. Elsa è così bella dentro questa triste scatola color piccione, tra i malati che circolano in pigiama, sembra un'attrice in visita di beneficenza. Pallido, sbattuto, così simile a questo luogo dove trascorro l'esistenza, mi nascondo dietro lei, come dietro i passi di una madre.

Solleva la camicetta, abbassa la gonna e scopre il ventre. Manlio le stende il gel sulla pancia:

«Senti freddo?»

«Un po'.»

Ride. Forse è più nervosa di quanto non voglia far vedere mentre la sonda le corre addosso. Io sono in piedi che aspetto. Manlio affonda sotto l'ombelico di Elsa per cercare nell'utero la zona dove si è impiantato l'embrione. Non so cosa penso, Angela, non lo ricordo, ma forse spero che non ci sia niente. Tua madre ha la faccia rigida, indaga nel monitor con il collo teso, teme che quel sogno non si visualizzi. E tu compari, Angela, un cavalluccio marino con un punto bianco che va e viene. È il tuo cuore.

Così ti ho vista per la prima volta. Quando il monitor si è spento, tua madre aveva gli occhi umidi, ha abbandonato la testa e ha respirato forte. Io sono rimasto su quello schermo nero, tu non c'eri più. Ho pensato a Italia. Anche lei aveva un cavalluccio marino nella pancia. Ma non aveva un posto sul monitor, era destinato al nero.

La sera ho camminato fino al posto degli arancini. Ho mangiato guardando un televisore acceso sul muro senza sentire l'audio perché intorno c'era il volume della gente. Gente solitaria che cenava in piedi su un tappeto di segatura e tovaglioli di carta unti. Sono tornato per strada, sbadato e impotente, urtando il buio. I negozi avevano chiuso e la città si avviava al riposo. Sono entrato in una cabina per telefonare, la cornetta era staccata dal suo filo che pencolava morto. Ho detto: adesso chiamo dalla prossima cabina. Invece non mi sono più fermato, ho tirato dritto.

A casa, Elsa è sul divano con Raffaella, parlano, sento le loro voci mentre poso la borsa. Raffaella si alza, mi affoga con la sua carne, le poso addosso mani reticenti, è scalza, con la coda dell'occhio vedo le sue scarpe sul tappeto.
«Sono così contenta, adesso finalmente posso fare la zia!»
Vibra nel trasporto di quell'abbraccio pieno di passione. Le sue scarpe sono lì, slargate dai passi.
«Buonanotte.»
«Vai già a letto?»
«Domani devo alzarmi molto presto.»
Elsa mi tende una tiepida guancia oltre la spalliera del divano, la sfioro. Raffaella mi guarda con i suoi occhi rotondi e infantili: «Ti dispiace se restiamo ancora un po' a parlare?».

Parla quanto vuoi, Raffaella, fai soffiare il tuo cuore finché è vivo, siamo tutti compagni di crociera sopra un carro senza ruote.

Il giorno dopo sono sull'aereo, sto andando a un congresso, una cosa breve, si va e si torna in giornata. Manlio mi è accanto, con il braccio si ruba anche lo spazio del mio bracciolo. Sento l'odore della sua rasatura. Ho il posto vicino al finestrino, guardo l'ala bianca contro il grigio della pista. Siamo ancora a terra. Qui sotto non è granché, l'aria è sporca e densa, ma oltre le nuvole forse ci sarà il sole. L'hostess passa con il carrello dei giornali. Manlio le guarda il culo. In volo berrò un caffè, una tazza di «caffè ciofeca», come dice Manlio. *Devo scendere. Questo aereo cadrà, devo scendere, non voglio crepare accanto a Manlio con una tazza di caffè ciofeca in mano.* Sto male, sudo, il cuore mi maltratta il petto, non sento il braccio. *No, morirò d'infarto, in piedi in quel piccolo cesso di metallo traballante con le bustine delle salviette detergenti che sguazzano sul lavello.* Mi alzo.

«Dove vai?»

«Scendo.»

«Che cazzo dici?»

Hanno già chiuso i portelloni, l'aereo si sta muovendo. L'assistente di volo mi ferma:

«Scusi, signore, dove va?»

«Devo scendere, sto male.»

«Le chiamo un medico.»

«Sono un medico. Sto male, mi faccia scendere.»

Devo avere un aspetto impressionante, la ragazza in divisa con i capelli biondi raccolti e un piccolo naso innocuo indietreggia, entra nella cabina di comando. M'infilo anch'io. Due uomini in camiciola bianca a mezze maniche si voltano a guardarmi.

173

«Sono un medico, ho un infarto in corso, aprite i portelloni.»

La scala si riavvicina all'aereo, la porta si apre. Aria, finalmente aria, corro giù dalle scale. Manlio mi segue. La hostess lo chiama: «Cosa fa, scende anche lei?».

Manlio alza le braccia nel vento che gli strappa la giacca: «Sono un collega!» grida.

Così ci ritroviamo in quella piana d'asfalto. Un addetto aeroportuale ci raccoglie sulla sua piccola automobile e ci porta verso l'uscita. Non parlo, ho le braccia conserte, la bocca serrata. Il cuore è tornato al suo posto. Manlio si infila gli occhiali da sole, anche se il sole non c'è. Scendiamo.

«Si può sapere che t'è preso?»

Mi sforzo di sorridere: «Ti ho salvato la vita».

«Dici che cade?»

«No, adesso non cade più. Da un aereo che deve cadere non ce la fai a scendere.»

«Ti sei cagato sotto?»

«Sì.»

«Anch'io.»

E ridiamo e andiamo al bar a prenderci un caffè come si deve e il congresso salta, «E 'sti cazzi» dice Manlio. A lui piacciono i fuori programma. Ed è lì in piedi che glielo dico. Gli racconto tutto con le guance pendule perché ho la faccia bassa sulla tazzina vuota, e gioco con il cucchiaino sul fondo nero. Lì, al bar dell'aeroporto, con la gente che consuma tramezzini tenendo d'occhio il bagaglio, svuoto il sacco delle emozioni, dei desideri, come un vecchio adolescente annegato in una storia d'amore. E poco importa se Manlio è la persona meno adatta, io ho bisogno di dirlo a qualcuno, e lui è lì accanto a me con i suoi occhi da cinghiale. Siamo amici, amici sbagliati, lo sappiamo entrambi, però c'è quel momento d'intimità,

174

contro quel bancone di metallo con il caffè finito da un pezzo.

«Ma chi è questa?»

«L'hai vista.»

«L'ho vista?»

«Una sera, durante quel convegno oncologico, era al tavolo accanto al nostro...»

Scuote la testa: «Non me la ricordo».

La gente passa, Manlio si è acceso una sigaretta anche se non si può fumare. Guardo davanti a me e lo dico a lui, a me stesso, a quel fiume di gente ignota che mi scorre davanti. Lo dico perché ho bisogno di dirlo:

«Sono innamorato.»

Manlio spegne la cicca con la punta del suo mocassino:

«Prendiamo il prossimo aereo?»

Parcheggio la macchina, raccolgo la borsa sul sedile e cammino verso l'ospedale. Italia sbuca fuori all'improvviso, all'improvviso è vicinissima a me. Mi mette una mano sul braccio, cerca la mia carne attraverso la stoffa della giacca. Prima ancora di sorprendermi, mi spaventa. È smunta, senza trucco. Non si è nemmeno premurata di coprirsi la fronte con i capelli, la sua fronte è grande e opprimente, le pesa sugli occhi. Mi guardo intorno, e mentre lo faccio so che mi sto proteggendo da lei, dal peso che stamattina si porta appresso.

«Vieni.»

Attraverso la strada senza toccarla. Mi viene dietro a testa bassa, le braccia infilate nel suo giacchetto di cotone sfibrato. Una macchina rallenta, lei non ci fa caso, guarda solo i miei passi frettolosi. Mi sto allontanando dall'ospedale, come un ladro con un bottino indecente. E m'infilo in un vicolo, fino a un caffè che conosco.

Mi segue lungo la scala a chiocciola che porta al piano superiore, una sala vuota che puzza di vecchio fumo. Si siede accanto a me, vicinissima. Mi guarda, poi non mi guarda, poi torna a guardarmi.

«Ti ho aspettato.»

«Scusami.»

«Ti ho aspettato tanto. Perché non mi hai telefonato?»

Non rispondo, non saprei cosa risponderle. Lei si è portata una mano sulla faccia, e la sua faccia adesso è rossa, i suoi occhi grigi di pianto. C'è un acquario in fondo alla sala. Da lontano i pesci sembrano coriandoli.

«Ci hai ripensato, vero?»

Non ho voglia di parlare, non questa mattina, non a quest'ora.

«Non è come pensi tu...»

«E com'è? Dimmelo, com'è?»

C'è sfida nei suoi occhi, in quel pianto che non vuole scendere. Ha la bocca ritirata nelle labbra, si tocca i polsini del giacchetto, con insistenza. Mi danno fastidio quelle mani nervose, e quella faccia che non mi lascia scampo. Dovrei dirle di Elsa, ma oggi non ho voglia di scossoni emotivi. Mi affatica stare con lei incastrato in questo tavolo, c'è poca luce, c'è puzza di fumo, e ci sono quei pesciolini dimenticati laggiù, come coriandoli di un carnevale finito. D'improvviso piange fortissimo, mi si butta al collo, con le labbra e il naso bagnati.

«Non mi lasciare...»

Le carezzo una guancia, ma le mie mani sono dure, sono zampe. Lei mi respira addosso, mi bacia. Ha uno strano alito, di segatura, di stomaco rovesciato. La trattengo. Trattengo quel fiato che mi dà la nausea.

«Dimmi che mi ami.»

«Smettila.»

Ma lei ha perso ogni controllo di se stessa.

«No, non la smetto...»

Si agita sulla sedia, singhiozza. Dei passi salgono lungo la scala. Un ragazzo s'imbuca nella porta del cesso, un ragazzo che va a scuola con lo zaino sulle

spalle. Italia si trascina dalla sua parte, è più calma.
Le prendo una mano:
«Devo dirti una cosa.»
Lei mi guarda e adesso la sua fronte sembra fatta
di gesso.
«Mia moglie... non sta bene.»
«E cos'ha?»
*Diglielo, Timoteo, diglielo ora, in quella bocca impropria
dove ristagna la sua miseria. Dille che aspetti un figlio le-
gittimo, erede della tua vita sterile e misurata. Dille che
deve abortire, perché adesso è il momento giusto, adesso
che lei ti fa paura, e stai pensando: che madre potrà mai es-
sere una donna così disperata?*
«Non lo so...» dico, e indietreggio con il busto, con
la mia viltà.
«Sei un dottore e non sai cos'ha tua moglie?»

Il ragazzo è uscito dal cesso, lo guardiamo uscire,
anche lui ci guarda. Ha gli occhi neri e la barba sottile. Passa accanto all'acquario e scompare nella scala a
chiocciola.
«Vado in bagno.»
Traballa sulle piastrelle, poi di colpo prende la rin-
corsa e si butta contro il muro con la testa, così forte
che le pareti rimbombano. Mi alzo e la raggiungo.
«Ma che fai?»
Ride, e mi scaccia dalle sue spalle, quella risata mi
spaventa più che qualsiasi pianto.
«Ogni tanto ho bisogno di un colpo.»

Torniamo allo scoperto, avanziamo lentamente.
«Ti fa male la testa?»
Lei è distratta, guarda la gente che le viene incontro.
«Ti accompagno a un taxi?»
Invece sale su un autobus, sul primo che passa.

Volto le spalle, cammino verso l'ospedale. E non penso che a me stesso. Non amarla oggi è stata la cosa più facile del mondo. E mentre opero, mentre ho le mani su un fegato, lei mi rimane addosso come una cosa sgradevole. La vedo che bussa alla porta della mia casa, finge di essere una rappresentante, o una di quelle figure qualunque che gravitano nei condomini sfuggendo al controllo dei portieri. Ha gli occhi cupi mentre suona il campanello e trema, occhi che s'illuminano quando vede Elsa e la prega di lasciarla entrare. Elsa è assonnata, indossa la sua camicia da notte écru, il corpo nudo e caldo nello chiffon di seta. Italia è piccola, ha gore bagnate sotto le braccia perché ha sudato, ha sudato in autobus, ha sudato tutta la notte, si è rovesciata nel sonno. Guarda la casa, i libri, le fotografie, i seni di Elsa, turgidi, ancora scuri di sole. Pensa a quelle due cipolle vuote che le riposano sulle costole e al cuore che le batte là sotto. Indossa quella ridicola gonna con la fascia elastica che le scivola sui fianchi. Elsa le sorride. È solidale con le creature del suo stesso sesso, anche le più modeste, è una donna emancipata, l'indulgenza le sembra un dovere. Italia no, ha un figlio nella pancia, sotto quella gonna da bancarella, lei non è indulgente. Elsa si volta: «Dimmi, cosa vuoi?» (di solito dà del tu alle ragazze di ceto inferiore). Italia si sente male, ha le vertigini, non ha dormito e non ha mangiato. «Niente» dice e ritorna sui suoi passi verso la porta. Poi gli occhi le cascano sulla busta bianca dell'ecografia all'ingresso...

Tra il primo e il secondo intervento chiamo Elsa:
«Come stai?»
«Benissimo.»
«Non esci?»
«Tra poco, sto sbobinando un'intervista.»
«Non aprire a nessuno.»
«E a chi dovrei aprire?»

«Non lo so, chiedi sempre chi è.»

Una pausa, poi la sua risata irrompe nella cornetta, immagino le sue guance, quelle buchette nella carne mentre ride.

«La paternità ti fa uno strano effetto, sembri mia nonna.»

Rido anch'io, perché mi sento ridicolo. La mia casa è in ordine, mia moglie è forte, alta e forte.

La sera guardo fuori dalla finestra. Sono in camera da letto, scosto le tende e indago la strada in basso oltre le fronde degli alberi, da una parte, poi dall'altra, dove lampeggia il semaforo. Non c'è nulla, solo un'auto che passa, un'auto anonima che porta a casa qualcuno. Sto cercando lei. Non so se la cerco perché ne ho bisogno o perché temo che si sia appostata qui sotto, che ci stia spiando. Guardo i tetti, le antenne, le cupole, nella direzione dove lei vive, oltre quel viale popolato da figure notturne, appostate nei fari di un'auto che le infiamma, fino a quel bar che ci ha visti troppe volte, e chissà se a quest'ora è ancora aperto. Tanto ammasso ci separa, muri su muri, esistenze rannicchiate nel sonno. È bene che sia così, è bene che io riprenda il mio fiato. *Non crucciarti, Italia, la vita è questa. Attimi superbi di vicinanza e poi gelide folate di vento. E se tu soffri laggiù, oltre l'ultimo faraglione di cemento, la tua sofferenza mi è ignota in questa distanza, ed estranea. Che importa se sei gravida di un mio sputo sporco? Stanotte sei sola con il tuo bagaglio sotto la pensilina di un treno che se ne va, che hai perduto.*

«Non vieni a dormire?»

Mi accascio vicino a tua madre che si è fatta la doccia e ha i capelli ancora umidi. Ciocche rapprese le contornano il viso, sta leggendo. Mi chiudo dalla mia parte, sento la sua mano che fruscia sulla stoffa del mio pigiama.

«Chissà come sarà...»

Mi volto poco, fino al profilo.

«... il bambino. Non riesco a immaginarlo.»

«Sarà come te, bellissimo.»

«Magari è una bambina» ha abbassato il libro, «brutta come te.»

Si avvicina, i suoi capelli umidi mi sfiorano:

«Ieri notte ho sognato che era senza piedi, che nasceva e non aveva i piedi...»

«Nella prossima ecografia ce li avrà già i piedi, stai tranquilla.»

Torna a leggere dalla sua parte.

«Ti dispiace se tengo la luce accesa?»

«No, mi fa compagnia.»

Rimango con il lenzuolo sugli occhi in quel mezzo chiarore giallognolo. Non dormo proprio, sonnecchio rassicurato da quella luce, da quel respiro accanto, che mi suggerisce che la vita continuerà così, lieve, profumata di shampoo. Ed ecco nei pensieri insonnoliti, che vagano benevoli, venirmi incontro un bambino monco. Elsa ha spento la luce. Anch'io dormo, ma non abbastanza. Sento tua madre che grida: «Maledetto, ridammi i suoi piedi! Ridammeli!». Allora nell'acqua blu della notte sogno un pensiero terribile. Penso che vado di là, nella mia borsa all'ingresso, prendo il bisturi e mi eviro. Poi apro la finestra e butto il mio coso sul marciapiede lì sotto, a un gatto, a Italia, se c'è. *Ecco, Gramigna, prendi il padre di tuo figlio.* E adesso stringo le gambe più forte che posso. Che orrore, Angela, la vita presa a morsi nella notte, un morso nella veglia, uno nei fantasmi.

Il contatto faceva il suo rumore monotono nella cornetta, correva a vuoto in quella stamberga. Lontano da me, dalla mia mano, dal mio orecchio. Non c'era alle dieci. Non c'era a mezzogiorno. Non c'era alle sei del pomeriggio. Dov'era? A far le pulizie in qualche ufficio, a scozzonare una latrina. Camminava nelle strade urbane rasentando i muri con quel viso sciupato che le avevo visto l'ultima volta in quel caffè quando la sua sgradevolezza mi era parsa insopportabile, umiliante per lei e per me. L'umiliazione delle storie che si avviano al macero. Quando gli amanti escono dalla loro silhouette e mettono a fuoco, a vivo, un'immagine oggettiva dell'altro non più camuffata dai propri desideri. Poi si fa finta di nulla, ma dall'amore in qualche misura si è già passati alla ferocia, perché si diventa feroci con chi ci ha illusi, Angela.

Così, in quel caffè l'avevo guardata come una passante, come uno di quegli inutili corpi che affollano il mondo, le strade, gli autobus. Corpi che ogni giorno spalanco e frugo, senza gioia, senza compassione. Il mio sguardo chirurgico era sceso dai suoi occhi alla mano dove posava il mento, svergognandola, scoprendo piccole brutture, una lieve peluria sotto il mento, un mignolo storto, due rughe ad anello sul collo. Lei era tornata nella sua misera calotta, e io potevo guardarla così, senza partecipazione, sminuzzando le sue disarmonie. Il suo alito infelice mi raggiunse di nuovo... proveniva da un corpo macerato, come l'alito degli ammalati al risveglio dopo l'anestesia.

Il telefono non era staccato, era vivo, un operatore dalla voce metallica me l'aveva confermato, ma lei non rispondeva. Forse era in casa, lasciava che gli squilli planassero sul suo corpo raggomitolato, che le entrassero dentro, squassandola con la loro monotona intermittenza, procurandole fremiti. Era l'unico modo che avevo per dirle che non l'avevo abbandonata. Così continuai a chiamarla, a illudermi di dialogare con lei attraverso quel suono cupo, fino a sera.

Uscii dall'ospedale sfinito, e guidando verso casa saltai più volte i semafori senza aspettare il verde. Inghiottivo le strade e i fasci di luce che mi coglievano con gli occhi dilatati, l'espressione truce... Non mi sarei liberato mai più di lei, il suo pensiero avrebbe continuato a perseguitarmi. Italia mi dominava, scalfiva ogni mia intenzione. La sua voce martellava le mie tempie. Così presente che mi voltavo a cercarla. Se fosse stata lì accanto sul sedile, il giacchetto slabbrato, le mani bianche ragnate di blu, gli occhi scoloriti, forse sarebbe stato più facile scordarla.

Nora mi abbracciò, sentii la poltiglia del suo rossetto scivolare lungo la mia guancia. Si erano fermati per cena lei e Duilio, e la cena era già iniziata.
«Auguri, papà!»
«Grazie.»
«È una grande notizia.»
«Vado a lavarmi le mani.»
Nora lancia un pacchetto bianco, di carta velina,

dall'altro capo del tavolo. Elsa è distratta, non lo prende al volo, il pacchetto finisce nella salsa di tonno. Lo raccoglie e lo pulisce con il tovagliolo.

«Mamma, ti avevo detto di no.»

«Solo un pensierino di buon augurio. La prima camiciola dev'essere nuova e di seta, ricordatelo.»

Elsa scarta e passa a me.

«Tieni, sei contento? Abbiamo la camiciola nuova.» Ride, ma io so che è irritata. Non vuole regali per il bambino, è ancora troppo presto. La camiciola è un fazzoletto con due buchi, ci infilo le mie grandi dita. In tavola è finita l'acqua, mi alzo per riempire la brocca. Apro il rubinetto, l'acqua cancella le voci di là. La famiglia conversa, si muovono le facce, le mani. Per me sono già dietro un vetro, dietro il solito vetro appannato dove confino il mondo quando io non ho voglia di lui e lui non ha voglia di me. Elsa sta parlando con suo padre, gli sfiora il braccio. La vedo isolata, come ritagliata nel vapore, la vedo benissimo. È tornata al centro del mondo, è scomparsa la fragilità di quella sera, appena pochi giorni fa, quella sua incertezza improvvisa, commovente. È tornata lei, salda e infaticabile, solo più misteriosa. E anche gli occhi che mi allunga addosso sono quelli di sempre, partecipi negli stimoli superficiali, ma intimamente distratti. Non ha più bisogno di me.

Torno con la brocca, verso l'acqua a tutti. «Scusate» e mi allontano. Non mi sono nemmeno premurato di chiudere la porta, tanta fretta ho di comporre il suo numero.

Non c'era, non c'era nemmeno di sera. Posai la cornetta, posai la solitudine che sentivo ovunque, nella mano pesante, nell'orecchio, nel silenzio del mio studio. Ero al buio, la sagoma di Nora comparve nello specchio della porta, come quella di una cornacchia. La luce del corridoio la illuminava appena, guardava me nell'oscurità. Durò poco, ma in quel poco io ebbi la sensazione che avesse colto qualcosa. E non era il fatto che fossi solo al buio con il telefono in mano a farle intuire la doppiezza della mia vita, quanto proprio il mio corpo, così diverso da come era di là in soggiorno. Le spalle piegate, rotte, lo sguardo lucido... ero troppo lontano da me stesso. Un'intimità improvvisa, dettata dal caso (si era alzata per prendere le sigarette dimenticate nella borsa all'ingresso), si stabilì tra noi. È singolare, Angela, ma a volte, le persone meno probabili riescono a percepirci. Fece un passo verso di me nel buio.

«Timo...»

«Sì?»

«Ho un neo sulla schiena, è cresciuto molto, volevo fartelo vedere.»

Sono le tre del mattino, tua madre dorme, ancora una volta. Il suo corpo è una montagna al tramonto, una sagoma scura, impenetrabile. Lasciarla forse è meno difficile di quello che credo, basta vestirsi e andarsene. Farà muro contro di me, lei, la sua famiglia, gli amici. Poi, contro quel muro, se ne farà una ragione. Al posto mio lei non avrebbe avuto timore, mi avrebbe abbandonato fuori dal balcone di servizio, come ha fatto poco fa con il sacchetto della spazzatura.

Una pioggia sottile come cipria mi inumidiva senza bagnarmi. Mi strinsi nel mio soprabito mentre passeggiavo, non avevo una destinazione, volevo solo che quella notte non si rivoltasse contro di me. Non mi sentivo stanco, camminavo a gambe leggere. Avevo mangiato poco, e quel poco lo avevo già digerito. Le strade erano deserte e silenziose. Solo dopo un po' mi accorsi che quel silenzio non era totale, che l'asfalto aveva un suo gemito sommerso. La città di notte è come un mondo abbandonato dagli uomini, vuoto, ma intriso della loro presenza. Qualcuno che si ama, qualcuno che si sta lasciando, il guaito di un cane su un terrazzo, un prete che si alza. Un'ambulanza che trascina un malato dal caldo del suo letto verso il mio ospedale. E una puttana che torna con le gambe negre come il buio, e l'uomo che non l'aspetta e dorme come una montagna sicura e temibile. Esattamente come Elsa. Perché nel sonno le persone si somigliano tutte, si somigliano per chi non dorme e sa che non potrà dormire.

Camminavo, e ogni forma sembrava Italia, gli alberi che sprigionavano una strana fosforescenza, le sagome metalliche delle macchine ferme, i lampioni che si piegavano infilandosi nella loro stessa luce, persino le terrazze e i cornicioni in alto. Come se il suo corpo immenso dominasse la città.

Abbracciai un albero. All'improvviso mi trovai con il corpo serrato a un grande tronco umido. E stringendolo mi accorgevo che già altre volte avevo desiderato farlo, ma solo ora lo scoprivo. *Forse si è uccisa, per questo non ha risposto al telefono. La sua mano grigia pende appesa al suo braccio grigio, fuori dalla vasca da bagno dove la ruggine ha divorato lo smalto... la tenda di plastica strappata dall'ultimo strappo del respiro. Morta pensando a me, cercando di abbracciarmi o di scacciarmi un'ultima volta. È notte, l'acqua ormai sarà fredda. L'acqua che è stata bollente affinché il sangue defluisse con minore fatica dai suoi polsi recisi. Avrà usato il suo temperino o una lametta da barba che ho lasciato là? È importante lo strumento con il quale si sceglie di uccidersi, è già un testamento.*

Dal buio affiora un grido. Ho urtato e sono caduto addosso a un sacco di stracci: un uomo dorme per terra. Tira fuori la testa dal suo lurido nido.

«Non ho niente!»

Si agita, sbraita, pensa che lo voglia derubare, e di cosa? Di quell'ammasso di cenci marciti? Dei denti che non ha mentre spalanca la bocca e un lamento roco corre nel fosso lucido della sua gola?

«Mi scusi, sono caduto.»

Cosa ho toccato? Quali miasmi ho respirato? L'uomo emana un odore terribile, come un cane sventrato sul ciglio di una strada. *Anche Italia puzzava quando la sua tragedia le è rimbalzata addosso, quando ha capito che la stavo lasciando, che non avrei tenuto né lei, né il bambino, che le avrei offerto dei soldi, ancora una volta...* Voglio fuggire e invece trattengo l'uomo con tutto me stesso. Mi accascio nel suo collo nero, nei suoi capelli rappresi come pelo, e respiro. Respiro il suo odore di cane insepolto.

Cercavo il contagio, Angela, che mi spingesse definitivamente dall'altra parte, in quella palude tra il mare e la città dove abitava l'unica persona che amavo veramente. Quell'untore notturno non si sottraeva a me. Anzi adesso un suo braccio mi cingeva, e il suo volto dalle pieghe sporche mi cercava nell'antro dove mi ero nascosto. Mi trovò e mi carezzò la testa, clemente come un prete che assolve un assassino. E meritavo io tanta pietà, figlia mia? In quell'angolo buio un disgraziato mi accoglieva, mi guidava. Nella strada umida dove lui sognava e dove adesso anch'io sognavo stretto a quel tanfo di vita senza nulla, lontano dalla mia casa di parquet e whisky. E l'amore per me era questo, orfano e incotechito, l'amore dell'estremo bisogno, quando il destino s'impietosisce di noi e ci regala un biberon.

«Vuoi bere?»

Tirò fuori da sotto i cartoni una bottiglia di vino e me la porse. Bevvi senza pensare alla bocca che si era posata su quel bordo scheggiato, bevvi perché pensavo a mio padre. Mio padre morto per la strada, caduto tra la gente, scivolato lungo la saracinesca di un negozio chiuso con una mano intorno alla gola dove la vita se ne andava.

Prima di allontanarmi, gli diedi del denaro, tutto quello che avevo con me, spinsi le dita nella piega del portafogli e tirai su tutto. Lui accettò come un barbone qualunque. Nascose il denaro sotto i suoi cenci, pieno di timore, quasi temesse che io ci ripensassi. Mi accompagnò con occhi increduli fino all'incrocio dove scomparvi.

Il buio cominciava a scolorire, annacquato dalla pioggia che non aveva ancora smesso di cadere, leggera ma incessante. Guidavo in quella luce esitante, e qualche faro d'auto, ogni tanto, mi raggiungeva negli occhi. Due suore filippine aspettavano in piedi alla fermata dell'autobus sotto due piccoli ombrelli, un bar apriva, una pila di quotidiani fradici giaceva accanto a un'edicola ancora sbarrata. Arrivai stanco, logorato da quella notte densa e insonne. Ora avrei dormito tra le sue braccia. E solo più tardi avremmo raccolto il nostro futuro. Avevo già combattuto la mia battaglia durante quella lunga notte. Non c'era niente da dire, c'era da stringerla in silenzio. Scesi dalla macchina con le guance arrossate dal tepore dell'abitacolo. Le strade erano asciutte in quella luce grigia dove ormai si distingueva ogni cosa, e forse lì non aveva mai piovuto. L'assenza di quella pioggia che mi aveva perseguitato tutta la notte, sembrava dirmi che la lotta era davvero finita. Italia mi aveva atteso al sicuro, all'asciutto.

Ero a metà della seconda rampa di scale, quando sentii in basso il tonfo dell'ascensore che arrivava, poi un ticchettio di scarpe femminili che rimbombava attutito nell'androne. Ridiscesi di corsa, e la vidi, di spalle che usciva.

«Italia!»

La raggiunsi mentre si voltava, non la guardai nemmeno, l'abbracciai soltanto. Si lasciò stringere slombata, non alzò le braccia, rimase esattamente com'era. Con la testa affogata nella mia spalla, vidi la sua mano in basso, abbandonata sul fianco. *Ora la alzerà, ora mi poserà le mani addosso e risponderà al mio abbraccio, si lascerà crollare e io la sorreggerò.* Invece non si mosse, rimase immobile finché il mio respiro si ristabilì e io sentii il suo cuore, calmo e profondo. Era calda e viva. Il resto non importava. Sarebbero bastate poche carezze a restituirmela, la conoscevo, si lasciava amare senza inutili prove di orgoglio. Mi staccai da lei, per guardarla.

«Dove stavi andando?»

«Al mercato dei fiori.»

«Dove?»

«Lavoro lì.»

«Da quando?»

«Da poco.»

Nell'ombretto scuro i suoi occhi grigi erano fermi come pietre, e il suo viso possedeva un'espressione più adulta. Io invece ero armato solo del bisogno che avevo di lei.

«Come stai?»

«Bene.»

Le posai una mano sulla pancia.

«E lui... lui come sta?»

Non rispose, Angela. Ora sentivo il peso di quell'androne alle nostre spalle, e del freddo che mi entrava dentro attraverso i vestiti bagnati. Le raccolsi le mani per portarle insieme alle mie sulla sua pancia che respirava sotto i vestiti troppo leggeri per quella stagione già fredda, per quell'alba senza sole. Le sue mani si lasciarono condurre senza volontà come due foglie nel fango. Mi tornò in mente quella foglia rossa, la prima della stagione, caduta sul vetro della mia auto davanti alla clinica.

«Ho abortito.»

La guardai negli occhi chiari e impassibili, e scuotevo la testa, era il cuore a scuoterla.

«Non è vero...»

L'avevo presa per le braccia, la strattonavo, e adesso ero pronto a farle del male.

«Quando l'hai fatto?»

«L'ho fatto.»

Non sembrava triste, mi commiserava, con quegli occhi di pietra.

«Perché non me l'hai detto? Perché non mi hai cercato? Io lo volevo, davvero, lo volevo...»

«Domani ci avresti ripensato.»

Ora mi avrebbe lasciato, ora l'avrei persa, ora che la mia vita non si moltiplicava più dentro la sua. Disperato, cominciai a riempirla di piccoli baci, che caddero come grandine sul suo viso rigido. *Non importa, faremo altri figli. Li faremo domani, adesso. Adesso andremo a far l'amore su quel copriletto di ciniglia, ti stringerai a me e sarai di nuovo incinta. Andremo in Somalia e la nostra casa sarà piena di figli, figli nelle culle, nelle amache, negli scialli...*

Ma eravamo già una foto, Angela. Una di quelle foto strappate che separano tra le spalle due amanti che si sono perduti. Ora sarebbe andata a recidere gambi, a vendere fiori a chissà chi. A un amante, a chi va al cimitero, a chi ha appena avuto un figlio.

«Dove hai abortito?»

«Dagli zingari.»

«Sei pazza... Devi venire in ospedale.»

«Non mi piacciono gli ospedali.»

190

Non ti piacciono i chirurghi, pensai, e l'avevo presa per un polso.

«Devi venire con me!»

«Lasciami, sto bene!»

Respinse la mia mano. Non ero più il suo uomo. La mia era la mano di nessuno. Aveva di nuovo quella faccia immota, vuota di una qualunque delle infinite espressioni che conoscevo. La cenere dell'alba le entrava nelle orecchie, scivolava sulle sue guance tinte di salute fasulla. Era davanti a me, ma era già scomparsa nella sua vita. Distratta, anonima, come una di quelle mani bagnate che ci passano il resto al mercato.

«Vado.»

«Ti accompagno.»

«Non serve.»

Mi sedetti sul gradino del marciapiede mentre se ne andava, non la guardai, abbassai la testa tra le mani. E rimasi così, fin quando il rumore dei suoi passi scomparve, e anche dopo, quando non restò che il silenzio. Il telefono aveva squillato a vuoto nella sua casa, mentre lei, appena pochi metri più in là, nell'interno traballante di una roulotte, si lasciava trafiggere dall'uncino di una megera, forse la stessa che le aveva insegnato a leggere il futuro. Era finita così, con uno straccio chiuso tra i denti per non gridare.

Perché ti racconto tutto questo? Non ho una risposta da darti. Una delle mie risposte precise, brevi, "chirurgiche", come le chiami tu. È l'emorragia della vita che bussa alle tempie. Come l'ematoma nella tua scatola cranica. Adesso lo so, Angela, sei tu che stai operando me.

Non cerco il tuo perdono, non sto approfittando del tuo viaggio. Credimi, mi sono giudicato molti anni fa, seduto su quel marciapiede. Ed è stato un verdetto senza ritorno, fermo nelle stagioni come una pietra tombale. Io sono colpevole, le mie mani lo sanno.

Ma sapessi quante volte ho immaginato quel figlio perso. L'ho visto crescere accanto a te come un gemello sfortunato. Ho cercato di dargli sepoltura, vanamente. È tornato quando voleva, si è infilato nei miei passi, nelle mie ossa che invecchiano. È tornato in tutti gli esseri disarmati, nei bimbi calvi del reparto di oncologia pediatrica, è tornato in un istrice che investii su una strada di campagna. È tornato nei danni che ti ho fatto.

Ti ricordi il judo? Non volevi andarci, ma io ti ho costretta, a modo mio, con il silenzio, con quei rimproveri muti che prima di piegarti ti rattristano. Circolavo intorno a quella palestra vecchia, di vecchi at-

192

trezzi, di vecchi maestri, con il sacco da pugilato, il linoleum scollato. Scendevo dalla macchina, annusavo il sudore, i visi dei combattenti, prendevo gli opuscoli con gli orari. Che dirti, Angela? La solita solfa. Che da ragazzo mi sarebbe piaciuto essere un campione di arti marziali, infilarmi in una palestra come quella, di notte, con quelle canottiere, quei muscoli veri, quelle facce ruvide, e armarmi, sotto la giacca e gli occhiali delle buone maniere, di una forza invisibile e certa. Due mosse e atterrare qualcuno, un collega, quell'infermiere di una stazza che fa paura a guardarlo. Sogni di un uomo vile, di un bambino flaccido. Potrei dirti così. Ed è vero, questo c'era. Questo cespuglio di sentimenti un po' spregevoli e un po' patetici c'era, ma c'era anche altro. C'era inconfessata la voglia di piegarti, di farti qualcosa di storto, perché la mia vita storta cadeva sulle tue spalle. E c'erano i presupposti per farla franca. Era un buono sport, anche tua madre non riuscì a trovare controindicazioni sul mio viso paterno. Certo, c'eri tu, che volevi fare danza, e ti muovevi per la casa sulle punte con un foulard di tua madre stretto sui fianchi. Volevi ballare, Angela. Ma eri troppo alta per la danza. Eri idonea al judo. È un buono sport, dissi, una disciplina per lo spirito. Bisogna essere leali, rispettare le mosse, i compagni, maschi e femmine insieme. Ti presi per la manina, ti comprai le ciabatte, e ti portai in quella palestra interrata.

Ed eccoti lì con il judogi e la cintura dura girata sui fianchi. Combattevi senza gioia, e solo la voglia di non essere atterrata ti faceva resistere. Combattevi per me che venivo a guardarti. Combattevi per non andare al tappeto, per non sentire quelle botte dure nel culo, e la voce greve del maestro che ti gridava di rialzarti, piangevi. Non ti piaceva il judogi, era rigido, era un sacco. Tu volevi i veli del tutù, le

scarpette con la punta di gesso, volevi sentirti leggera. Invece eccoti lì, davanti a quella compagna di
lotta che ti affibbiavano sempre, quella robusta, con
quella coda da cavallo che sgusciava nell'aria come
una frusta. Robusta e agile, tu invece eri magra e le-
gnosa. Ti davo consigli: «Devi essere più morbida
nello scambio di tecniche». Ma tu non potevi essere
morbida. Combattevi troppe lotte.

Mi sedevo su quelle sediole da asilo insieme agli
altri genitori schierati per il passaggio di cintura. Eri
accovacciata in un angolo del tappeto di gomma blu,
le gambe incrociate, i piedi scalzi, aspettavi il tuo turno. Mi facevi un sorriso sciancato. Avevi paura: del
maestro, di quelle mosse che non controllavi, di quelle ragazzine più sciolte di te, meno punite di te. Veniva il tuo turno, ti alzavi, ti piegavi per il saluto. Il
maestro gridava le mosse, tu eseguivi, nervosa, incerta. Le guance chiazzate, le labbra strette tra i denti.
Quando agguantavi tu, guardavi la tua compagna e
sembravi implorarla di lasciarsi andare, di non resistere. Quando agguantavano te, ti lasciavi andare come un sacco. Quante botte hai preso. Sudata, sconfitta, con il judogi storto, facevi il saluto, passavi di
cintura.

«Sei contenta?» ti chiedevo in macchina. Non eri
contenta, eri esausta. «Sul tatami quando si cade non
ci si fa male, no?» Non è vero, tu ti facevi male. Mi
guardavi rossa, con il pianto già pronto, e mi chiedevi con gli occhi: perché?

Già, perché? Siamo in tempo di pace, perché quel-
l'inutile guerra? Per rafforzarti, per darti una disciplina. Non ti ho rafforzata, ti ho fatto un danno, ti ho
tolto forza. Ho murato la tua allegria. Scusami.

Poi un giorno hai smesso, siamo tornati a settembre dopo il mare, eri cintura arancio-verde. «Non ci
voglio andare più. Punto.» Non ho insistito, ti ho la-

sciata stare, ero stanco anch'io. Passavo davanti a quella palestra senza più interesse. Sepolto quel brivido, quella follia, quel figlio maschio. Cazzate di padri, Angelina, di stupratori che non sanno come crescere. Punto.

Era solo questione di tempo. Il tempo avrebbe svolto il suo mestiere corrosivo, intaccato il mio rimorso fino a farlo diventare talco. Tutto sommato, Italia mi aveva fatto un favore, aveva ripulito la mia vita di quella complicanza scabrosa. Non si era fatta portare per la seconda volta in clinica, aveva sprezzato l'eleganza di quel finto hotel. Ero colpevole solo in parte, mi ero limitato a lasciarla sola. In quell'abbandono si annidava la mia assuefazione alla viltà.

Una sera Manlio mi telefonò, andammo a mangiare una pizza come due vecchi studenti che si ritrovano.

«Com'è andata con quella ragazza?»

«È andata.»

«E tu come stai?»

A un tavolo più in là, una donna bionda fuma di spalle a me, vedo solo il biancore del fumo oltre i suoi capelli, e la faccia dell'uomo che le sta davanti e la guarda. Dall'espressione di lui cerco d'indovinare il volto di lei.

«Non lo so» dico, «aspetto.»

«Cosa?»

«Non lo so.»

Aspetto che quella donna si giri, magari le somiglia.

Qualche volta vado a prenderla al mercato. È l'ora in cui i banchi smontano, la trovo in mezzo a un diluvio di fiori sciupati. Mi saluta con un cenno del capo. Impila cassette, sposta i vasi delle piante invendute su un furgoncino coperto da un telo cerato verde, parcheggiato alle spalle del banco. Aspetto che finisca il suo lavoro, piantato lì con i miei abiti eleganti, in mezzo a quella guazza. Italia si toglie gli stivali di gomma e si rimette le sue scarpe. Quando sale in macchina ci trattiamo senza gioia ma con benevolenza, come due amici bastonati dallo stesso bastone. O forse come genitori che hanno perso un figlio. Certo siamo due reduci. Camminiamo accanto a una ferita, dobbiamo stare attenti a dove posiamo le parole.

«Come va?»

«Bene. E tu?»

«Sei stanca?»

«No, per niente.»

Non è mai stanca, si stringe le mani screpolate dal freddo. È cresciuta, in macchina la sua fronte sembra più grande, ma le sue spalle sono più chiuse. Non si appoggia mai completamente al sedile, resta sempre un po' scollata, sta cercando di resistere. Guarda oltre i vetri dell'auto quel mondo che non ci ha difesi.

Aspettiamo come due convalescenti che il tempo passi, intanto il traffico scorre e le giornate si accorciano. Le luci delle vetrine si riflettono nelle iridi di Italia che se le lascia brillare negli occhi senza farci caso. Non l'ho più toccata, non si prende una donna dopo un aborto, la si lascia stare. E poi ho terrore a immaginarla nuda, terrore di ritrovarmi tra le mani il dolore che ha dentro, che stagna sotto i suoi panni umidi. Prende troppo freddo al mercato, ha il naso rosso, screpolato. Tira fuori dalla tasca un fazzoletto già zuppo, si soffia il naso. Le ho portato delle vitamine, lei mi ha ringraziato, ma non sono sicuro che le

197

prenda. Non è sano che il tempo trascorra così. Non per noi. Non siamo amici, né lo saremo mai. Siamo stati amanti prima ancora di conoscerci. Ci siamo scambiati la carne forsennatamente. E ora è così strana questa cortesia che è scesa tra noi. La guardo e mi chiedo che c'entriamo io e lei con queste acque morte. Non può finire così, senza un grido, senza niente. Se un demonio deve caderci addosso, che ci bruci. Non possiamo finire in questa terra di mezzo.

Forse basterà cambiare scenario. La sua casa mi spaventa, quel copriletto color tabacco, il camino nudo, il suo cane cieco e quella scimmia sul muro con il biberon da neonato tra le zampe, come una beffa. Allora, un pomeriggio le chiedo se ha voglia di stare un po' soli in un hotel.

«Per non stare sempre in mezzo al traffico» dico.

Così siamo dentro una stanza che non ci ha mai visti, una bella stanza al centro della città con le tende pesanti damascate come le pareti. Non si è nemmeno guardata intorno, ha buttato la borsa sul letto, ed è andata subito verso la finestra. Ha alzato una mano per spostare un lembo della tenda. Le ho chiesto se aveva fame o se voleva bere qualcosa, ha detto di no. Sono andato in bagno a lavarmi le mani e quando sono tornato lei era ancora lì davanti alla tenda che guardava fuori. «È altissimo» ha detto, quando ha sentito i miei passi che tornavano verso di lei, «che piano è?»

«Il nono.»

Aveva i capelli raccolti. Mi sono avvicinato e le ho baciato la nuca con le labbra aperte e gli occhi chiusi. Da quanto tempo non la baciavo così? E già mi chiedevo come avevo fatto a rinunciare a lei così a lungo. Il suo corpo tiepido era di nuovo vicino a me in quella stanza vergine che ci avrebbe aiutati a dimenticare.

Ora sentirà l'umido delle mie labbra. All'inizio fati-cherà, ma poi tornerà a essere mia come sempre. Non può rinunciare a me, me l'ha detto. Abbassa il braccio, la tenda ricopre lo spiraglio della città di giorno. Così comincio a spogliarla, contro quel tessuto pesante e fermo. Le tolgo la giacca, lei non lo ha fatto da sola, è una brutta giacca smorta di laniccia che non pesa niente, pare mucillagine. Le sfioro i seni, quei seni piccoli e appassiti che mi piacciono così tanto. Lei mi lascia fare: «Tesoro» dice, «tesoro mio...» e mi strin-ge. La prendo per mano e la porto verso il letto, vo-glio che stia comoda, che si riposi. Le tolgo le scarpe. Ha calze chiare, di nylon duro, le strofino le gambe, i piedi, che sembrano quelli di un manichino. Lei si sfi-la la gonna, la piega con cura e l'appoggia sulla spon-da d'ottone del letto. Ugualmente fa con la camicia. I suoi gesti sono lenti, sta cercando di prendere tempo, di rimandare quel momento di intimità.

Io mi spoglio in fretta, butto la roba per terra. Ap-profitto di un suo sguardo altrove, perché adesso mi vergogno. Ha scoperto il suo lato del letto, si stende e si tira addosso le coperte. M'infilo accanto a lei, in quel letto ancora freddo. È distesa con le mani lungo i fianchi, accavallo una gamba sulle sue, una gamba che scivola, perché lei non si è tolta i collant.

«Non dobbiamo farlo per forza.»

«Lo so.»

Che amante gentile sono diventato di colpo. Come devo sembrare ridicolo! Non aveva nessuna voglia di spogliarsi. Sarebbe rimasta volentieri accanto a quella tenda appena schiusa a guardare il mondo dall'alto, a chiedersi se c'era un posto per lei da qual-che parte. Quando la prendo, ha un piccolo sussulto, poi più nulla, mi lascia andare avanti e indietro nel silenzio più assoluto. Ho il volto immerso nei suoi capelli, non ce la faccio a guardarla, ho paura di incontrare i suoi occhi impassibili. Allora gemo forte, nella speranza che lei abbia pietà di me e mi risponda. Ma non succede nulla. Non ci alziamo in volo, restiamo a terra. Ho il sangue negli occhi, i suoi capelli in bocca. Non riesco ad abbandonarmi, vedo, ascolto tutto. Il piccolo ronzio del frigo bar, l'aeratore che è rimasto acceso insieme alla luce in bagno. Il rumore della mia carne che scivola nella sua, quello è davvero terribile. Italia non c'è, la sua carne è vuota. Ora le peso dentro, come un amore morto. Quell'amplesso è il nostro funerale. Sento la mia massa sudata che si appoggia al suo scheletro. Lei non mi vuole più, non vuole più nulla. Il suo corpo è un passaggio che si sta chiudendo. Allora capisco di aver perso tutto, Angela, perché tutto quello che voglio è lì esanime tra le mie braccia. Sollevo il petto dal suo, le cerco il viso. I suoi occhi si muovono sotto le lacrime come due pesci in un mare troppo stretto. Piange perché è l'unica cosa che ha avuto voglia di fare da quando siamo entrati in quella stanza d'albergo. Il mio sesso rattrappito si ritira svelto come un topo che attraversa una strada di notte.

Rimango in silenzio accanto a lei, finché il suo pianto si fa meno lacerato, più mite. C'è una plafoniera sul soffitto, un ovale di vetro sbiancato, un occhio cieco che ci guarda senza curarsi di noi.

«Non ce la fai a non pensarci, vero?»

Un colpo di vento spalanca la finestra, e l'aria gelata raggiunge i nostri corpi nudi. Non ci muoviamo, restiamo lì a farci ferire da quel freddo. Poi Italia si alza, chiude la finestra, e va in bagno.

Ho visto la sua figura nuda attraversare la camera, con una mano si copriva i seni. Ho teso un braccio sul lenzuolo dove lei era stata e che ancora conservava il suo tiepido alone e ho pensato che era finita, che era finita così, in un hotel. I pensieri sono scivolati sulle pieghe di quel lenzuolo. Ho pensato a un mio amico che da ragazzo frequentava una prostituta, sempre la stessa. Mentre facevano l'amore lei fingeva di morire, era lui a chiederglielo. Ho pensato a tanti uomini che avevo conosciuto. Che avevano fatto l'amore e ora erano morti come tutti gli uomini. Ho pensato a mio padre. Lui andava con delle donne qualsiasi, lo faceva con molto riserbo, senza averne motivo, giacché, una volta separato da mia madre, viveva solo. Eppure gli piaceva mantenere certe faccende nell'astrazione. Sceglieva strane figure solitarie, donne di mezza età poco allettanti, scialbe all'apparenza, ma forse con un loro piglio nascosto. Una era la cassiera di un cinema di seconda visione, aveva capelli tinti, un volto aquilino, e seni forti stretti in un reggipetto rigido. L'avevo vista una sola volta, quando mio padre mi portò nel bar che comunicava con quel cinema attraverso una porta a vetri. Al di là dei battenti io osservai la donna che mio padre guardava di sottecchi con occhi che non gli conoscevo, occhi infantili, sotto i sopraccigli foltissimi da vecchio satiro. Sembrava felice di trovarsi così, suo figlio da una parte, e la sua amante dall'altra. Forse lei gli aveva chiesto di incontrarmi. Feci finta di nulla. Di questa donna poi ho saputo che si chiamava Maria Teresa, che era sposata con un invalido e non aveva figli. Con mio padre andavano spesso a mangiare in un ristorantino ricavato nel retro di una salumeria, il suo piatto preferito era la lingua di manzo in salsa verde. Altro non ho mai voluto sapere. Con la mano ferma sul lenzuolo che adesso è uno schermo cinematografico, io vedo quella donna mentre si spoglia, si sgancia l'orologetto e lo posa sul piano di marmo di un vecchio comodino. E lì accanto, mio padre che si toglie i pantaloni e li appende sull'omino di legno. Mio padre che fa l'amore

201

con quell'anziana cassiera dalla faccia sofferta, la nuca amara di profumo, in una pensione infilata dentro un vicolo accanto alla salumeria dove lei ha mangiato la lingua in salsa verde. Che fine avevano fatto quei due lì? Anche loro avevano lasciato un letto tiepido e stropicciato in una pensione dalle scale strette, dove sotto la fessura della porta arriva il vento di un'altra porta che si chiude sullo stesso piano. Mio padre fuma mentre la cassiera è in bagno, si sciacqua le ascelle, allarga la bocca e si stende il rossetto, poi spegne la luce come fa a casa sua. Più tardi, quando loro non ci sono più, entra una cameriera ad aprire le finestre, a buttare le lenzuola per terra. La cameriera, una donna che se ne va con il secchio dei detersivi e le lenzuola arrotolate sotto braccio. Un'altra donna, con un suo odore e una sua sottoveste, che si spoglia accanto a un altro uomo, e anche lei fa l'amore, anche lei si lascia turbare le viscere. Ti chiedi se tuo padre aveva il cazzo più grosso del tuo. Non glielo hai mai visto, ma in cuor tuo pensi che è così. Intanto è nella bara dove l'hai lasciato pochi mesi fa, con la faccia scura, l'ovatta nel naso, e un fiore nelle mani. Chi glielo aveva messo quel fiore? La cassiera, forse. No, lei non c'era al funerale, era una storia di tanti anni prima. Probabilmente si erano lasciati. Aveva continuato a mangiare la lingua in salsa verde con qualcun altro. Forse era morta anche lei. Italia è andata in bagno, carezzi il lenzuolo ancora tiepido di lei. Il film è finito, lo schermo è tornato bianco, gualcito. E adesso sai che tra poco piangerai, per tutti gli amanti morti, per te e per lei, che è davanti allo specchio come la cassiera di tuo padre. Quando ti darà il cambio nel cesso, piangerai. Perché tu e lei siete come tutto, già passati. Continueremo e moriremo lontani. Nessuno saprà mai nulla di quanto ci siamo stretti e frugati, e della vita che è corsa fin qui, fino a questo mio braccio posato sul lenzuolo dove lei è stata e che ora sta perdendo il suo tepore. Siamo carne bisognosa, proiettata su uno schermo vuoto, carne che si ripete. O forse, Angela, la nostra energia ha alimentato un altro mondo, un mondo perfetto che vive a ridosso del nostro, e non ha bisogno di aver paura e di soffrire. Forse siamo come quei macchinisti neri che sudavano nel ventre delle navi a carbone per consentire a due amanti sul pontile più alto un ballo romantico, sopra il tappeto luccicante del mare. Qualcuno raccoglierà i nostri sogni, qualcuno meno imperfetto di noi. Noi facciamo il lavoro sporco. Sono in bagno, il mio sesso si muove spinto dal getto dell'acqua, l'ho abbandonato a se stesso. Curvo sul bidet, piango, con le mani sulla testa. Tra poco una cameriera verrà a buttare per terra le lenzuola dove c'è una piccola macchia di bagnato, scivolata dall'intimità di Italia. Una macchia che io ho baciato.

Quando usciamo dalla camera e un mio braccio si attarda a spegnere la luce, Italia si volta a guardare per l'ultima volta quella gora di buio che si sta richiudendo alle nostre spalle. Stiamo facendo lo stesso pensiero: *che peccato, che occasione mancata!*

Dovrebbero quasi esserci. L'aspiratore ha tirato via il sangue dalla tua testa, la cannula si è riempita di rosso. Ti stanno innaffiando di soluzione fisiologica. Manlio è seduto davanti a me. È già arrivato da un po'. Mi ha stretto, ha cercato di piangere senza riuscirci, si è incollato al cellulare. Si è incazzato con qualcuno all'aeroporto. Il volo di tua madre ha un leggero ritardo, e lui ha insistito per sapere l'orario esatto di atterraggio, si è messo a discutere, ha alzato la voce. Incazzarsi con uno steward di terra, con il nulla, è il suo modo di starmi vicino. Ha il cellulare ancora caldo in mano, non riesce a mollarlo, vorrebbe telefonare di nuovo, ma non sa a chi. Ha paura di restare solo con me dentro questo silenzio. Lo sai, è abituato ad arroventare la vita come arroventa i suoi sigari. Si agita, tira fuori il fiato con rumore, la bocca gli è caduta giù insieme agli occhi, è in gabbia. Chiuso in gabbia con il suo migliore amico nel giorno più brutto della mia vita. Lo guardo senza apprensione, penso alla frase di un murale: *come puoi vedere il fondo dell'acqua se non smetti di turbare la sua superficie?*

«Scusa, telefono a Bambi.»

Va alla finestra, si isola con le spalle, bofonchia. Non vuole farmi sentire. Vedo il suo culo, ha compiuto cinquantasette anni il mese scorso, è definitivamente grasso.

Ha cambiato il tono della voce, lo ha pulito del catarro. Sta parlando con le gemelle, le "Sputicchie", come le chiami tu. Biondissime, bellissime, antipaticissime. Non gli somigliano affatto. Manlio è scuro, tarchiato, indiscutibilmente simpatico. Somigliano alla madre, alla Bambi. Quella veneta con un fisico diafano da mannequin e un cuore duro da contadina. Lo ha costretto a lasciare la città per trasferirsi in quella grande tenuta, con i cavalli, i daini, gli ulivi, dove lei si fa fotografare per le riviste country davanti alle stalle vestita da buttera, insieme alle figlie con le gonne a quadretti, le camicie di sangallo. Spremono l'olio a freddo, lo infilano dentro bottigliette da rosolio e lo esportano in America. Fanno un sacco di soldi. Bambi è una ragioniera del biologico. Manlio invece si abbuffa di fritture e di bordello in città, poi la sera divora a centonovanta l'autostrada per raggiungere quella casa di pannocchie e ciuffi di lavanda secchi. Detesta la natura, il suo silenzio. Certo, ha la piscina, il bordo a sfioro, le rocce scenografate dall'architetto. Però è incazzato anche con quella piscina, con quel robot che fruscia sul fondo. Implacabile, come la sua giovane moglie. Rimpiange Martine, il pupazzetto a molla. Ogni volta che può, nei suoi voli, nei suoi congressi sempre più frequenti, fa scalo a Ginevra, e va a trovarla in quel negozio d'antiquariato, con tante piccole statue che le somigliano. È sola, decrepita, felice. Lui stacca assegni, vuole comprarle tutto, «Mi piace aiutarti» dice. Lei sorride, gli strappa gli assegni sotto il naso: «Grazie ma non serve, Manliò». Quell'accento sull'ultima vocale del suo nome lo fa impazzire di gioia. E chi lo sa, in aereo, in mezzo a un cielo intercontinentale, con la mascherina sugli occhi, magari lo fa piangere.

Si è rinfilato il cellulare nella tasca, si è toccato i coglioni. Ha il sigaro spento nelle labbra nere. Ti adora, ti ha sempre considerato la sua figlia ideale.

«Vado all'aeroporto a prendere Elsa, ci vediamo più tardi.»

Non bussavo, staccavo la chiave dalla gomma americana ed entravo. La trovavo stesa sul letto accanto al cane. Crevalcore alzava appena la testa, lei nemmeno quella. Le gambe rannicchiate, il viso assente: «Ah, sei tu...» diceva. In cucina non c'era più niente, uscivo e le facevo un po' di spesa. Sciacquavo la ciotola del cane e ci svuotavo una scatoletta. Le avevo comprato anche una stufa, ma la trovavo sempre spenta. Aprivo le finestre per far entrare almeno un po' di sole. Nella casa stagnava un'aria insana, di gente malata. Tornavo senza voglia, con la schiena stanca. Tornavo perché non sapevo dove andare.

Cambiò la posizione dei mobili. Spostò il tavolo accanto al camino, e mise al suo posto il divano. Riordinò anche gli oggetti, i piccoli ninnoli; li sistemò in un modo che doveva corrispondere a un nuovo ordine che però le sfuggì subito di mano. Passava il tempo a cercare le cose senza trovarle. Il cane le andava appresso sbalestrato, come se anche lui non trovasse più un suo posto. Questo attivismo la prendeva improvviso. La scovavo in piedi su una scala che lucidava i vetri della finestra, il lampadario. Puliva, ma dimenticava le cose in giro, una spugna zuppa sul tavolo, la scopa contro una sedia. E così faceva con se stessa. Aveva gli occhi perfettamente truccati, i capelli legati, ma era disattenta, andava in bagno e un pezzo di gonna le restava infilato nei collant. Mi avvicinavo e le tiravo giù quell'orlo, come fosse una bambina. Allora tastavo la sua carne, respiravo l'aroma della sua pelle. Erano i momenti più duri, quelli in cui avrei voluto prendere una tanica di benzina e dar fuoco a tutto, alla sua scopa, al suo letto, al suo cane. Un cono di fumo nero e più niente.

Speravo che si ribellasse, le guardavo le mani che non si mangiava più e speravo che si fosse lasciata crescere le unghie per graffiarmi il viso. Il pensiero di lasciarmi una creatura così derelitta e cortese alle spalle mi riempiva di paura. Sull'altra sponda Elsa, la sua pancia che cresceva lentamente. Il telefono squillava a ore inconsuete. Elsa alzava la cornetta e nessuno parlava. Sapevo che era lei. Speravo che dicesse qualcosa, non importa che. Un insulto, un boato. Tua madre agganciava e tornava a posare la mano sul suo ventre, serena. Il telefono squillava di nuovo.

«Vado io.»

Ma anche con me non diceva niente. Ero io a parlare.

«Sei tu? Hai bisogno di qualcosa?»

Tornavo a sedermi accanto a Elsa, la mano sopra la sua nella melassa della tua attesa. Avrei potuto andare avanti così per sempre. *Forse sto impazzendo. Forse la follia è questa precisione senza calcolo, questa grazia costante.*

Poi una sera la raggiunsi, puzzava di alcol, e non si era nemmeno lavata i denti per camuffarsi. Era scapigliata, in accappatoio, eppure sembrava essere tornata finalmente se stessa. I suoi occhi cerchiati di nero avevano perso quella patina opaca. Mi chiese di fare l'amore. Me lo chiese dal niente, dal fondo di quegli occhi pesti.

208

«Ti va di...» e fece un piccolo gesto con la mano chiusa. Un gesto volgare.

Ero in smoking, l'avevo raggiunta al ritorno da una cerimonia. Mi sentivo impacciato. Allentai il gancio della farfalla. La mia bocca risentiva di un eccesso di sapori mescolati tra loro, avevo sete. Lei era in piedi contro il muro, sotto il poster della scimmia.

«Come ai vecchi tempi» disse.

Aveva aperto l'accappatoio. Era senza mutande, ma riconobbi subito la maglietta. Riconobbi il fiore di strass che penzolava sbieco, strappato dalla mia foia in quel pomeriggio d'estate ormai così lontano. Era lì, luccicava tetro dentro il mio sguardo. Alzò un braccio sul muro: «Aiuto...» biascicò. «Aiuto...», rifacendo il verso a se stessa, e rise. Come una bambina, corrotta e disperata. Poi la sua voce tornò al presente:

«Uccidimi, ti prego, uccidimi.»

Guardai in basso quello spiumato ciuffo di peli. Presi i lembi dell'accappatoio e la coprii.

«Prendi freddo.»

Andai in cucina a bere. Mi attaccai al rubinetto e bevvi direttamente da lì, l'acqua sembrava ghiaccio sciolto. Quando tornai di là, la trovai infilata nel caminetto, le mani sulla testa, come se stesse cercando di tenersela ferma. L'alcol cominciava a farle effetto.

«Spegni la luce» disse, «mi gira la testa.»

«Cos'hai bevuto?»

«Acido muriatico.»

Rideva di nuovo, ma non vomitò. Parlò, senza smettere di tenersi la testa.

«Ti ricordi quel venditore ambulante, quello del vestito? Era mio padre. Andavo con lui. Scopavo con mio padre.»

«L'hai denunciato?»

«E perché? Non era mica un mostro, era un poveraccio, uno che non sapeva distinguere i sassi dalle olive.»

Scosse la testa, rimandò indietro un rutto che le gonfiò le guance. La sbornia era passata e, come un temporale, aveva ripulito. Italia era limpida.

«È stato meglio così, amore mio, non avrei mai potuto essere una brava madre.»

Vorrei tirarla via da quel camino, da quella grotta nera. È lontana, in un posto dove io non c'entro.

Solo adesso mi racconta questo segreto della sua vita, adesso che ci stiamo lasciando. Sa che non troverà mai più nessuno a cui dirlo. Ha bevuto per farsi coraggio. Vuole aiutarmi ad andarmene. Mi avvicino, le carezzo la fronte, ma tra la sua carne e la mia c'è una fenditura di accortezza. Una parte di me è già in salvo, lontano dal suo amore cariato. *Era proprio te che amavo? O piuttosto un amore che ho preteso dal destino, che ancora pretendo? Me ne riandrò a passeggio per il mondo, e poco importa se la nostalgia farà tremare il mio cuore come un dente in una gengiva rattrappita. Tutti hanno un passato scordato che danza alle spalle. Ora ti guardo e so cosa mi stai insegnando. M'insegni che i peccati si pagano, forse non vale per tutti, ma vale per noi. Perché insieme a quel figlio abbiamo raschiato via noi stessi.*

Non fumo, quindi non c'era nemmeno un mozzicone con l'impronta della mia bocca. Nulla di visibile testimoniava il mio passaggio in quella casa. L'invisibile era nel corpo di Italia. Una volta mi aveva tagliato le unghie dei piedi, ma non le aveva buttate, le aveva lasciate scivolare in un sacchetto di velluto, di quelli che si usano per i gioielli. Quelle unghie tagliate erano tutto ciò che di me le lasciavo.

Conosco l'odore della tua testa, Angela, e tutti gli odori che dall'esterno, anno dopo anno, hai portato in casa. Per un periodo hai odorato delle tue mani sudate, di pennarelli, della plastica delle tue bambole. Hai odorato di scuola, di corridoi chiusi, dell'erba del parco e di smog. Il sabato sera, adesso, odori dei locali che frequenti, della musica che hai ascoltato. Odori di quello che ti è rimasto nel cuore. Ho annusato la tua contentezza, e le nuvole che ti hanno attraversata. Perché la gioia ha un suo odore, e anche la tristezza. Italia mi ha insegnato ad azzittirmi e a percepire. Lei mi ha insegnato ad annusare. A fermarmi, a chiudere gli occhi per respirare un odore. Uno solo, scomposto tra milioni di altri; aspetti e viene, si aggrega per te: un piccolo fumo, uno sciamo di moscerini. E in tutti questi anni l'ho cercata con l'olfatto. Sapessi quante volte ho inseguito un alone lontano, mi sono infilato in un vicolo, ho salito scale. Lei è rimasta negli odori. E anche adesso, sai, se mi annuso le mani in questa stanza asettica, se schiaccio il naso nel fondo dei miei palmi, io so di trovare il suo odore. Perché lei è nel mio sangue. I suoi occhi galleggiano nelle mie vene, due buchi luminescenti come gli occhi di un caimano nella notte.

I primi tempi furono meno difficili. Certo, ero visibilmente ferito, smagrito, provato nel fisico. Ma più che altro riprendevo fiato. Cominciai a curarmi, a prendere integratori, a mangiare meno disordinatamente. La zoppia dell'anima, quella, pensavo, si sarebbe curata da sola con il tempo. E un giorno mi lasciai prendere da una nuova esuberanza. Esattamente come dopo un trasloco, quando si portano su le scatole con i libri, si posizionano i mobili, si riempiono i cassetti, si butta via quello che non serve più: le medicine scadute, i liquori con i tappi incollati, la vecchia scopa. Mi ero iscritto a una palestra. Ci andavo la sera dopo l'ospedale, mi chiudevo in quel locale senza aria, in mezzo ad altri uomini incastrati dentro macchine da sforzo, e sudavo. Sputavo sudore sulla cyclette, convinto che questo esercizio mi avrebbe aiutato a espellere anche le scorie interne. Facevo scattare la leva del rapporto, dovevo faticare di più, inerpicarmi lungo una salita fittizia. Abbassavo la testa, chiudevo gli occhi, e spingevo i muscoli. Tornavo a casa, svuotavo la sacca con i panni madidi per terra accanto alla lavatrice, e mi sentivo più pronto per andare di là ad affrontare quel clima di fiaba fasulla. La pancia di mia moglie cresceva, fuori dalla finestra si vedevano brillare tra le chiome degli alberi le tremule luci delle luminarie natalizie. Una sera l'onda mi raggiunse potente. L'onda nera della malinconia, del disastro. La vita mi cadeva addosso. Non bastava pedalare nel vuoto per essere salvi. Il male non si staccava da me, rimaneva fermo come quella bicicletta senza ruote.

Quella sera le telefonai. In salotto c'erano ospiti, i soliti, si giocava a un gioco di società, sofisticato nella costruzione ma scurrile nello svolgimento. Mi tirai fuori. Composi il suo numero in fretta, ma dovetti fermarmi: non ricordavo le ultime cifre. Fui sopraffatto dall'ansia. Rimasi a respirare con la cornetta sul petto finché il numero apparve nitido nella mia mente.

«Pronto?»

Non risposi subito.

«Pronto…»

La sua voce era già più piccola, precipitata qualche tono più giù. In quel breve tempo di attesa doveva averla raggiunta il sospetto che fossi io a chiamarla.

«Cosa stai facendo?»

Era quasi un mese che non ci sentivamo.

«Sto uscendo.»

«Con chi?»

Non avevo nessun diritto di chiederglielo, scuotevo la testa per biasimarmi. Avevo la faccia contratta, ma con la voce mi sforzai di farle credere che stessi ridendo.

«Ti sei fidanzata?»

Lei rispose senza cambiare tono.

«Andiamo a bere qualcosa.»

Andiamo? Tu e chi? Oh, troietta mia, già ti consoli! E ora non rido affatto, ho una voce che raschia, esce impedita, ma la storpio con quella finta allegra condiscendenza.

«Beh, allora buona serata…»

«Grazie.»

E ora c'era, c'era eccome quella tristezza che speravo di sentire, quel guanto di nostalgia, di fatica.

«Italia?»

«Sì?»

E ora quel "sì" era diverso, Angela. Volevo dirle che da quando non stavamo più insieme avevo già fatto due volte l'elettrocardiogramma. Ero salito a cardiologia e avevo chiesto al collega di attaccarmi le ventose. «Faccio molto sport» mi ero giustificato. Volevo dirle che l'amavo e che avevo paura di morire lontano da lei.

«Riguardati» dissi.

«Anche tu.»

Forse si stava ricostruendo una sua minuscola esistenza, era tornata in quel bar dove c'eravamo incontrati, aveva ricominciato da lì. E un altro uomo si era avvicinato per domandarle qualcosa. Era abituata a scambiarsi con poco, con uno sguardo che le rimandasse un'immagine di se stessa, una qualsiasi. Sì, sarebbe finita tra le braccia di un uomo qualunque che la lasciasse precipitare in pace. Uno stupido che non la conosceva, che non sapeva quanto lei fosse preziosa, che ignorava la sua sofferenza. Lei si lasciava scopare per illudersi di esistere ancora, voltava il capo sul cuscino e piangeva dove lui non poteva vederla. La vedevo io.

In quei giorni scoprimmo il tuo sesso. Avevi le gambe raccolte all'indietro. Manlio ti diede un colpetto, spinse la sonda, si voltò verso Elsa:

«È una femmina.»

Tua madre si voltò verso di me:

«È una femmina...»

Di ritorno in macchina, Elsa taceva, la bocca fissa nel sorriso. Sapevo che desiderava una bimba. Mentre la strada correva, lei pensava sonnambula alla vita che vi aspettava, Angela, a quella grandine di piccoli, clamorosi eventi che accompagnano una crescita, un destino. Indossava una mantella di panno color latte. Accanto a quella maestosa cicogna, mi sentivo un anatraccio in uno stagno senza acqua. Interravo il capo nel traffico, nel presente, cercavo un guanciale dove appoggiare i miei pensieri. Italia era lì, andava e veniva con il tergicristalli. Mi ricordavo le sue parole. Parlava poco, ma quel poco che diceva affiorava sulla sua bocca come se avesse fatto un lungo viaggio nel pensiero, nell'anima.

214

«È un maschio, sono sicura.»

L'aveva detto senza solennità, perché era quello che sentiva, ed era vero. Ora lo sapevo. Ora che mi sembrava di poter penetrare un destino di riserva dove erano allineate le cose non accadute. Questo pensiero mi raggiunse senza ferirmi. Sarebbe stato più facile farla franca. Tirarmi indietro ogni giorno di un morso, fino a lasciarvi sole. Le figlie stanno con le madri, le guardano mentre si truccano, s'infilano le loro scarpe. E io, senza dare nell'occhio, avrei potuto defilarmi, restare in casa come una figura di sfondo, felpato, come un cameriere indiano.

I giorni passavano uno in fila all'altro con il loro fastel-
lo di cose sempre simili, appena impercettibilmente
diverse, come il mio viso. Il tempo lavora così, Angela,
con sistematica gradualità. Un invisibile ma implacabile movimento ci usura. La trama dei tessuti si allenta
e si riassesta sul telaio delle ossa, e un giorno, senza
che nessuno ti abbia avvisato, indossi la faccia di tuo
padre. Non è solo colpa del sangue. Magari la tua anima ha assecondato gli impulsi di un desiderio nascosto, che sai di avere, anche se ti ripugna. Questa muta-
zione si rende visibile a metà della vita, gli anni a
venire non aggiungeranno che qualche fatale ritocco.
Il viso dei quarant'anni è già quello della tua vec-
chiaia. Quello che entrerà nella tua tomba.

Io, che avevo sempre creduto di somigliare a mia
madre, divenni mio padre una mattina di dicembre,
nello specchio della mia auto ferma nel traffico. La
sofferenza aveva incoraggiato il mio soma nel verso
di quell'uomo che continuavo a detestare senza una
ragione precisa. Solo perché ero abituato a farlo fin
da quando avevo memoria di lui. Mi tolsi gli occhiali
e mi avvicinai allo specchietto. Gli occhi vagavano
cupi in un cerchio violaceo, il naso nudo (dove persi-
steva il solco della montatura) era diventato più in-
gombrante. La punta si era adagiata verso la bocca

che invece si era ristretta, come una riva inghiottita dal mare. C'era tutto di lui, o quasi. Mancava quella rampata di buffoneria che, infissa nei lineamenti dal taglio triste, lo rendeva unico, e che non lo lasciò nemmeno da morto. Il volto stecchito, senza più intenzioni, custodiva la prepotenza del suo inquilino defunto. Io ero la sua brutta copia smarrita, un triste signore dalla faccia rapace.

Il giorno di Natale non mi trattenni a casa dei miei suoceri per la tombolata, alla quale, da una certa ora in poi, si aggiungevano nuovi ospiti, dalle facce sazie e assonnate. Passai le cartelle che avevo davanti al mio vicino e uscii a prendere una boccata d'aria. Le strade dopo tutti quei giorni di trambusto erano vuote, le vetrine dei negozi serrate. Il tempo non era buono, faceva molto freddo, e non c'era il sole. Mi rifugiai nella chiesa del quartiere. Era quasi deserta a quell'ora di mezzo, ma si percepiva ancora l'alone dei fedeli che dovevano aver gremito la funzione del mattino. M'incamminai di lato, sotto le volte, nella nicchia dove c'era il presepio. Poche figure di gesso, grandi, quasi a dimensione umana. La madonna con il suo manto dalle lunghe pieghe immobili aveva gli occhi bassi su un pagliericcio rialzato dove riposava la statua del bambino. Balorde, le mie gambe si piegarono davanti a quel brutto capannello di statue dai musi attoniti. Sprofondai in un patetico colloquio con me stesso, come se qualche invisibile presenza mi stesse vedendo e giudicando. Naturalmente non accadde nulla, Dio non si scomoda per un uomo ridicolo. Dopo un po' mi ero già distratto.

Nessuna luce divina spiove sul rigido bimbo che ho di fronte nell'ombra unta d'oro di questa chiesa. La sua aureola è tenuta da un'asticella di ferro nero che forse qualcuno ha riattaccato, perché dietro la nuca di gesso c'è una macchia gialla di vecchia colla. Forse vedo troppe cose, Angela, per poter credere, mi corrono incontro nella loro pochezza. Le sudicie cose della terra che il cielo non raggiungerà mai. Quella povera statua che esce e rientra tra la paglia in una scatola di legno nascosta in sacrestia. È lì che sverna quel neonato dagli occhi turchini, lì lo raggiungono la primavera e l'estate, nel buio di una scatola di legno a doghe dove s'insinuano la polvere e l'umido. E sua madre imballata più in là, di fianco, anche lei con la paglia sul viso. Comparse di gesso da cavare fuori una volta l'anno per cuori trepidi e bugiardi come il mio.

Guardavo quella nascita con disincanto, come uno di quei turisti in pantaloncini corti e sandali che entrano in una chiesa per ripararsi dall'afa e sbirciano incuriositi quel luogo di incenso e giaculatorie sotto lo sguardo rammaricato di una vecchia bigotta con il corpo curvo sul primo banco, quello più vicino all'altare. E c'è davvero una donna inginocchiata, nascosta dietro una colonna. C'è sempre una donna inginocchiata in una chiesa. Vedo le suole delle sue scarpe, e già vedo mia madre. Lei era credente, e mio padre per tutta la vita le vietò di praticare la sua fede. Per non dispiacere il marito, si abituò a pregare in silenzio. Fingeva di leggere, incantava gli occhi su un libro aperto, ma dimenticava di voltare le pagine. Solo verso la fine, quando le assenze di mio padre si fecero sempre più frequenti, lei ritrovò il coraggio. Nelle ore morte scivolava nella chiesa moderna di quel quartiere che detestava. Si piegava su un banco, in disparte, vicino alla porta, all'acquasantiera, al rumore di chi entrava, quasi non si sentisse degna di quel luogo sacro. Le suole delle scarpe di quella donna, come quelle di mia madre. Le suole di chi è inginocchiato, di chi si stacca dalla terra e prega. Anche Italia era credente. Aveva un crocefisso in camera da letto che pendeva tra i grani di un grosso rosario di legno sul muro, e un piccolo crocefisso d'argento al collo che succhiava quando era triste. Forse adesso anche lei s'infilava in una chiesa a chiedere perdono davanti a una statua. Chissà come aveva trascorso il giorno di Natale. Vidi un panettone spaccato sulla tovaglia di tela cerata tra le briciole, la sua mano che tagliava una fetta, e il boccone che attraversava la sua gola in penombra, in quella casa senza riscaldamento. Forse anche lei aveva davanti a sé un presepio, uno di quei piccoli presepi di plastica a blocco unico che si comprano ai grandi magazzini.

Poi scordai. E mentre scordavo, la vita mi premiava. A febbraio divenni primario. Era una cosa che stava nell'aria da tempo. Me lo meritavo. Lavoravo in questo ospedale da diciassette anni. Ero stato assistente, poi aiuto, poi primo aiuto. Adesso comandavo io. Mi lasciai trasportare dall'euforia degli altri, tua madre per prima, e dei colleghi che organizzarono una festa in mio onore. Quella promozione incoronava il mio futuro, ma lo circoscriveva anche. Abbandonavo per sempre il sogno di andarmene in un paese svantaggiato dove la mia professione sarebbe potuta finalmente essere quella che avevo immaginato da ragazzo. Un brivido costante, una missione. Lontano dalla lenta, ipnotica vescica di quest'ospedale ricco e mal gestito, dove i farmaci scadono, e le attrezzature invecchiano ancora chiuse negli scatoloni. Dove tutto accade sotto anestesia, e la cosa più viva è quel topo che ogni tanto attraversa le cucine e fa gridare le cuoche. Ognuno di noi, Angela, sogna qualcosa che scardini il suo mondo ordinario. Lo sogni seduto sul divano, sbracato in mezzo ai benefit che la vita ti aggiunge ogni giorno. D'improvviso, spinto da un ridicolo moto di rivolta, cerchi l'osso dell'uomo che ti sarebbe piaciuto essere. Ma per tua fortuna sei avvolto da un bendaggio di adipe che si è ben assettato intorno a te per proteggerti dagli spigoli, e dalle stronzate che ogni tanto ti racconti. Rimasto solo, dopo che il direttore dell'ospedale si era complimentato con me, tornando in macchina verso casa mi trovai a riflettere su quel cambiamento, su come le cose si andavano assestando. E mi sembrò che anche quella promozione fosse un segno preciso nel grafico che la vita aveva tracciato per me. Ripensai agli ultimi mesi di stordimento amoroso come a una sorta di anno sabbatico, di vacanza intensa e struggente che il mio cuore si era concesso in vista di questo nuovo ciclo di responsabilità che mi aspettava. Tornavo a sentirmi forte. E se qualcosa di terribile era accaduto, ora volava alle mie spalle come una cartaccia nel vento sul lungomare di un'estate finita.

Intanto tu ti muovevi dentro tua madre sempre più a fatica. La sua pancia era grande, sporgeva dagli abiti come un trofeo, l'ombelico prominente come l'umbone di uno scudo. Mancava poco, meno di un mese. Elsa aveva sempre meno fiato. La sera, dopo cena, le posavo una mano sull'imboccatura dello stomaco e la massaggiavo dolcemente. Dormiva poco, quando lei si distendeva tu sembravi svegliarti. Di notte spesso la trovavo vigile e silenziosa, immersa nei suoi pensieri. Vegliava su quel telaio di desideri dal quale tra poco ti saresti sbozzolata. La scrutavo nella penombra e non osavo disturbarla, sentivo che voleva restare sola. Per strada si appoggiava al mio braccio, la sua figura era imponente e maldestra, m'intenerivo quando la vedevo riflessa in una vetrina. I suoi modi m'intenerivano, l'ostinazione che non l'abbandonava mai. Su un fisico così trasformato, tutta quella superbia era davvero buffa. Voleva dimostrarmi che ce la faceva benissimo da sola, così conduceva una vita molto più movimentata di quella che il suo stato le suggeriva. Si vestiva con cura, e mai nei negozi premaman, che detestava. La sua pelle aveva acquistato lucentezza, il suo sguardo era più limpido. E continuava imperterrita a essere in gara con le altre donne.

Facevamo ancora l'amore, il suo desiderio non sembrava risentire dell'affanno fisico. Si stendeva su un fianco e io mi appropriavo del suo corpo che mi accoglieva abbandonato e grande. Faticavo a vincere i timori, che sembravano essere solo miei, davanti a quelle fattezze così cambiate, che mi facevano sentire minuscolo e inopportuno. Era un sesso mite, regalato a una carne già gravida. Ne avrei fatto volentieri a meno. Ma Elsa reclamava le mie attenzioni, allora la accontentavo. Mi accomodavo dentro di lei, tra voi due, come un ospite frastornato seduto su uno strapuntino in una festa troppo gremita. Ascoltavo nel buio il rumore della vita che era tra noi, che avevamo creato con quel moto dei corpi che ora continuava, quasi non avessimo mai smesso. Ero a casa mia, tra le gambe della donna che conoscevo da quindici anni, che era incinta di me. Di là, nella stanza degli ospiti, ora c'era una carta da parati costellata di piccoli orsi, ed era già pronta una culla. Forse avrei dovuto essere più felice di quello che ero. Ma l'intimità è un territorio difficile, Angela. Non pensavo a Italia, però la sentivo. Sapevo che era rimasta nelle mie membra con un rumore di cupi passi, come l'anziana governante di un castello che va smorzando le luci a una a una, fino al buio.

Ed eccoci nella baraonda di quel negozio su due piani con grandi vetrate che lasciano a vista l'interno. Tua madre mi aveva chiesto di accompagnarla a comperare il corredo per te. Erano le sei del pomeriggio, era già buio, pioveva. Elsa scrollò l'ombrello, lo lasciò nel cesto accanto alla porta, si toccò i capelli per sentire se erano umidi, e mi cercò alle sue spalle. Sui nostri capi pendevano un'infinità di animaletti di peluche attaccati con ventose di gomma al soffitto. Nell'area dedicata all'intrattenimento dei bambini, c'erano giochi di plastica dagli spigoli stondati, le ragazze alla cassa con un cappellino a busta rosso come la minigonna, regalavano a tutti i bimbi che lasciavano il negozio un palloncino fissato su una piccola canna di plastica.

Salimmo lungo la scala mobile. Ci aggirammo storditi tra gli stand spingendo il nostro carrello, senza riuscire a deciderci. Eravamo al reparto primi mesi, la piccolezza di quei capi c'impensieriva. Faceva caldo, io avevo il cappotto di Elsa sotto il braccio, e il mio ancora addosso. Lo sbottonai. Elsa, meticolosa, si chinava sulle minuscole creazioni, leggeva il prezzo, la composizione del tessuto.

«Ti piace?»

Aveva tirato su una stampella con un abitino regale, tutto a volant di taffettà. Lo girò da una parte e dall'altra, e decise che era troppo carico per una neonata. Voleva comperare solo cose pratiche, da cambi veloci, da lavatrice. Ma poi dopo un paio di giri, ridendo, acciuffammo il vestito di taffettà e lo buttammo nel carrello. E con la stessa euforia raccogliemmo camicette, gonne, tutine di spugna, un copriorecchie di pelo, un pesce celeste da mettere nella vasca per misurare la temperatura dell'acqua, un libro galleggiante, una girandola di animali con carillon da attaccare alla carrozzina, un paio di scarpine da ginnastica misura 00, completamente inutili ma troppo belle per lasciarle lì. Una commessa ci veniva dietro per consigliarci, sorrideva. Io e tua madre ci tenevamo per mano, ogni tanto lei mi dava una piccola spinta, perché adesso ero io quello che voleva comprare tutto. Eravamo davvero in festa dentro quel negozio dove d'improvviso desideravamo che tu nascessi in fretta per infilarti quell'abito da fiaba, quelle scarpine da atleta. Adesso che avevamo i tuoi indumenti ci sembrava di vederti. Quando la commessa spinse il carrello nell'ascensore, Elsa, con le guance rosse e la fronte imperlata, diede un colpetto sul manico:

«Bene, mi sembra che non manchi niente.»

E adesso per un attimo era un po' sperduta perché ci avviavamo alla cassa con tutta quella roba. Tu non c'eri ancora, eri vestita di acqua. E lei, sempre così accorta, per la prima volta si era lasciata sopraffare dalla frenesia, lei che era entrata dicendo: «Il minimo indispensabile».

Alla cassa la ragazza con il cappello rosso sorrise e mi regalò un palloncino. Pieni di sacchetti, recuperammo l'ombrello di Elsa dal cesto e uscimmo. Fuori c'era il rumore del traffico e della pioggia che cadeva sui marciapiedi, sulle auto ferme al semaforo. Avevo chiesto alla commessa di chiamarci un taxi, e ora lo aspettavamo in piedi sotto la tettoia del negozio, una tenda gonfia dove l'acqua si tratteneva un po' prima di cadere a terra. C'era altra gente intorno a noi, accalcata lì sotto per sfuggire alle raffiche di quella pioggia che all'improvviso si era fatta violentissima. Troppo vicino a una mia gamba gocciolava l'ombrello di una signora poco attenta. Sforzavo la vista appannata oltre i capelli di Elsa, alla sua sinistra, tra i fari rossi e gialli che mi raggiungevano sfocati e si spargevano nell'aria densa d'acqua in fondo alla strada. Cercavo l'insegna luminosa del taxi in arrivo. I sacchetti tutti in una mano, nell'altra quel ridicolo palloncino di cui ancora non ero riuscito a liberarmi.

Finalmente il taxi sbuca, incolonnato tra le altre macchine, avanza lentamente nella nostra direzione. Muovo la testa e con lo sguardo cerco quello di Elsa, che mi è accanto ma si è distratta.

«Eccolo» dico.

Mi blocco. Torno indietro, di poco, in un punto in profondità tra me e il traffico dove il mio sguardo in movimento, infastidito dal diluvio, ha catturato qualcosa: un'ombra che è scivolata nel mio campo visivo per una frazione di secondo. Di fatto non ho visto nulla, non è che un alone nell'acqua. Ma sono subito certo. Ed è una scossa nello stomaco e una tenaglia nella gola. Italia è lì, immobile sotto la pioggia. Sta guardando nella nostra direzione. Forse ci ha visti uscire dal negozio... Ridevamo per via di quel palloncino, di quella cassiera dai modi troppo espansivi. «Che troietta» mi aveva sussurrato Elsa in un orecchio, «con questa pancia ha pensato che sono fuori combattimento...» Avevo riso, e quasi scivolavo sul marciapiede. Per sorreggermi Elsa si era sbilanciata, e stavamo per cadere insieme. Allora avevamo riso ancora di più, felici e comici, sotto quell'acqua che

224

scendeva a dirotto. Italia sta guardando Elsa accanto a me. Elsa con la pancia gonfia sotto il cappotto. Ho in mano quel palloncino rosso, lo abbasso perché ora mi vergogno, e intanto cerco con il mio corpo di nascondere quello di Elsa. La proteggo da quegli occhi fermi a pochi metri da noi. Non vedo l'espressione di Italia, la luce di una vetrina la bagna alle spalle, il volto è in ombra. Non ha più i suoi capelli gialli. Ma so che è lei, e so che ci ha visti. E non so più dove sono. Non ci sono che ombre, e bagliori che sfiorano il mio viso. Sono solo con lei nel rumore della pioggia. Lei senza riparo, con il corpo rigido intirizzito, la giacca di lana zuppa, le gambe scoperte. Alzo una mano, lo scolo dell'acqua che cade dalla tenda s'infila nella manica del mio impermeabile. Le sto dicendo di aspettarmi, le sto dicendo: non ti muovere.

Il taxi si è fermato accanto a noi, Elsa sta salendo con l'ombrello piegato sulla testa. Vedo le sue spalle, il suo cappotto che s'infilano dentro la portiera. Torno a guardare Italia: se ne sta andando. Seguo il suo corpo che attraversa la strada tra le macchine che vanno a passo d'uomo. Mi chino dentro la portiera rimasta aperta. Elsa dal basso mi guarda, non capisce cosa sto aspettando.

«Ci vediamo a casa.»
«Perché? Non vieni?»
«Ho dimenticato la carta di credito...»
«Ti aspetto.»
Le macchine suonano alle spalle del taxi.
«No, vai. Faccio due passi.»
«Prendi l'ombrello, almeno.»
Vedo il viso di Elsa nel vetro posteriore voltato verso di me, mentre il taxi si allontana. Attraverso la strada, mi è rimasto un sacchetto colmo di cose da neonato in una mano, nell'altra il palloncino della

cassiera e l'ombrello di Elsa che non ho aperto perché non ho nessuna intenzione di ripararmi. Guardo il marciapiede opposto, guardo da una parte e dall'altra, Italia non c'è. Mi affaccio in un bar affollato di persone che stazionano in piedi accanto al banco in attesa che il temporale finisca. C'è odore di segatura bagnata e di ketchup, Italia non è lì. Ora non so più dove cercarla, ma sto correndo, m'infilo nella prima strada che mi trovo davanti, che poi finisce e prosegue in una stradina laterale, stretta e buia, dove la pioggia rimbalza solitaria. La vedo. È seduta sui gradini davanti a un portone dove ha appoggiato la schiena. Non mi sente, perché il rumore della pioggia divora quello dei miei passi. Non mi vede, perché ha la testa sprofondata nelle mani. Guardo la fuga della sua nuca curva. Non ha più i suoi capelli di paglia, ora ce li ha corti, scuri, appiccicati alla cute come una calza luccicante. È lì che poso la mano, su quella testa incredibilmente piccola, su quei capelli bagnati. Lei ha uno scatto, il suo collo, la sua schiena vibrano come se l'avesse raggiunta una frustata. Non mi aspettava. Il suo viso è una maschera macera d'acqua, i denti battono sotto le labbra serrate. Ascolto quel battito di denti impazziti che Italia non riesce a frenare. Sono davanti a lei, vicinissimo a lei. L'impermeabile zuppo grava sulle mie spalle, l'acqua s'insinua nel collo tra la carne calda e i vestiti. Ho corso, respiro con la bocca aperta mentre la pioggia scende sul mio viso. Ho un palloncino rosso in mano. Com'è niente, stretta al suo corpo fradicio, le gambe bianche allargate sui gradini, un paio di stivali corti sulle caviglie, lucidi d'acqua. È atroce ritrovarla, e bellissimo. Sembra più giovane. Sembra una bambina ammalata. Sembra una santa. L'acqua scava i suoi lineamenti. Non le restano che gli occhi. Due pozzanghere lucenti che mi scrutano mentre il trucco nero cola sulle sue guance come fuliggine bagnata. È sola con le sue ossa, con i suoi occhi. È lei, il mio cane perduto.

«Italia...»

E il suo nome rotola dentro quella strada buia e stretta, tra i muri che la chiudono. Lei si porta le mani sulle orecchie, scuote la testa, non vuole sentirmi, sentire il suo nome. Mi inginocchio sui gradini, davanti a lei, le prendo le braccia. Lei sussulta, scalcia. «Vai via...» dice tra i denti che continuano a tremare. «Vai via... via!»

«No, non me ne vado!»

E adesso sono io il cane, abbasso il muso addosso a lei, sul suo grembo bagnato. C'è un odore forte in quei panni fradici. L'acqua ha risvegliato qualche vecchio odore infilato nella trama floscia di quel giaccone di lana. È un odore di bestia sudata, di parto. E io sono già un figlio, tremo inginocchiato sui gradini, mentre il diluvio ci cade addosso. Circondo con le braccia i suoi fianchi magri.

«Non ho potuto dirtelo, non ce l'ho fatta...»

Lei ha spostato la schiena per allontanarsi dal mio abbraccio, respira affannata, ma ha smesso di scacciarmi.

Mi sollevo, cerco i suoi occhi. E ora una sua mano si stacca da terra, si avvicina al mio viso e lo carezza. E quando quella mano fredda, come la pietra dov'era posata, si ferma sulla mia guancia, io so che la amo. La amo, figlia mia, come non ho mai amato nessuno. La amo come un mendicante, come un lupo, come un ramo di ortica. La amo come un taglio nel vetro. La amo perché non amo che lei, le sue ossa, il suo odore di povera. E voglio urlare a tutta quell'acqua che non ce la farà a portarmela via in uno di quei rigagnoli che corrono lungo il selciato deserto.

«Voglio stare con te.»

Mi guarda con quegli occhi che l'acqua sembra aver arrugginito, la sua mano carezza le mie labbra, il pollice s'infila tra i miei denti.

«Mi ami ancora?» dice.

«Di più, Gramigna, molto di più.»

E lecco il suo pollice, lo succhio come un neonato. Succhio tutto il tempo che siamo stati lontani. Siamo ancora noi, vecchi di un'estate prima, addossati a un portone sotto l'acqua che scola dai terrazzi, nel profumo di un giardino umido che c'è là dietro, noi con la carne tiepida e fumante sotto i panni bagnati, noi di nuovo in strada come due gatti. La mia lingua è nel filo delle sue ciglia. Si è tolta le mutande e le stringe in una mano. Le gambe aperte come una bambola, i piedi negli stivaletti lucidi di acqua. Muovo la schiena, mi spiaccico dentro di lei, mentre l'acqua scivola nel nostro capannello di tepore, come dentro un gazebo, una serra. I visi incatenati, e lì sotto quel piacere di vischio, che ti sbatte lontano, e si porta via tutto. E non hai più paura nella schiena dove qualcuno potrebbe raggiungerti, per prenderti a calci, per svergognarti. Sei un verme di carne al riparo dentro il corpo che ami. Siamo ancora noi, nel crepuscolo dei fiati. Noi che non resteremo, che moriremo come tutto muore.

Poi è davvero buio, e l'acqua è davvero tanta. Dove andremo? quale destino? quale stanza ci accoglierà adesso? Non dovevamo amarci, eppure lo abbiamo fatto. Come cani, in mezzo alla strada. E il dopo è sempre opaco, faticoso, incerto. Pochi gesti goffi, di assestamento, una carezza, una vergogna in più. L'abbiamo fatto e non dovevamo farlo. Ho una moglie incinta a casa che mi aspetta. Non importa, rinfilati le mutande, Italia. E anch'io, su le brache, svelto e malamente sotto l'impermeabile che sembra uno straccio da buttare. Nessuno ci ha visti, perché non c'è anima viva in quella strada, tirata fuori dal mondo per noi. Italia si è alzata, guardo il suo corpo spettrale dentro la giacca di lana pesante d'acqua. Sembra una capra smarrita, sola su un dirupo sotto un acquazzone. È di nuovo tutto terribile. Accanto a me c'è un lampione spento. *Se un fulmine ci avesse colpiti mentre ci amavamo! Un serpente di elettricità, conficcato tra me e lei. Un filo azzurro e vibrante, piantato dentro al nostro piacere. Allora sì, che avrebbe avuto un senso...*

Ma adesso... Adesso, passare le mani sugli abiti spiegazzati, sui capelli incollati, e tornare con quel rimestio ancora dentro, con quei corpi squassati, al mondo in fondo alla strada che luccica di luci riflesse sull'asfalto, di auto che viaggiano, di gambe veloci sotto gli ombrelli. Siamo ancora noi, due poveri disgraziati, due squallidi amanti in mezzo alla strada. C'è un palloncino rosso sul selciato nero, come un cuore dimenticato, Italia lo guarda.

«Perché ti sei tagliata i capelli?»

Non risponde, sorride nel buio, i suoi denti imprecisi si affacciano sotto la lama minuta delle labbra. Così torniamo tra la folla, con il mio braccio piegato e la sua manina in mezzo, le dita affondate nel mio impermeabile. Avanziamo pianissimo, sento la sua difficoltà a camminare nel braccio dove lei si appoggia. La poca gente che passa ci fruscia accanto senza accorgersi di noi. Ora, finalmente, il cielo cola piano, come un panno strizzato che essuda le ultime gocce.

«Cos'è? Fammi vedere.»

Siamo ancora noi, ancora una volta seduti in un bar, nel tavolo più nascosto. Dietro le spalle di Italia c'è un rivestimento di legno scuro a doghe. Il tavolo è stretto, bagnato dai nostri gomiti bagnati. In basso i ginocchi si sfiorano, mentre sotto le suole delle scarpe si è attaccato qualche vecchio tovagliolo di carta. Ho fatto l'errore di posare quel sacchetto sul tavolo, non mi sono accorto di farlo. E Italia ora se lo è tirato dalla sua parte. Trattengo il sacchetto:

«Non c'è niente...»

«Fammi vedere.»

E il vestitino con i volant di taffettà sguscia fuori, umido e arruffato.

«È una femmina?»

Annuisco con lo sguardo basso dentro l'imbuto delle mie mani accostate sul tavolo. Mi fa impressione vedere quella stoffa candida in mezzo a noi. Meno di un'ora fa io e tua madre ridevamo davanti a quel vestito, l'avevamo staccato dalla gruccia e messo nel carrello, eravamo felici. Adesso lo guardo e mi sembra orribile. L'acqua l'ha appassito mentre io e Italia facevamo l'amore. Sembra l'abitino di una bimba morta, affogata in un lago. Italia ha la testa china, muove le mani, le muove troppo, allarga la stoffa, sfiora i volant.

«Che peccato, speriamo che non si sia ristretto.»

Lo rovescia, cerca l'etichetta interna.

«No, per fortuna, si può lavare a mano...»

Cosa sta facendo? Cosa sta dicendo?

«... basta stirarlo, torna perfetto.»

Adesso lo piega. Prende le maniche, le gira verso l'interno, con cura, quasi non riuscisse a staccarsi da quella stoffa. I suoi occhi non vogliono guardarmi, si posano oltre di me, tra la gente che si muove nel fondo dall'altra parte del locale.

«La mattina in cui ho abortito sono venuta sotto casa tua. Sei uscito dal portone, ma non mi sono avvicinata perché c'era tua moglie. Siete andati verso la macchina, tu le hai aperto lo sportello, l'hai urtata leggermente. Lei si è portata le mani sulla pancia, in basso... Allora ho capito. Perché la mia vita è stata tutta così, piena di piccoli segni che mi vengono a cercare.»

«Non mi perdonerai mai, vero?»

«Dio non ci perdonerà.»

Disse proprio così, Angela. E ora sento le sue parole che tornano a me, da quel bar, da quella pioggia, da quel tempo distante. *Dio non ci perdonerà.*

«Dio non esiste!» sibilai stringendole le mani ghiacce.

Lei mi guardò, e forse rise di me. Scrollò le spalle: «Speriamo.»

Non parlammo di rivederci, non parlammo di niente. La salutai in mezzo alla strada. Mi disse che partiva, che doveva lasciare la casa ai nuovi proprietari.

«E dove vai?»

«Per adesso torno giù, poi vediamo, forse me ne vado in Australia.»

«Lo parli l'inglese?»

«Imparo.»

Tua madre ha partorito la sera successiva. Le contrazioni sono cominciate verso le prime ore del pomeriggio. Ero in ospedale, mi sono mosso subito. L'ho trovata in soggiorno, ancora in vestaglia, davanti alla televisione spenta. Ha allungato la mano nel divano vuoto.

«Vieni.»

Mi sono seduto accanto a lei. Si è portata le mani sui fianchi, ha stretto la faccia per scacciare il dolore. Ho guardato l'orologio, dopo pochi minuti un'altra contrazione l'ha raggiunta.

Sono andato in camera dove già da qualche giorno era pronta la borsa con le vostre cose.

«Posso chiuderla?» ho gridato per farmi sentire.

Ma lei mi aveva già raggiunto:

«Sì» ha detto piano.

Si è tolta la vestaglia e l'ha buttata sul letto. Ho preso il vestito che era sulla sedia, l'ho aiutata a infilarlo.

«Stai tranquilla.»

Si è aggirata un altro poco per casa senza una meta. Si è avvicinata alla libreria, ha preso un libro, poi lo ha rimesso al suo posto e ne ha preso un altro.

«Il cardigan...»

«Te lo cerco. Quale?»

«Quello celeste, quello che vuoi.»
Le ho dato il cardigan e lei lo ha lasciato sul tavolo.
Ha raggiunto il bagno. Ne è uscita pettinata e con il rossetto sulle labbra, ma tremava. Le doglie la accerchiavano, sempre più vicine tra loro. Si è fermata all'ingresso, ha sollevato la cornetta del telefono e composto il numero dei suoi genitori.
«Mamma, noi stiamo andando. Non venite subito però, c'è tempo.»

Invece di tempo ce n'è stato poco. In macchina le si sono rotte le acque. Quel fiotto di caldo improvviso la spaventa, la mette a disagio. Non le va proprio di arrivare in clinica con il vestito bagnato. Per fortuna c'è il soprabito, se lo tiene sulle spalle mentre entriamo in un androne di marmi scuri. Io dietro di lei, con la borsa. Saliamo subito, Bianca, la ginecologa, è già lì che ci aspetta, fuori dall'ascensore. Con Elsa si danno del tu.
«Come va, Elsa?»
«Insomma...»
Io l'ho vista un paio di volte in tutto, è una donna di mezza età con i capelli corti e brizzolati, alta, elegante, velista. Manlio ci è rimasto male quando Elsa gli ha detto che preferiva farsi seguire da una donna, lo ha detto durante una delle nostre cene con un sorriso dolce e spietato, quando forse ha intuito quella loffia complicità tra me e lui. Bianca mi tende una mano:
«Salve.»
La maternità è al quarto piano, ha un pavimento di piastrelle verde prato, che le dà un'aria allegra, da asilo infantile. In corridoio sulle porte chiuse sono appese coccarde di velo e nastri, rosa o celesti. La camera ha un letto elettrico di metallo dorato e una grande finestra dove spuntano le fronde del giardi-

233

no. Elsa si appoggia al letto, respira a fatica. Esco mentre entra Kentu, un'ostetrica di colore, dalle fattezze robuste e festose, seguita da Bianca che deve visitare Elsa. Quando rientro, la macchina del monitoraggio per misurare l'intensità delle contrazioni è accanto a Elsa che guarda nel blu del monitor con occhi gelatinosi. Ha le labbra secche, l'aiuto a bere. Le hanno fatto il clistere, l'hanno depilata, l'hanno maneggiata intimamente, e lei è stata docile come una neonata. Va avanti e indietro per la stanza con le mani sui fianchi. Ogni tanto si ferma, alza una mano sul muro e resta così, con la testa bassa, le gambe larghe, quella grande pancia pendula. Si lamenta piano. L'aiuto nella respirazione, le carezzo la schiena. Ogni tanto Bianca si affaccia. «Come va?» chiede. Allora Elsa abbozza un sorriso che non le riesce. Ha letto su un manuale che il carattere di una donna si vede nel parto. Vuole sembrare coraggiosa, ma forse non ha più così voglia di esserlo.

«È più pallido lei di sua moglie» dice Bianca, mentre torna ad accostare la porta. Ha modi sbrigativi, saldi, e non manca di una sua ponderata ironia. Non sembra avere una grande considerazione degli uomini, ora capisco perché Elsa l'apprezza tanto. Sono un medico, dovrei aiutarla meglio di quello che faccio, ma ho pochi rudimenti di ostetricia, e comunque l'evento che ci corre incontro ha poco a che vedere con la scienza, appartiene alla natura. È quella che scuote il suo corpo, lo fa vibrare accanto al mio. E spero che tutto si concluda in fretta. Adesso, Angela, improvvisamente, ho paura che qualcosa non vada nel verso giusto. Tua madre sta soffrendo, sorreggo la sua fronte, e intanto ho paura. Sono un lestofante. Ho un'amante che non riesco a dimenticare. Perché ho perso un figlio con lei, l'ho lasciato andare senza muovere un dito. Un figlio che avrebbe avuto lo stesso travaglio per venire alla luce. Invece è rimasto nel nero di un monitor spento. Elsa è di nuovo stesa. Sul monitor i picchi rossi delle contrazioni sono in salita. Allarga le gambe, Bianca la sta visitando. Le infila la mano dentro, in fondo. Elsa solleva la testa, grida. Il collo dell'utero è aperto, la dilatazione è di dieci centimetri.

«Ci siamo quasi» dice Bianca mentre si sfila il guanto di lattice e lo butta nel contenitore d'acciaio. Elsa adesso è aggrappata con tutta se stessa alle braccia negre dell'ostetrica, forti come tronchi d'albero.

«Venga a vedere.»

Mi avvicino e guardo. Il sesso di tua madre è cresciuto, è largo e teso. Gonfio della tua testa. C'è qualcosa lì in mezzo. Uno spicchio di nero. I tuoi capelli, Angela. La prima cosa che ho visto di te.

Ci avviamo verso la sala parto. Elsa mi cerca con la mano, me la stringe forte. L'infermiera corre spingendo la barella, io fatico a trattenere la mano di Elsa. Prima di entrare in sala parto, sussurra sfibrata:

«Sei sicuro di voler assistere?»

Veramente non sono affatto sicuro. Sono un chirurgo, ma ho paura di cadere steso. Mi ha fatto una grande impressione vedere quel morso nero, lì tra il sangue e l'inguine depilato di mia moglie. Resterei volentieri fuori, mi spaventa questa faccenda poetica e cruenta insieme, ma so che non posso rifiutarmi, per Elsa è importante che io ci sia. C'è una grande forza intorno: registro intimamente questa vibrazione misteriosa, un ultrasuono che cattura la mia persona adulta nel cristallo dove comincia la vita.

Così sono dentro, in sala parto, e il parto è cominciato. Bianca muove le mani tra le cosce di Elsa, ha un volto serio, teso, e braccia all'improvviso temerarie, da levatrice di campagna. Bisogna fare in fretta. Bisogna che Elsa spinga, e lei lo fa, guidata da Bianca e da

235

Kentu, che ha le mani in alto sul ventre in movimento di Elsa, e preme con decisione:

«Un respiro profondo e poi, una bella spinta forte, come se andassi al gabinetto.»

Elsa ha il collo sollevato nello sforzo, la testa rigida, il viso cianotico. Si guarda la pancia ancora piena, digrigna i denti, serra gli occhi e prova a spingere, ma è già estenuata.

«Non ce la faccio, mi fa troppo male...»

«Respira, prendi un bel respiro!»

E adesso Bianca parla forte, con tono autoritario.

«Forza, così!»

Carezzo i capelli di tua madre che sono bagnati e s'incollano sui palmi delle mie mani. Bianca fa un passo indietro, si stacca dal lettino. Davanti alle cosce di Elsa ora c'è Kentu, gli occhi conficcati nel sesso. Mi avvicino. Adesso voglio vedere. È un attimo, Angela, le mani di Kentu dentro quell'imboccatura insanguinata, un dito di qua, uno di là. Un rumore secco, come di un tappo che salta, e la tua testa è fuori. Poi il resto del corpo, velocissimo. Sembri un coniglio. Un coniglio spellato. Il torso lungo, il muso rattrappito. Sei sporca di sangue e di una fanghiglia chiara. Il cordone ombelicale è girato intorno al tuo collo.

«Ecco perché non veniva...»

Bianca agguanta il cordone, libera la tua testa, e poi lo recide. Intanto ti arriva un colpo sulla schiena, un piccolo colpo di una mano nera. Il tuo viso è talmente sporco che non riesco ancora a capire come sei. Sei azzurra. Senti il colpo e non ti muovi, resti immobile, appesa come un budello. C'è un neonatologo oltre la parete di vetro satinato che divide la sala parto. Bianca si precipita verso di lui con te in braccio. Non vedo più. Solo ombre di teste, di corpi. Sento il rumore dell'aspiratore in funzione, hai la gola intasata di muco, ti stanno pulendo. Non hai ancora pianto.

Non sei ancora viva. Elsa, paonazza e sudata, mi guarda. Dialoghiamo attraverso quegli occhi che si incontrano increduli. Stiamo pensando la stessa cosa: *non è possibile, non è possibile*. La mano di Elsa adesso è gelata, e anche il suo viso lo è. È durato poco, Angela. Ma quel poco è stato un interstizio d'inferno. Vedo Italia e io dentro di lei, infinite volte, tutte le volte che abbiamo fatto l'amore. Punirmi è l'unico modo che ho. Infilare la testa in una forca già armata. Guardo tua madre, e forse anche lei si sta privando di qualcosa per salvare la tua vita. Afferro il mio demonio, quello che mi solca la schiena, quello che mi entra nei coglioni: *Fai vivere la bambina e io rinuncerò a Italia!*

Il grido arriva. Acuto, intenso, perfetto: il primo grido piantato tra le mie mani e quelle di tua madre, tra i nostri palmi madidi. Una lacrima scivola sulla tempia di Elsa, si perde nei capelli. La gioia ha tempo, è placida, lenta. L'aspiratore si è spento, le cose tornano al loro posto. I patti col diavolo già non valgono più. Tra le braccia di Kentu, arrivi tu: una scimmia rossa in una copertina bianca. Ti accolgo, ti scruto. Sei bruttissima. Sei bellissima. Hai labbra forti, già incise, rovesciate fuori nel cuore del viso ancora accartocciato, gli occhi gonfi, semichiusi perché tutta quella luce improvvisa ti dà fastidio. Alzo un gomito per ripararti da quel fascio violento che piove dalla scialitica rimasta accesa. È il primo gesto che faccio per te, il primo con cui ti proteggo. Mentre mi chino su tua madre. Ti guarda con una faccia che non dimenticherò più. Una faccia appagata e stupefatta, ma con un suo minuscolo fondo di tristezza. Capisco il sentimento che esprime: la consapevolezza repentina del compito che la vita le sta assegnando. Fino a un attimo prima era una donna che sudava e rovesciava la testa, adesso è già una madre, ha assorbito nel suo sembiante la maternità. Isolata in quel cono di luce fredda che cade dall'alto, i capelli scomposti, accresciuti dall'affanno, ha la potenza e l'incertezza di un prototipo.

Tua madre rimase in sala parto per il secondamento. Io scesi a piedi con te in braccio lungo le scale verso la stanza. Anche se eri leggera come un sacchetto di pane, pesavi tanto, mi sentivo inadatto a quel trasporto eccezionale. Sulla porta era già appesa una coccarda rosa. Finalmente eravamo soli. Ti ho posata dolcemente sul letto. Curvo su di te, ti ho guardata dall'alto del mio viso adulto. Ero tuo padre e tu non sapevi nulla di me, della vita che era corsa sulla mia schiena. Ero tuo padre, un uomo con grosse mani trementi, e un suo odore incuneato nei pori della pelle, un uomo attraversato da quarant'anni di giorni. Sei rimasta immobile, così come ti avevo depositata, come una tartaruga capovolta. Mi guardavi con quegli occhi d'acqua, di un grigio profondo. E forse ti chiedevi che fine avesse fatto quella strettezza che ti aveva custodita. Non piangevi. Te ne stavi lì, buona, affacciata dentro quei vestiti troppo larghi per te. Sembravi un topo vestito. Ho pensato che mi somigliavi. Eri minuscola, indecifrabile, ma avevi qualcosa che riconoscevo. Tu hai catturato quasi tutti i miei lineamenti, Angela. Hai trascurato la bellezza di tua madre per impossessarti del mio soma poco attraente, che su di te misteriosamente ha trovato pieghe e forme privilegiate. Non sei una bellezza moderna, aggressiva. Hai un volto desueto, di una dolcezza infinita, largo e tacito. Un volto senza crepuscolo. Ti ho sempre trovata speciale. Mi accoccolai accanto a te, raccolsi le gambe come un feto. Avevi pochi minuti di vita, ti guardavo e mi sentivo impreciso e fuori fuoco, esattamente come tu mi vedevi. Mi chiedevo se dal mondo bianco da cui provenivi tu avessi portato un po' di grazia anche per me. Era ormai l'alba, la tua prima alba.

Ti lasciai sola su quel grande letto, e me ne andai verso la finestra. Oltre il terrazzo, in basso, c'era un giardino che cominciava ad apparire. L'aria era farinosa di bruma e il sole assente. Pensai a quel giorno coperto e vischioso che si alzava tra i palazzi e le baracche che circondavano la casa di Italia. Cosa stava facendo in quello spruzzo di alba? Forse aveva ritirato uno straccio appeso al filo scorrevole fuori dalla finestra della cucina, e poi era rimasta a soppesare il cielo tagliato dal viadotto con una mano sotto il mento. Pensai a mia madre, le sarebbe piaciuto avere una nipote femmina. L'avrebbe portata con sé in quegli albergoni estivi a mezza pensione. Nonna e nipote. A pranzo un panino sul letto sporco di sabbia. A cena l'acqua minerale richiusa con il tappo di gomma, e il tovagliolo del giorno prima. Ma non potevo certo bussare alla sua tomba. Eri nata, pesavi due chili e settecento grammi, avevi occhi lunghi e malinconici come i miei.

La giornata trascorse densa. La stanza si popolò di visitatori e di fiori. I genitori di Elsa deambularono tra il letto della figlia e la nursery fino a sera. Arrivarono parenti lontani e amici stretti. Nonna Nora parlava, intratteneva i visitatori, stabiliva somiglianze con te. Nelle pause tra una visita e l'altra sistemava le cose in giro per la stanza, le gelatine di frutta, i fiori nei vasi. I suoi modi troppo premurosi, come al solito, infastidivano Elsa, che se ne stava imbambolata nel letto, le mani incrociate sul gonfiore della pancia, il braccialetto di gomma rosa intorno al polso. Quando incontrava i miei occhi alzava le sopracciglia e mi implorava con lo sguardo di liberarla della madre. Prendevo Nora sotto braccio e me la portavo dietro al bar della clinica. Tu ti eri già attaccata al seno. Mi piegavo su Elsa e l'aiutavo a posizionarti correttamente. Sembravi molto più esperta di noi, sapevi già tutto. Afferravi il capezzolo, succhiavi, poi ti addormentavi. Restavo a guardarvi seduto sulla sedia accanto. Fin da quelle prime ore ho sentito che il vero legame era il vostro.

Arrivo alla sera frastornato, stanco. Ho spostato la sedia accanto alla finestra. La bruma non se n'è andata mai del tutto, e adesso è ancora lì a impastare quel buio. Nel giardino, al centro delle aiuole, ci sono luci che hanno un alone bianco nell'aria nebbiosa. Un'auto passa cauta, sguscia tra le siepi, e scivola silenziosa oltre il mio occhio, oltre il mio naso. *Nessuno di noi vivrà, comunque sia, questo circo avrà termine, questo soffuso scodinzolare di cose, di macchine nel buio, di luci nella nebbia, di occhi riflessi contro un vetro. Sono un uomo triste e continuerò a esserlo, un uomo che guarda con sospetto il suo occhio nel vetro, un uomo che stenta ad amarsi, che sopravvive malgrado il disamore verso se stesso. E cosa potrò darti, figlia mia? Sei tornata di là nella culla a rotelle della nursery, perché tua madre bisogna che riposi. Ha lasciato il vassoio della cena in fondo al letto e ora guarda un televisore dal volume troppo basso con gli occhi assonnati. Cosa potrò insegnarti, io che non credo nella gioia, io che punisco la bellezza, io che amo una donnetta dalle natiche magre, io che sventro corpi senza sussultare, io che piscio in piedi e piango di nascosto? Forse un giorno ti parlerò di me, forse un giorno saprai farmi una carezza e ti sembrerà strano che quello sotto la tua mano sono io.*

Raffaella attraversa il giardino con la sua giacca verde acido. È già stata qui nel pomeriggio, ha scattato molte fotografie. Si è buttata sul letto accanto a Elsa per farne una con l'autoscatto, e il letto ha oscillato

240

per quel peso gagliardo e improvviso. Aveva detto che sarebbe tornata più tardi, dopo il lavoro, e ora saltella tra le aiuole con un pacchetto in mano: paste mignon per la sua migliore amica da gustare in quella serata dolcissima. E la sua faccia sbuca, fa capolino dalla porta, con quel sorriso che non può fare a meno di esistere. Elsa si tira su, si baciano di nuovo.

«Angela dov'è?»

«Al nido.»

«Allora si può fumare.»

Raffaella, con una delle sue sigarette marroni in bocca, apre la carta dei mignon e li deposita sul ventre di Elsa. Approfitto per prendere una boccata d'aria, nelle stanze c'è un caldo eccessivo. Cammino nella bruma notturna, senza andare lontano. M'infilo nel self-service della clinica, accanto a uomini come me, fatti padri da poche ore. Poveri coglioni con giacche impermeabili, occhiaie, e un vassoio in mano. Il posto è buio come il pavimento di granito scuro, buio come i soffitti bassi, come le plafoniere mogie, giallognole e satinate. Padri al refettorio come bimbi all'asilo. E il cibo naturalmente è una schifezza. Ma è bello così, nel retro della clinica, come in colonia, come in castigo. È un po' tardi, la pasta è morbida e dilatata, le scaloppine al limone hanno lembi scuri e una salsa che pare colla da tappezziere. Ma nessuno si lamenta. Voci basse come in sacrestia, tintinnio di bicchieri capovolti accanto alle posate sul foglio di carta che si sposta sul vassoio. E c'è qualcuno che si ferma, cerca tra le bottigliette d'acqua minerale il quarto di vino con il tappo a vite. E ci pensa un po' su prima di prenderlo. Ma poi sì, perché: *e che cazzo! Stasera si festeggia. Stasera il mio cazzo ha dato pane al mondo. E io mi merito un quartino.*

Poi si siedono e mangiano, come mangiamo noi uomini da soli, senza donne. Rapidi, allentati nei modi, con il pezzo di pane sempre pronto. Mangiamo come quando ci masturbiamo, quando tiriamo via veloci verso la fine. Io sto in un canto, ho preso una birra e due fette di formaggio che mangio a pezzi, strappandolo con la mano, senza pane. I gomiti sul tavolino di formica, dove c'è il segno di una spugna che è passata da poco, guardo, in quella profondità opaca, i dorsi dei miei simili.

Sono rimasto con Elsa tutta la notte. Il divano di skai sotto il televisore si trasforma in un letto corto e stretto. Ma non mi stendo, raccolgo il cuscino fresco e immacolato e me lo sistemo dietro la schiena sul muro oltre la poltrona dove resto seduto. Chiudo gli occhi, sonnecchio. Nessun rumore preciso, ma nessun silenzio. Verso le due Elsa chiede un po' d'acqua, le avvicino il bicchiere alla bocca, le sue labbra sono aride, quasi piagate.

«Vieni accanto a me.»

Mi stendo sul suo letto regale, largo, snodato, con tanti cuscini. Elsa ha il seno grande sotto la camicia da notte, e un odore di sudore rappreso e di medicamenti:

«Non riesco a dormire, è come se mi avessero buttata in una lavatrice...»

Dopo un po' tace. Tace come i suoi capelli. E forse adesso dorme. Apro la porta e scivolo nel buio del corridoio verso la nursery. Sul vetro adesso c'è una tenda di garza. S'indovinano, ingigantite, le sagome delle culle, le loro ombre. Appoggio una mano sul vetro: mia figlia dorme lì dentro. Piccole mani paonazze, occhi come conchiglie chiuse sul viso.

All'alba Kentu entrò con te in braccio, calda di sonno e rossa del bagno appena fatto. Indossavi una tutina nuova, bianca a ricami rosa, e il tuo viso sembrava più disteso. Il viso di tua madre invece si era scolorato e ora dalla pelle traspariva un fondo giallognolo. Era china su di te, e anche tu la guardavi con i tuoi occhi velati, sorvegliavi il suo seno come un animale bisognoso.

«Io vado.»

Alza appena la testa. Sono in piedi a capo del letto, ho la giacca gualcita sulla spalla tenuta da una mano stanca, la barba lunga, la faccia di chi non ha dormito. Il suo sguardo è soave, ma sospeso, come incrinato da un sospetto. Mi muovo verso la porta come una falena notturna dalle ali grevi come sughero, rimasta prigioniera in una stanza fino al giorno.

«Quando torni?»

Ho sentito un rumore, un urto improvviso, e un tonfo dentro, nel petto, come quando si cade nel mezzo del sonno. Forse non è successo nulla, lo smottamento è stato solo interiore, il residuo di un pensiero. No, dev'essere caduto qualcosa di là. Era un rumore violento ma attutito da una parete, ferraglia scaraventata contro qualcosa. Una lettiga, ecco, una lettiga a ruote che ha camminato sul pavimento con impeto ed è finita contro un muro. Forse sei morta. E questo è stato il gesto di Alfredo. Ti sei spenta sotto le sue mani proprio quando credeva di avercela fatta, senza preavviso e senza rumore, come una fiamma. Alfredo si è voltato, ha visto la lettiga con cui ti hanno trasportata e l'ha colpita. Con un braccio, con un piede. Il rumore è stato pari a un grido, e c'è stato, deve esserci stato. Non posso muovermi, aspetto. Che una porta si apra. Aspetto due gambe eleganti e clementi. Sento i passi attutiti dal fondo di gomma degli zoccoli di Ada. È lei a venire, come le avevo chiesto. Cammina verso di me, senza sapere che tu sei appena nata. Hai poche ore e sei attaccata al seno di latte di tua madre. Cammina con le mani sudate e gelide per lo spavento che ha affrontato e che continuerà ad affrontare quando incontrerà i miei occhi. Ascolto il rumore fioco di quelle mani che lei strofina lentamente sul camice mentre muove gli ultimi passi. Ora è qui, nello specchio della porta, non la guardo. Guardo solo le sue gambe, e aspetto. *Non parlare Ada, non dire nulla. Non ti muovere. Hai uno spicchio di gonna fuori dal camice, grigia, come la nostra età. Trent'anni fa avrei potuto sposarti, eri la più giovane anestesista dell'ospedale, la più brava. Ti lusingavo e tu rimanevi silenziosa. Fino a quel pomeriggio, quando fu? Eri alla fermata dell'autobus, rallentai, e in macchina d'improvviso parlavi. Non ti avevo mai vista senza camice, avevi la vita stretta, i fianchi che si allargavano sul sedile. Mi è rimasta memoria di un ginocchio che ti carezzavi con la mano. Sei passata e non me ne sono accorto. Va bene così, lascia stare. La vita è un deposito di scatole vuote, mancate. Siamo quello che resta, quello che abbiamo arraffato. Che fai adesso? mangi in piedi la sera? perché non ti sei sposata? i tuoi seni sono molto vecchi? fumi? gli uomini ti hanno trattata bene? su quale fianco dormi? mia figlia è morta?*

Arrivo come un orso, come un bisonte dal pelo sporco. La sua porta è socchiusa, la spingo, e fatica a schiudersi perché qualcosa la frena. Dentro c'è buio, le persiane sono chiuse, il buio del giorno dove comunque la luce si avverte. A impedire la porta sono due grosse borse e alcune scatole, in giro c'è uno strano disordine, mancano molti oggetti sugli scaffali, c'è odore di polvere smossa e di caffè. Muovo qualche passo silenzioso in quella casa in via di smobilitazione. Mi affaccio alla porta della cucina, che è deserta, c'è solo una tazza capovolta sul piano del lavello.

«Sono qui.»

Italia è sul letto, ha i gomiti puntati sul cuscino e guarda tra le strisce di plastica della tenda dove io appaio.

«Stavi riposando, scusa.»

«No, ero sveglia.»

Mi avvicino e mi siedo accanto a lei sul letto che è senza lenzuola. Italia è vestita, indossa un abito blu, accollato, che non sembra nemmeno suo. Sembra un abito di Elsa. Non si è tolta le scarpe, sono lì attaccate ai suoi piedi sul materasso nudo. Scarpe décolletées color vino. Ha il collo teso e grande rinsaccato dentro le spalle, rese minuscole da quella scomoda posizione.

«Stavo andando.»

«Dove?»

«Alla stazione, parto, te l'ho detto.»

Intorno al collo bianco come luce ha un foulard fiorato, un lembo ricade sul petto, e l'altro dietro sul materasso. Ha un viso rachitico, tenuto in vita dal trucco, e l'aria spaesata di una in transito.

«È nata la bambina» dico.

Lei non dice nulla, però il suo sguardo cade un poco, in basso, addosso a me, forse sulle mie mani. Cade all'indietro su tutto quello che è stato e che non sarà più, su tutto quello che abbiamo perduto. E sospira anche lei, alla sua maniera, piano, con un sibilo nel naso.

«È bella?»

«Sì.»

«Come l'avete chiamata?»

«Angela.»

«Sei felice?»

Raccolgo un lembo del suo foulard, poi l'altro, e lo tengo nelle mani così, con morbidezza, poi di colpo serro quei lembi, serro la presa e strappo un po'.

«Come faccio a essere felice? Come faccio?»

Sto piangendo, senza nessun preavviso. Lacrime grosse, dure, che scorrono piano sulle guance ispide.

«Non posso vivere senza di te» mugugno, «non posso...»

Lei sorride, scuote la testa:

«Sì che puoi.»

E nel suo sguardo c'è un bagliore, come una sfida sottaciuta, e quel perenne fondo di commiserazione per se stessa e per chiunque le sta accanto.

«Devo andare, perdo il treno.»

Lascio la presa, mi sollevo in piedi di scatto, mi asciugo gli occhi con un gesto brusco.

«Ti accompagno.»

«Perché?»

Si è alzata, ed è magrissima nel vestito scuro che le aderisce addosso. Il seno sembra scomparso, non c'è che un piccolo dosso sotto le ossa dello sterno dove fruscia il suo respiro. Ha una molletta di lato nei capelli cortissimi, una inutile molletta che brilla in quella semioscurità. Lo specchio è ancora nella stanza, lei si volta, fa pochi passi verso se stessa e si ferma a guardarsi. Si sfiora le sopracciglia con un dito, non fa che quel gesto, piccolo e ignoto. Un ultimo immotivato ritocco al maquillage, o forse solo un saluto, un augurio per la vita che verrà.

Mi chino io a raccogliere le borse, lei mi lascia fare, sussurra «Grazie» e va a prendersi la sua giacca di mucillagine che è larga sul divano, con le maniche aperte come un crocefisso in attesa delle sue braccia.

Sulla soglia si volta e torna a guardare la casa, la sua umile casa. Non mi sembra di scovare nessuna nostalgia in lei, solo fretta e una sorta di sommersa inquietudine come se temesse di aver dimenticato qualcosa. Forse io sono più triste di lei. Io l'ho amata in quella casa. L'ho amata sul pavimento di grès, sul divano, sul copriletto di ciniglia tabacco, contro il muro, nel bagno, in cucina, l'ho amata nella luce dell'alba, nel fondo di notti senza luna. E all'improvviso mi accorgo di quanto amo quella casa che ancora una volta trema mentre una macchina passa sul viadotto.

Gli occhi di Italia si fermano ai piedi del divano che non ha più il suo telo a fiori, è tappezzato di un velluto ocra sudicio e lacero.

«Cosa cerchi?»

«Niente.»

Ma ha gli occhi decurtati di qualcosa. Allora mi ricordo del cane, del suo muso perennemente infilato sotto il telaio di quel divano sfondato.

«Dov'è Crevalcore?»

«L'ho regalato.»

«A chi?»

«Agli zingari.»

Il poster invece è rimasto lì, la scimmia con il suo biberon non si è mossa dal muro.

In strada mi accorsi che traballava sui tacchi in maniera insolita. La sua debolezza pareva irraggiarsi dal torace, che era curvo e leggermente spostato in avanti, fuori dal corretto asse del corpo, come se tentasse di anticipare qualcosa, un timore forse. Infilai nel bagagliaio le due borse, poi tornai verso Italia, ferma sull'altro lato della strada. Raccolsi la valigia che aveva insistito nel voler portare da sola e che ora era lì, accanto ai suoi piedi.

Non si mosse, mi lasciò fare. Rimase a guardarmi mentre chiudevo il bagagliaio. Quando entrò nell'abitacolo, quando si piegò per entrare vidi il suo volto stringersi in una espressione crucciata, come se avesse ricevuto un dolore immeritato.

«Cos'hai?»

«Nulla.»

Ma dopo poco, mentre guidavo, si portava entrambe le mani sulla pancia, facendole scivolare lentamente verso il basso, quasi non volesse farsene accorgere.

Non andai alla stazione, non finsi nemmeno di voler attraversare la città, m'immisi nel grande raccordo verso gli svincoli autostradali.

«Dove stiamo andando?»

«Giù. Ti accompagno.»

Eravamo già sull'autostrada, Italia scosse la testa debolmente, poi si arrese. Si abbandonò sul sedile senza ribellarsi.

«Quanto ci vorrà?»

«Meno che con il treno. Riposati.»

Chiuse gli occhi. Le palpebre però continuarono a vibrare come se il suo sguardo, sotto, non trovasse pace. Riaprì gli occhi, voltò la testa verso di me e allungò una mano fino a sfiorarmi una gamba. Una carezza che mi fece tremare di piacere e felicità, ed ebbi voglia di accostare la macchina al lato del guardrail per amarla subito, per infilarmi dentro il suo magro scrigno.

«Vieni vicino a me.»

Lei obbedì, posò la testa sulla mia spalla, la sua piccola testa ossuta e fremente, e rimase così a guardare la strada con me. Guidavo e ogni tanto mi bastava spostare di poco la mascella per incontrare un suo orecchio, o una porzione qualsiasi di lei, per baciarla. Lei respirava sommessamente, e a poco a poco una grande pace s'impossessava di noi. Non era una giornata di sole vivace, c'era un tempo poco caritatevole, e qualche strascico di nebbia. Il traffico procedeva fitto. Ogni tanto un tir usciva dalla colonna a destra segnalando in ritardo il suo spostamento. Una giornata qualunque, figlia mia, davvero niente di che. Ma quello fu il viaggio più bello della mia vita. Se ripenso alla mia vita, se penso a un premio, rivedo quel viaggio. La velocità che scuote i confini oltre l'abitacolo e noi fermi nel respiro di qualcosa che ci si propone d'incanto, senza lacerazioni, senza fatica. Una felicità fatta di nulla, insperata e profonda. Era come se il cielo, quel cielo grigiastro e anonimo, ci stesse risarcendo.

Non ricordavo di essere mai stato così in armonia con me stesso: il petto sotto la camicia, la fronte, lo sguardo, le mani posate sul volante, il peso lieve della testa di lei. Italia si era addormentata, non volevo muovermi per non svegliarla e solo quando ero costretto a farlo, spostavo la mano sul cambio, dove era adagiata una sua gamba, piano, con dolcezza. Avevo faticato ad amarla, l'avevo respinta, allontanata, aveva abortito per colpa mia. Ora tutto ciò era trascorso. L'avrei tenuta con me per sempre, e quella fuga verso il sud mi sembrava il primo vero passo verso di lei. Sì, quel viaggio a ritroso nei suoi luoghi ci avrebbe dato la possibilità di ricominciare tutto daccapo. E ora avevo fretta di arrivare, di vederla scendere con l'abito stropicciato dal viaggio. Mentre una sua mano bianca dietro la schiena, dietro il foulard che vola, si muove verso di me e m'invita a non seguirla, a lasciarle fare da sola i primi passi dentro quello sgomento di cose ritrovate. Forse lì, nella sua terra, sul sagrato di una povera chiesa di pietra che si sfalda, mi inginocchierò ai suoi piedi, le serrerò le gambe e le chiederò perdono per l'ultima volta. Poi non avrò più bisogno di farlo. D'ora in avanti l'amerò senza procurarle pena.

A questo pensavo, Angela, non a te. Eri nata, eri sana, anche tua madre stava bene. Le avrei scritto una lettera, una breve lettera nella quale avrei raccontato tutto senza nemmeno tentare di giustificarmi: i fatti, niente altro che i fatti, in poche righe. Il resto era solo mio. Non si può spiegare l'amore. È solo, s'inganna e fatica in se stesso.

Avrei messo a posto le cose in fretta, senza sperperi inutili. Già domani avrei chiamato Rodolfo, il nostro amico avvocato, che si accordasse con Elsa. Le avrei lasciato carta bianca su tutto. Quella creatura che batteva al mio fianco era l'unica cosa che volevo per me. E ora me la portavo via, la scarrozzavo lungo quell'autostrada che si era fatta più piana, fasci polverosi di oleandri spuntavano oltre il guardrail. La luce era cambiata, il giorno s'incuneava verso la sera, i contrasti erano meno netti ma forse più profondi, il viso di Italia sembrava quasi viola. In basso una sua mano cadeva semiaperta tra la mia gamba e la sua sul sedile. Raccolsi quella mano e la tenni stretta. Guai a chi me la tocca, pensai, guai.

Mi fermai in un autogrill, avevo sete e dovevo andare in bagno. Lentamente trassi la mia spalla da sotto il capo di Italia, che si adagiò sul sedile con un piccolo soffio del naso. Fuori non faceva affatto freddo, cercai delle monete nelle tasche per lasciarle nel piatto di latta abbandonato su un tavolino fuori dai gabinetti. Non avevo spiccioli e non c'era nessuno in giro, così pisciai senza lasciare oboli. Dentro lo snack bar insieme a me c'era solo un altro avventore. Un uomo robusto, senza cappotto, che mangiava un panino. Presi un caffè in un bicchiere di plastica, una bottiglia d'acqua minerale, una scatola di biscotti per Italia, e uscii.

Rimasi sul piazzale a bere il mio caffè, mentre due macchine si rifornivano di benzina. Un uomo scendeva, allargava le gambe, posava i gomiti sul tetto dell'auto. C'era un'aria diversa, il sole che non avevo veduto per l'intera giornata si era affacciato per tramontare. La luce si avvicinava alla terra, la carezzava, e la terra sembrava gioire di quella benevolenza rosata, come di un finimento prezioso. E quell'aria insolita, quella luce fiammeggiante annunciavano che il sud era cominciato davvero. Guardai in fondo all'area di servizio le grosse spazzole azzurre addette al lavaggio delle auto, che pendevano inoperose. Mi voltai verso la macchina. Sul sedile Italia era sveglia, mi guardava attraverso il vetro, sorrideva. Risposi a quel sorriso con un cenno della mano.

Dopo fummo allegri, Italia accese la radio, conosceva le parole di tutte le canzonette e si mise a inseguirle con quella voce roca, a muovere le spalle. Poi venne il buio e Italia non cantava più, ascoltavamo una voce che diceva che i mari erano mossi.

Tremava, tremavano le sue gambe, e le sue mani dimenticate lì in mezzo in quel magro incavo bianco dove la carne si faceva morbida.

«Perché non ti sei messa le calze?»

«È maggio.»

Alzai il riscaldamento. Dopo poco io sudavo, e Italia non aveva cessato di tremare.

«Forse è meglio che ci fermiamo a dormire da qualche parte.»

«No.»

«Almeno per mangiare.»

«Non ho fame.»

Guardava fremente la strada davanti a noi che si era fatta buia, e i fari delle macchine che ci precedevano. Avevamo lasciato l'autostrada e viaggiavamo su una statale circondata dal silenzio. Italia mi aveva indicato l'uscita, e adesso era lei a guidarmi, incerta, preoccupata forse, perché con il buio che c'era non riconosceva nulla, e forse molte cose erano cambiate.

«Da quanto tempo non torni da queste parti?»

«Tanto.»

Aveva riposato, eppure sembrava faticare persino a tenere la testa diritta sul collo. Allungai una mano sulla sua fronte: scottava.

«Hai la febbre, dobbiamo fermarci.»

Qualche chilometro dopo, in un paese di passaggio (poche case brutte impiccate sulla strada male illuminata) una scritta fluorescente in verticale diceva: *Trattoria* e proseguiva orizzontalmente, a caratteri più piccoli: *camere, Zimmer*. Accostai la macchina sullo slargo sterrato al ciglio della strada.

«Hai bisogno della valigia?»

Non rispose, nel buio le mie parole sfiorarono la sua nuca immobile.

«Su, vieni.»

L'aiutai a scendere, mi abbassai fino a lei e le cinsi

la vita con un braccio, e sentii le sue ossa che vibravano mentre si sollevava e un sospiro profondo le scuoteva il petto, un incitamento a se stessa. Fuori il cielo era abitato da una luna colma, larga, con una faccia caritatevole che, camminando abbracciati verso l'insegna luminosa, ci fermammo a guardare. Era così vicina quella luna, che sembrava far parte di noi, non più del cielo. Così bassa e pesante, perdeva un po' del suo mistero, si era umanizzata.

Entrammo nella trattoria attraverso una porta a vetri, velata da tende sottili. Sulla destra c'era un bancone da bar deserto, sull'altro lato in una sala larga e triste c'erano degli uomini seduti qua e là, mangiavano in pochi, i più avevano davanti solo una caraffa di vino, guardavano in alto un televisore che trasmetteva una partita di calcio. Ci sedemmo al tavolo più in disparte. Qualcuno mosse gli occhi verso di noi, occhi senza interesse che tornarono subito sullo schermo.

Una donna uscì dalla cucina asciugandosi le mani nel grembiule. Aveva un volto villano, aureolato da una chioma grigia e arruffata.

«È possibile mangiare qualcosa?»

«Il cameriere se n'è andato.»

«Degli affettati, un po' di formaggio...»

«Volete anche una minestra di verdura?»

«Grazie» dissi, sorpreso per l'inaspettata disponibilità della donna.

«Ve la scaldo.»

«Dormire? È possibile dormire?»

La donna fissò Italia più del dovuto:

«Quante notti?»

Italia non mangiò che pochi cucchiai di minestra. Guardavo lo scurore dei capelli corti, al quale non mi ero ancora abituato, il volto dimagrito, fatto di incavi, di piccole ombre, e l'abito blu, accollato: sembrava

254

una suora senza velo. Le avevo versato un bicchiere colmo di vino, e l'avevo spinta a fare un brindisi, al quale lei aveva risposto accostando il suo bicchiere al mio senza sollevarlo, un brindisi basso sulla tovaglia. Troppo basso, come la luna nel cielo. Potevamo vederla attraverso la finestra dagli infissi di metallo. Stava lì con quella faccia benigna e satolla, e l'aria intorno alla sua sfera era diafana nel buio: sembrava curiosa di noi. Ero un po' brillo, avevo svuotato almeno tre bicchieri colmi di vino uno dopo l'altro. In quella locanda odorosa di cibi messi da parte e di liquori scadenti, ero felice perché stavo con lei, lontano centinaia di chilometri dalla città dove avevo vissuto come un topo. Felice perché la nostra vita cominciava, e ogni tappa sarebbe stata superba, doveva esserlo. E adesso avevo paura che Italia fosse triste, volevo tirarmi su per rallegrarla, perché temevo che anch'io nel giro di poco sarei potuto diventare triste. Sentivo che specchiarci in quella luna poteva, all'improvviso, renderci miserevoli. Bevevo perché non volevo pensare a questo, Angela. Bevevo ed ero pieno di fiducia, perché la vita mi avrebbe dato modo di riscattarmi, bevevo perché avremmo avuto un altro figlio, e non le avrei tolto più nessuna gioia, l'avrei premiata fino all'ultimo giorno. La guardavo e i miei stupidi occhi luccicavano pieni di fiducia, e poco importava se ora lei digiunava, era solo stanca. Doveva dormire e sognare, mentre io la carezzavo al cospetto di quella luna grassa, e se avesse avuto fame di notte, sarei sceso nella cucina spenta a rubare qualcosa, un po' di pane, qualche fetta di soppressata. E l'avrei guardata mangiare come un amore nella notte.

Vomitò nel piatto. Il conato la sorprese, le arrossò il viso, una vena scura le si gonfiò sulla fronte. Prese il tovagliolo e se lo portò sulla bocca.

«Scusami.»

Le strinsi la mano ferma sul tavolo, una mano troppo calda, incollata di sudore.

«Sono io che devo chiederti scusa, ti ho costretta a cenare.»

Si era fatta bianca, i suoi occhi si erano riempiti di una strana resa. Tossì, poi si guardò intorno, come se temesse che qualcuno si fosse accorto del suo malessere. La sala taceva, solo il ronzio del televisore, la voce dello speaker che inseguiva i passaggi di palla. Oltre le sue spalle, sul fondo, la porta della cucina si aprì, spinta dal corpo della donna. Si avvicinò a noi e posò sul tavolo un vassoio di affettati. Era ben composto, tra le fette spuntavano mazzetti lucidi di sottolio, melanzane, pomodori secchi.

«La mia amica non si sente bene, potrebbe accompagnarci in camera?»

La donna ci scrutava perplessa e forse non si fidava più di noi.

«Ci scusi» dissi, e misi una banconota da centomila sul tavolo insieme alla mia carta d'identità, «dopo scendo a portarle il documento della signora.»

Prese la banconota, lentamente si avviò verso il bancone da bar, aprì una scatola di metallo e ci consegnò una chiave.

La stanza era ampia e aveva un aspetto lindo, ma odorava di chiuso. C'era un letto di legno impiallacciato, e un armadio gemello, ancora con la plastica intorno alle zampe. Due asciugamani, uno celeste e uno più corto color noce moscata, pendevano accanto a un lavandino. Il copriletto era verde come la tenda, lo spostai verso il fondo del letto. Italia si sedette, piegata su se stessa, senza mai lasciarsi il ventre.

«Hai le mestruazioni?»

«No» e si lasciò andare con le spalle sul letto.

Le sfilai le scarpe, poi l'aiutai a stendere le gambe.

Le sistemai il cuscino sotto la testa, un cuscino svuotato che si ridusse a niente, allora presi anche quello che sarebbe spettato a me, per sollevarla un po' di più. C'era davvero uno strano odore nella stanza, chimico, insano, forse dovuto a quel mobilio scadente, fresco di fabbrica. Mossi la tenda, tirai su la serranda e spalancai la finestra per lasciare che entrasse l'odore della notte che era mite, sembrava già una notte estiva.

Sul letto Italia tremava. Chiusi la finestra e cercai una coperta. La trovai nell'armadio, dentro uno dei cassetti, una coperta marrone, ruvida, da caserma. La piegai in due e gliela stesi addosso. Infilai una mano sotto per cercarle il polso. I battiti erano deboli. Non avevo la mia borsa con me, non avevo nulla, nemmeno un termometro, mi detestai per quella negligenza.

«Ti prego, dormiamo» disse.

Mi stesi accanto a lei senza neppure togliermi le scarpe. *Adesso dormiremo. Dormiremo così, vestiti, in questa stanza brutta, e domani lei starà bene, partiremo di buonora, con il fresco. Ci fermeremo a fare colazione in un bar, comprerò i giornali, le lamette da barba.* Il vino bevuto in fretta ristagnava nel mio corpo disteso, mi mancava la voce di Italia, mi mancava il suo corpo, avevo il membro ingrossato e avrei fatto volentieri l'amore. Lei dormiva già. Spensi la luce. Il suo respiro era pesante e rumoroso, come quello di un bambino molto stanco, o di un cane che sogna. Ma il vino non era buono, mi aveva tolto in fretta la spossatezza, e ora mi sentivo di nuovo vigile, la bocca spessa, amara. Mi addossai a Italia, piano, per non svegliarla. Era mia, lo sarebbe stata per sempre.

La luce lunare illuminava il suo profilo che appariva contratto, perplesso, come se sulla soglia del sonno lei si fosse portata con sé un'incertezza. Non mi chiesi quale. Però sorrisi nel buio, e sentii la mia pelle accartocciarsi sotto lo zigomo, contro il lenzuolo, pensando a come mi piaceva spiarla. Ero felice, non ci si accorge mai di esserlo, Angela, e mi chiesi perché l'assimilazione di un sentimento così benevolo ci trovi sempre impreparati, sbadati, tanto che conosciamo solo la nostalgia della felicità, o la sua perenne attesa. Io ero felice in quel momento, e lo dicevo a me stesso: sono felice! Felice per quel poco di Italia che quel labile chiarore mi offriva in quella stanza triste come un mobilificio.

La sua fronte luccicava, con un lembo del lenzuolo mi accostai per asciugarla. Scottava ancora, forse di più, e un rigagnolo di saliva le colava dalla bocca fino al collo dal lato dov'era reclinata la testa. Ora mi accorgevo che a ogni sua espirazione si accompagnava un lamento. Rimasi in ascolto. Lentamente il lamento si spezzava, si spegneva. Poi tornò violento come il garrito di un uccello spaventato.

«Italia...» la scossi.

Non si mosse.

«Italia!»

Doveva trovarsi in un torpore molto denso. Schiuse le labbra a fatica, quasi masticasse nel nulla, senza aprire gli occhi, forse cercò una parola, ma non le riuscì di trovarla.

Ero sceso dal letto, in piedi, curvo su di lei, la schiaffeggiai, prima piano, poi sempre più forte per tentare di svegliarla. La sua testa oscillava arresa sotto le mie percosse.

«Svegliati... Svegliati!»

Non avevo medicine con me, non avevo nulla. E non sapevo nulla, non ero un diagnostico, ero abituato a intervenire su un tracciato sicuro, su porzioni di corpi circoscritte da teli. E dove eravamo? In una pensione su una strada statale che non conoscevo, lontano da una città, da un ospedale.

Poi lei si mosse, biascicò persino un saluto. Ma era così intorpidita che i miei schiaffi dovevano parerle lievi battiti d'ala, come se una farfalla la stesse stuzzicando. La tirai su nel letto, volevo che appoggiasse la schiena al muro, che restasse dritta. Lei si lasciò fare, scivolò appena un po', il capo cedevole su una spalla. Accesi la luce, corsi al lavandino, spalancai il rubinetto, che tossì e mi schizzò l'acqua addosso. Inzuppai un asciugamano, e glielo spinsi sulla faccia, le bagnai i capelli, il seno. Si riprese, aprì gli occhi e li mantenne aperti.

«Cosa c'è?» disse.

«Tu non stai bene» balbettai.

Ma lei non sembrava essersi accorta di nulla, non si era resa conto di quel mancamento improvviso nel sonno. Violentemente la scoprii fino alla vita.

«Devo visitarti» dissi, e quasi gridavo.

Le palpai il ventre. Era duro come una tavola. Lei non si mosse.

«Ho freddo» sussurrò.

Guardai fuori oltre il vetro e sperai che quella luna smettesse di schiarirci e tramontasse in fretta. Dobbiamo andarcene, pensai, subito. In quel momento mi accorsi che lei stava orinando, una chiazza calda si allargava sul lenzuolo. Lei mi guardava senza rendersi conto di quello che stava facendo, come se quel corpo non le appartenesse. Le spinsi di nuovo il ventre acuto:

«Mi senti?» gridai. «La senti la mia mano?»

Non mentì. «No» sussurrò, «non sento niente.»

Allora, Angela, capii che qualcosa di grave stava accadendo. Dal muro, la schiena di Italia era scivolata di nuovo verso il basso, il suo viso grigio se ne stava tra i cuscini.

«Andiamo.»

«Lasciami dormire...»

La sollevai di peso, e non pesava nulla. Sul letto era rimasta una chiazza azzurro pallido, il suo vestito blu aveva stinto sul lenzuolo. Attraversai il corridoio, e a calci cominciai a bussare alla porta a vetri smerigliati con la targhetta: privato. La donna si affacciò in compagnia di un ragazzo dagli occhi allucinati.

«Un ospedale!» gridai. «Dov'è un ospedale?»

E intanto scrollavo il corpo di Italia per mostrare loro l'oggetto della mia pena, della mia follia. Gridavo, e avevo gli occhi pieni di un pianto furioso, di un rifiuto così grande che i due, forse madre e figlio, si erano schiacciati contro il muro mentre cercavano di spiegarmi la strada. Corsi verso la macchina, adagiai Italia sul sedile. In ciabatte e camicia da notte la donna mi aveva seguito, spaventata e senza motivo, solo per non saper che fare, per accompagnare il mio furore. La vidi nello specchietto sullo spiazzo sterrato offuscata dalla polvere che le avevo sollevato addosso partendo.

Le indicazioni erano imprecise e scarse, e io ero così alterato che non le ricordavo nemmeno. Ma se dobbiamo andare, la vita ci porta, Angela. La strada luccicante nell'alba era l'ago metallico di una bussola che mi tirava a sé. Spingevo il piede sull'acceleratore e parlavo con Italia.

«Stai tranquilla» le dicevo, «stiamo arrivando, vedrai, è tutto a posto. Tranquilla.»

Italia era tranquilla, immobile e bollente, forse già in coma.

Intanto il mare era nell'aria, nelle strade piatte e sconnesse, nella vegetazione. Il mare del sud, con gli orrori edilizi affacciati sulla spiaggia, oltre la strada. Al centro di una rotonda, finalmente, sotto un frastaglio di insegne stradali rugginose, il cartello bianco con la H rossa al centro. Feci ancora poche centinaia di metri e arrivammo. Un edificio di proporzioni modeste, rettangolare e piuttosto basso, circondato da una spianata di cemento. Uno di quegli ospedali di mare, che d'inverno restano quasi del tutto inoperosi. Poche macchine al parcheggio, un'ambulanza ferma. Il pronto soccorso era deserto, illuminato solo da una luce di servizio. Italia la tenevo in braccio, non aveva più una delle sue scarpe color vino. Diedi uno sguardo oltre l'oblò di una porta, la spinsi: altre porte, altro silenzio.

«C'è qualcuno?»

Venne fuori un'infermiera, una ragazza dai capelli neri raccolti sulla nuca.

«È un'emergenza» dissi, «dov'è il medico di guardia?»

Senza aspettare risposta m'infilai nelle stanze attigue, spalancando le porte a calci. Spaventata e un po' discosta, la ragazza mi seguiva insieme a un tipetto con un camice troppo corto, come un grembiule da asilo.

Finalmente trovai una sala di rianimazione, anche questa vuota, con le serrande abbassate, stipata di attrezzature che si intuiva non venivano usate da molto. Attaccai Italia a una bombola di ossigeno. Mi voltai verso la ragazza:

«Devo fare un'ecografia.»

Lei rimase impalata, la presi per le braccia, la strattonai:

«Si sbrighi!»

Dopo poco, il carrello dell'ecografo correva verso di me, spinto dall'infermiere in camice corto. Avevo aperto l'armadio dei medicinali, mi affannavo tra quelle inutili scatole. Arrivò il medico di guardia, un uomo di mezza età, con una barba ispida che gli sali-

261

va fino agli occhiali. Stavo iniettando l'antibiotico a Italia.

«Lei chi è?» chiese con la voce sporca di chi è passato brutalmente dal sonno alla veglia.

«Un chirurgo» dissi, senza neppure voltarmi. Il monitor dell'ecografo era in funzione.

«Cos'ha?» chiese lui.

Non gli risposi. Premevo la sonda sul ventre di Italia, gli occhi fermi sul monitor... non riuscivo a vedere nulla. E adesso intorno a me tutti gli altri stavano in silenzio, vicinissimo sentivo il respiro del medico di guardia, un respiro affaticato da tabagista. Poi capii, anche se non volevo crederci, e anche gli altri capirono. La sua pancia era piena di sangue. Eppure non aveva avuto nemmeno una piccola perdita. L'emorragia era solo interna, gli organi sottostanti potevano essere già in necrosi.

«Dov'è la sala operatoria?»

Il medico di guardia mi scrutava affannato.

«Lei non è autorizzato a operare in questa struttura...»

E già spingevo la lettiga senza sapere in quale direzione andare. Adesso l'infermiera arrancava accanto a me tentando di guidarmi. La sala operatoria era una stanza lì al piano terra, in fondo a un corridoio di piastrelle cilestrine, identica alle altre, la luce spenta, e un puzzo di alcol svaporato al chiuso. L'elettrocardiografo era buttato da un canto, insieme a un carrello servitore vuoto. Penetrammo in quel buio, spostai la lettiga verso il centro della stanza, sotto la scialitica che pendeva dal soffitto. L'accesi, buona parte delle lampadine erano fulminate.

«Tiri su le serrande, spalanchi tutto!» dissi all'infermiera, che eseguì come un automa.

«Dove sono i ferri?»

Lei s'infilò in un bugigattolo dal quale affioravano

le ante di un armadio metallico, cominciò a frugare tra gli scaffali, la raggiunsi. Stava carponi per terra, dal fondo di un cassetto tirò fuori una busta sigillata colma di forbici, nient'altro che forbici. Mi guardò, non aveva idea di cosa mi servisse esattamente. Tirai fuori il cassetto dalla sua guida e lo svuotai per terra, poi ne svuotai un altro, poi un altro. Alla fine trovai quello che mi serviva, bisturi freddo, pinze, divaricatore, cauterio, klemmer, aghi. C'era tutto. Afferrai gli involucri plastificati e li buttai sul carrello servitore. Tagliai il vestito di Italia in due, presi i lembi e lo spalancai. La sua carne mi raggiunse improvvisa, di un biancore irreale sotto quella luce fredda, le ossa dello sterno, i piccoli capezzoli rosati attraversati dalle vene.

«Elettrodi» dissi.

L'infermiera attaccò le ventose per l'elettrocardiogramma al petto di Italia. Poi la intubai io, piano, per non farle male. Presi due teli verdi da un mucchio impilato e li posi dolcemente addosso a Italia, uno sulle gambe, l'altro in alto fino a coprirle il seno. Preparai la giusta dose di pentothal. Mi lavai e indossai la veste sterile in fretta, sugli abiti. Il medico di guardia mi venne vicino, animato di una voce più metallica:

«Questo ospedale è poco più che un ambulatorio, non siamo attrezzati per interventi come questo Se succede qualcosa, lei passa i guai, io passo i guai, passiamo i guai tutti...»

«È in setticemia.»

«La carichi in ambulanza, la porti in un ospedale come si deve, mi dia retta. Se muore durante il tragitto non è colpa di nessuno.»

Lo presi per la faccia, Angela, per un pezzo di barba, un orecchio, per quello che capitò. Acchiappai quell'uomo e lo scaraventai contro il muro. Se ne andò. Mi lavai di nuovo le mani.

«Guanti» dissi, aprendo le dita. L'infermiera bruna fece del suo meglio per porgermeli con una certa decenza, ma le tremavano le mani.

Il ragazzo con il camice troppo corto era rimasto in un canto. Adesso indossava una veste lunga e una mascherina. Gli lanciai un'occhiata, aveva uno strano volto trapezoidale.

«Ti sei sterilizzato?»

«Sì.»

«Allora vieni a darmi una mano.»

Lui obbedì, si avvicinò alla testa di Italia.

«Non perdere di vista il monitor, e tieniti pronto a defibrillare se dovesse servire.»

Fuori dalla finestra, cominciava una luce azzurrognola. Italia aveva un viso sereno. Mi sentivo forte, inaspettatamente forte, Angela. Era una scena che già avevo visto, chissà dove, forse in un sogno. Avevo già vissuto quel momento, e forse lo avevo atteso. Avevamo quell'appuntamento. E mi sembrò di penetrare finalmente la mia vita. La paura del sangue che avevo da ragazzo, l'incisione, quell'attimo bianco in cui la carne già incisa non sanguina ancora... forse era lei. Lei era in quel taglio. Il sangue che temevo era il suo, così come avevo temuto il suo amore. Lei c'era già. Chi ti ama c'è sempre, Angela, c'è prima di conoscerti, c'è prima di te. Ora non avevo paura. Un caldo improvviso mi penetrava nelle spalle, un sole denso e benefico, destinato solo a me.

«Bisturi.»

Impugnai l'arnese, lo strinsi, lo posai sulla sua carne. Ti amo, pensai, amo le tue orecchie, la tua gola, il tuo cuore. E incisi. Sentii il rumore di lei che si apriva, e attesi il suo sangue.

Poi fu il mio lavoro. Il sangue fuoriuscito aveva confuso gli organi, che nella parte più esposta avevano già il colore scuro della necrosi. Spostai l'intestino. L'utero era grigio, le tube ingrossate, c'era pus ovunque, una grossa sacca ristagnava sotto lo sfondato del Douglas. Pensai subito all'aborto, Angela. Quell'infezione era causata da un intervento traumatico. Eppure non riuscivo a capacitarmi, di un aborto settico si muore nel giro di pochissimo. Doveva essersi sottoposta a un raschiamento successivo, anche quello impreciso. E si era trascinata avanti così, con quell'infezione dentro. Mossi gli occhi, indietreggiai di un passo. Già, adesso c'era quel pensiero in più... Mi guardai intorno, il ragazzo dalla faccia trapezoidale mi fissava atterrito, anche l'infermiera aveva un'espressione stravolta e uno schizzo di sangue sulla fronte. Guardai il piccolo volto di Italia, cereo e addormentato, dove riverberava il verde dei teli che la circondavano. Fu allora che chiesi a Dio di aiutarmi. Allungai le braccia in alto, i guanti insanguinati chiusi a pugno. Avrei lottato, non l'avrei lasciata andare, e volevo che lui lo sapesse.

Tamponai l'emorragia, ripulii il pus, feci una piccola resezione intestinale. Solo in ultimo mi occupai del suo utero. Era troppo compromesso, l'infezione era estesa ovunque, non potevo rischiare. Asportai quella guaina grigia che avrebbe dovuto essere la nicchia di nostro figlio. Non alzai più gli occhi, Angela; solo ogni tanto, quando avevo bisogno di un nuovo ferro, spostavo lo sguardo sulla mia destra, sulle mani dell'infermiera dai capelli neri, che non era mai certa di cosa porgermi. Nella stanza rimbalzava solo il rumore delle mie mani nel corpo di Italia. Quel rumore scivoloso, viscido, contratto, che fanno le dita mentre operano. Ma alla fine ero tornato ottimista, pieno di fiducia. Ero sudicio e fremente, puzzavo. Il giorno era salito dalla finestra, c'era una nuova luce addosso a me, una luce piena. L'infermiera sudava di stanchezza e di caldo. Perché, solo adesso me ne accorgevo, la stanza era imbevuta di afa. Stavo richiudendo e quel caldo si appiccicava tra i miei capelli, sulla punta delle mie dita. Il diagramma del battito cardiaco era regolare. Passavo l'ago nella sua carne, come un sarto premuroso che dà gli ultimi ritocchi all'abito di una sposa. La notte era passata. Tra poco, finalmente, mi sarei seduto sulla sedia alle mie spalle. Da due giorni non mi lavavo e non mi radevo, eppure mi credevo un angelo. Occhi chiusi, nuca contro il muro, come l'eroe di un telefilm.

Invece morì. Due ore dopo, la vita si staccò da lei. Le ero accanto. Si era svegliata. L'avevo spostata in una stanza sullo stesso piano, c'era un altro letto accanto al suo, vuoto. Si era svegliata mentre io ero in piedi davanti alla finestra a livello della strada. Scrutavo il paesaggio che non avevo veduto la sera prima e che ora si rivelava con la luce del giorno, piatto e argilloso. Su un largo cartello pubblicitario, un cow-boy cavalcava una lattina di birra. È una frontiera, pensai. Sì, sembrava di essere in una terra di scambio. Lo stesso caseggiato che ospitava l'ospedale aveva l'aspetto fragile e burocratico di una dogana. Ogni storia d'amore ha bisogno di prove, mi dissi. Passò una macchina, una piccola utilitaria rossa, passò senza rumore. Il sole era forte nel cielo. *Tra poco sarà di nuovo estate.* Sorrisi.

Balbettò qualcosa e mi voltai. Il sole le era dentro gli occhi, le sue iridi grigie erano punteggiate di squame d'argento.

«Ho sete...» sussurrò. «Sete.»

C'era una bottiglia d'acqua sul comodino di formica, che l'infermiera aveva portata per me e che avevo bevuta quasi tutta, senza prendere fiato, dopo l'arsura dell'intervento che era durato quasi sei ore. Ora ne restava giusto un goccio, fermo sul fondo di vetro verde. Versai un po' d'acqua sul fazzoletto che avevo in tasca e glielo passai sulle labbra aride, screpolate. Spalancò la bocca come un uccello bisognoso.

«Ancora...»

Bagnai di nuovo il fazzoletto, glielo infilai tra le labbra e lei lo succhiò. Tutto avvenne in pochi minuti, all'improvviso sollevò il capo, scuotendo il collo all'indietro. Tirò fuori una voce che non sembrava la sua.

«Come faccio?»

E sembrava parlare al niente, o forse a una se stessa che vedeva di lontano, una gemella che le danzava sul capo, sul soffitto. M'infilai nel suo sguardo, piantando le mani sul letto con forza. *Dove vuoi andare, piccolo cardo screpolato, rana senza respiro? Dove credi di andartene?* Mi reggevo sui pugni, le braccia tese, attento a non caderle addosso. Le sbarravo la vista. Io ero in ombra e lei era sotto di me, nella luce. Era già oltre. Gli occhi girati nel bianco, cercava qualcosa, un luogo sopra di sé, e si dibatteva come faticasse a raggiungerlo.

«Come faccio?» disse ancora, con un filo di voce strozzata, e sembrava rivolgersi a qualcuno in attesa, lassù, su quel basso soffitto rasentato dal sole. Le carezzai il viso, le mandibole erano innaturalmente rigide. La carne sotto il suo mento aveva venature azzurre, il collo teso e diafano come una lanterna di pergamena nel vento. Quante volte l'avevo vista andarsene così! Quando facevamo l'amore, all'improvviso reclinava il capo all'indietro verso il muro, stirava quel collo che diventava lungo e magro e cercava un posto solo suo nel buio. Strizzava le palpebre nelle orbite, slargava le narici quasi inseguisse un profumo. L'aroma intenso di una felicità che non avrebbe mai avuto, e che cercava disperatamente su quel cuscino sudato. Ancora una volta tentai di impossessarmi del suo sguardo, ma il suo mento sfuggì dalla mia mano sudata.

«Amore…»

Respirò, profondamente, il suo petto si alzò, poi sprofondò, e in quell'emissione il suo intero corpo sprofondava, si abbandonava. Allora mi guardò, ma non ero certo che mi vedesse. Mosse le labbra, soffiò un'ultima parola:

«Portami.»

E non mi disse dove. Era ferma sul cuscino, non più viva e non ancora altrove, sospesa nel non luogo che precede la morte. Il suo volto si era allargato, rilasciato, guardava in alto, lì dove qualcuno la stava aspettando, senza più affanno, senza fatica. Il suo ultimo fiato fu un gemito gentile, di sollievo. Così trovò la strada verso il cielo, Angela.

Non ti muovere.

Vidi la mia saliva gocciolare su di lei, ne avevo la bocca piena. Non la lasciai, né con gli occhi, né con il mio affanno. Rimasi a respirare addosso a lei. E intanto mi abbassavo, le ero vicinissimo, e forse speravo di salvarla con il mio alito. Le gravavo addosso con il mio volto disfatto… Sentivo una forza leggera sprigionarsi da lei, come vapore che risale dall'acqua. Non pensai di fare nulla come medico, avevo dimenticato di esserlo. La guardai come si guarda un mistero, con occhi vigili e appannati, la guardai come poche ore prima ti avevo guardata nascere. Così la lasciai morire. Lasciai che quell'ultimo respiro le affiorasse dalla bocca, e il vento di quel respiro mi raggiunse le ciglia. E lei era fuggita, risucchiata dal soffitto. D'istinto mi voltai a cercarla verso l'alto. Allora lo vidi, Angela, vidi nostro figlio. Il suo volto per un attimo mi apparve lassù. Non era bello, aveva un muso gracile e aspro come quello di sua madre. Quel piccolo figlio di puttana se l'era venuta a prendere.

E lì dov'era stato il suo viso, sul soffitto, rimaneva una crepa nell'intonaco insieme a una macchia di umido, che gli somigliava tanto. Mi rannicchiai accanto a quello che mi aveva lasciato, quel corpo immobile e ancora tiepido, le presi una mano e me la tenni addosso. *Va bene, vattene, Gramigna, vattene dove la vita non potrà più ferirti, vattene nel verso sbilenco del tuo passo da cane. E speriamo che ci sia davvero qualcosa lassù, una coperta, un'ala, perché il fianco nero del nulla sarebbe davvero ingiusto per te.*

C'era roba in giro nella stanza, sedie, medicinali, attrezzature... presi a calci tutto quello che trovavo. Poi mi guardai le mani. Erano ancora bianchicce dopo il lungo soggiorno nel lattice dei guanti chirurgici, strinsi i pugni, strinsi tutta la mia inutilità. E mi avventai contro il muro, contro le mie mani. Colpii con una ferocia davvero speciale, finché la pelle sulle nocche s'insanguinò, si ruppe, e rimase il bianco delle ossa. Non smisi finché qualcuno non entrò. Vennero in molti, e fu un uomo a fermarmi, a torcermi le braccia indietro contro la schiena.

Più tardi mi fasciarono le mani, ero seduto su una barella, guardavo quelle ferite senza emozioni, come se non mi appartenessero. Non sentivo dolore, pensavo a quello che avrei fatto. Mi ero sciacquato il viso, avevo infilato il collo sotto il rubinetto, avevo pisciato, mi ero rinfilato la camicia nei pantaloni, tutto con quelle mani doloranti, e adesso ero lì con i capelli bagnati, stretti all'indietro sul cranio.

Mi fasciavano le mani, e a farlo era una ragazza con una ciocca di capelli ramati spioventi sul viso basso. Il medico legale era già venuto, aveva riempito il suo foglio e se n'era andato. Lei non era stata ancora rivestita, bisognava farlo, i suoi abiti erano nel bagagliaio della mia auto. Non ero il marito, non ero un parente, non ero nessuno. La ragazza che mi stava medicando aveva sul corpo di Italia gli stessi miei diritti, né più, né meno. Alzò la testa, infilò dietro l'orecchia quei capelli che le oscuravano il viso. La ringraziai e scesi dalla barella.

M'infilai nell'ufficio del direttore dell'ospedale, da lì telefonai a un vicequestore che avevo operato qualche anno prima. La procedura si sbrogliò in poco meno di un'ora. Dalla vicina caserma arrivò un maresciallo molto ben disposto. Aveva rintracciato la famiglia di Italia, nella persona di una cugina. La donna non aveva manifestato nessuna opposizione a che fossi io ad occuparmi del corpo, anzi, era sembrata sollevata, dal momento che mi accollavo la spesa del funerale.

Eravamo in piedi nel corridoio, e lui guardava le mie mani bendate.

«Ma lei che rapporti aveva con la ragazza deceduta?»

E la sua era curiosità umana che l'uniforme avvantaggiava.

«Era la mia fidanzata.»

Aveva occhi azzurro vivo il maresciallo. Fece una smorfia che sembrò un sorriso, strinse tra le rughe quello sguardo turchino:

«Condoglianze» sussurrò.

Subito dopo avevo in tasca un foglio pieno di timbri, e tra le braccia il mucchio dei vestiti di Italia. Li avevo scelti in piedi curvo nel bagagliaio sullo spiazzo antistante l'ospedale, sotto il sole. Avevo aperto la sua valigia e avevo frugato. Smettila di pensare, mi dicevo, acchiappa qualcosa e vattene.

I morti si vestono in due, ma io volli farlo da solo. Quando l'infermiera si offrì di aiutarmi, scossi la testa e le chiesi di lasciarmi solo. Non si ribellò. Nessuno, notai, aveva più osato ribellarsi a me in quell'ospedale. Il dolore che stavo subendo atterriva e respingeva chiunque.

Che gambe veloci ha la morte, Angela, con che solerzia si appropria di ciò che le spetta. Italia era ferma e senza temperatura, come il letto, come il tavolo, come qualsiasi cosa inanimata. Non fu facile vestirla, dovetti farla rotolare su un fianco e poi sull'altro per infilarle le maniche della camicetta. Lei non mi aiutava, per la prima volta. E io ero davvero sconsolato, perché sapevo che se fosse stata appena flebilmente in vita, mi avrebbe aiutato. Avrebbe sollevato quelle braccia che ora pesavano e ricadevano, sbattevano sul ferro del letto senza farsi male. Le maniche erano passate, ora si trattava solo di congiungere i bottoni alle asole. Mi lasciava proprio adesso che sapevo amarla, che mi aveva insegnato a farlo.

Le stavo guardando i capezzoli, uno di qua e uno di là, sul seno slargato. Capezzoli chiari, trasparenti come membratura di larva. Per caso, rimestando nella sua valigia, avevo trovato la sacchetta da gioielli dove lei aveva conservato le mie unghie tagliate. Ce l'avevo in tasca, era una sacchetta floscia di velluto color cammello, gliela nascosi tra le mani. *Ecco, tieni i tuoi gioielli, Italia, queste schegge ingiallite diventeranno sabbia insieme a te.*

Venne un uomo, con gli occhiali scuri come l'abito, e scarpe lucide che facevano rumore sul pavimento. Bussò, e senza attendere risposta entrò nella stanza. Era un uomo che sapeva comportarsi nei lutti, discreto ma risoluto. Dalla mia faccia inerte soppesò subito che genere di morte era venuto a seppellire, e che dose di dolore avevo dentro. Fece pochi passi verso il letto, la giacca gli si aprì, aveva una cintura nera con una fibbia dorata, m'incantai su quella fibbia. L'uomo era una figura all'antica, impeccabile, i capelli lisci di pomata serrati all'indietro sul capo rotondo, e lo sguardo inghiottito dalle lenti nere, la bocca un taglio fermo nel viso. Guardava Italia e soppesava i suoi resti. Era bella Italia. Perfettamente adagiata nella morte, incarcerata in una bellezza di pietra, senza ombre, senza viltà. L'uomo non poteva non accorgersi di quella bellezza, figlia, della distanza oltre la quale lei si trovava. Questa era la sua materia, e da ogni morte lui senza dubbio imparava qualcosa. Aveva addosso lo sguardo svelto di un sarto navigato, di uno che sa prendere le misure senza metro. Rapidamente svolgeva il suo mestiere. Era così magra che a contenerla sarebbe bastata una bara da bambina, il resto era legno sprecato. Guardavo Italia con gli occhi di lui, del becchino, che doveva prendersene cura. E ora sentivo con quest'uomo sconosciuto una dimestichezza improvvisa. Eravamo sullo stesso filo, uomini accomunati da un pensiero. Facce davanti a un mistero. La sua, più pratica della mia, ma pur sempre fragile, dietro l'impalcatura della giacca senza grinze, dell'occhiale buio.

Mi posò una mano sulla spalla, una mano calda, che non si mosse. Avevo bisogno di quella mano, figlia mia, e non lo sapevo. Sentii che mi faceva bene. Era una cupa, volitiva mano del sud, che mi teneva in terra. Pareva dirmi: bisogna restare, scordare, senza cercare un senso a questo nerofumo che ci sfiora. Si fece il segno della croce, ampio sulla fronte come una falce nell'ignoto. Mi segnai anch'io, appresso a lui, come un bambino disobbediente appresso al prete.

Ci mettemmo d'accordo per poche ore a venire, che ancora era presto, doveva trascorrere il tempo esatto prima del trasbordo nella bara. Io non avevo fretta, volevo che Italia rimanesse allo scoperto più a lungo possibile. Il sole spioveva nel cielo alle mie spalle oltre quella finestra che non avevo più osato guardare, perché il movimento delle cose non m'interessava più. Guardavo la fissità di Italia mentre la luce stava calando addosso a lei, e quindi l'ombra del mondo si abbassava verso il buio. E in quel bluastro vibrante che colmava ogni angolo della stanza la sua carne divenne cenere smunta. Mi addormentai seduto, con il mento nel petto. Me la trascinai dietro azzurra com'era. Arrancava dentro le acque limacciose di un bacino fermo, verso un battello carico, forse un postale, le gambe zuppe fino all'inguine. Sento l'acqua sfiorata dal rumore dei suoi movimenti mentre cerca di avvicinarsi a quella barca ormeggiata ancora per poco. Ha del suo con sé, un abito di voile a fiori rossi che sventola appeso a una gruccia, e una sedia issata su una tavola galleggiante che lei si tira dietro su quelle acque basse. Una sedia vuota. Non è stanca e non è triste, anzi è piena di ardore, i suoi capelli sembrano rane nel buio.

A notte fatta qualcuno entrò, si meravigliò dell'oscurità.

«Dov'è la luce?»

E la mano di quella voce tastò il muro, e io la vidi, perché nel buio ci indovinavo. Era un prete, un uomo basso e non magro, con una palandrana fino a terra. Una faccia macilenta ma cascante, senza colori, e con un'unica espressione, una specie di sorriso che forse voleva suggerire una raggiunta beatitudine, ma che in verità pareva un ghigno sardonico, davvero loffio. Si avvicinò al letto di Italia e masticò una preghiera greve, irraggiungibile. Il fiacco blaterare di quel prete non aveva niente di sacrale, mi sembrava di indovinare un certo squallore dell'individuo. Insignificante come un usciere pigro, di quelli che restano in guardiola e fissano il vai e vieni delle persone senza alcun interesse, come polvere sollevata dallo scirocco. Diede alla morta la sua benedizione, rapida, con un lamento quasi muto, e se ne andò lasciando la luce accesa.

Arrivò l'alba. Avevo abbandonato la testa dentro un gomito sul letto e guardavo Italia dal basso. Qualcosa di scuro cominciava ad affacciarsi sul suo volto, come se la notte avesse scordato qualche ombra addosso a lei. Invece era il buio del sangue raffermo, i primi indizi di un degrado ormai prossimo. Istintivamente mi guardai le braccia per vedere se anche la mia pelle si fosse chiazzata delle stesse ombrature. Ma la mia carne schiarita dall'alba era integra.

Quando tornò, il becchino aveva gli occhi liberi, le lenti scure erano in alto sulla testa. La camicia bianca riluceva oltre il bavero nero della giacca nella luce diaccia. Non era solo, c'era un ragazzo con lui. Posarono la bara in terra, fuori dalla stanza. L'uomo bussò e apparve sulla porta.

«Salve» disse.

«Salve» risposi.

Annuì con il capo, soddisfatto, perché gli avevo risposto, perché adesso ero in grado di parlare. Lo guardai in quegli occhi privi di copertura. E capii che era un uomo consapevole dell'oscenità del suo mestiere.

«Vuole uscire?»

Uscii, entrò la bara, insieme al ragazzo, anche lui in giacca e cravatta, e un'infermiera che era arrivata ad aiutarli, una donna dal corpo magro e lo sguardo in fuga.

Camminai verso un bar che mi era stato indicato, sulla statale. Accanto c'era un'esposizione di piscine, vasche celesti, impolverate.

«Che ore sono?» chiesi al vecchio dietro al bancone intento a riordinare un mazzo di carte.

«Le sei e qualcosa.»

Bevvi un caffè. Non avevo fame, ma ugualmente cercai di mandare giù una brioche confezionata che aveva il sapore della busta nella quale era chiusa. Diedi due morsi e buttai quel che restava in un lungo secchio bronzato che forse era un portaombrelli. «Ci vediamo» disse il vecchio alle mie spalle mentre me ne andavo.

Sulla statale adesso passava un pullman che tagliava la strada silenzioso, come una nave il mare. Non ci saremmo rivisti, io e il vecchio, il suo caffè faceva schifo. E non avrei più rivisto quella piana d'argilla che si perdeva all'orizzonte. Lì, avevo creduto di partire, avevo creduto in un'avventura. Ora c'era un'aria ferma, senza vento, che si tendeva a perdita d'occhio sul paesaggio, come un velo di cellophane, vincolando il movimento delle cose. La morte di Italia regnava su quello spazio, fino in fondo, dove il sole era sorto. *Addio, amore, addio.*

Era nella bara, sprofondata nel raso che ne rivestiva l'interno. Le avevano sistemato la camicetta nella gonna, pettinato i capelli. Il lusso di quel contorno smascherava le sue umili origini, le dava un'aria da sposa di paese, una santa burina da portare in processione. Forse le avevano passato qualcosa sul viso, un cerone, o una crema, le guance di Italia luccicavano un po', ed era proprio quel luccichio a immiserirla.

«Manca una scarpa» disse il becchino.

Tornai nel piazzale e la trovai, quella scarpa color vino dal tacco altissimo ed esile che la notte prima le era caduta dal piede. Gliela misi. Guardai quelle due suole gemelle, scure di chissà quali strade. Mi fecero più impressione del resto. Pensai ai suoi passi, a quella fatica che metteva nel camminare, nel vivere, a quella piccola tenacia che non le era servita a nulla.

L'ultimo pezzo che carezzai di lei fu una caviglia. Poi la chiusero.

Partimmo. Non avevo forza né voglia di guidare, avrei viaggiato accanto a quell'uomo silenzioso con una cintura dalla fibbia dorata stretta attorno allo stomaco. Chiusi la mia auto e camminai verso il carro funebre. Prima di entrare il becchino si tolse la giacca e l'appese dietro di sé, su un gancio nella tappezzeria, accanto al vetro che ci separava dalla bara. La sua giacca sfiorava il legno dove Italia riposava, e così avrebbe fatto per l'intero viaggio. Quella confidenza mi piacque. Ero a mio agio in quella macchina dai sedili profondi, impeccabile come il suo autista. Dalla tappezzeria e dal cruscotto di radica scura si sprigionava un aroma di sandalo.

E viaggiammo su vecchie strade, rappezzate in più punti, che solcavano radure dove s'infittivano basse sterpaglie di pruni selvatici, ulivi dai tronchi sofferenti, e qualche palma che spaccava l'asfalto all'improvviso. Una vegetazione che non seguiva nessun criterio, sorgeva sporadica e confusa come i fabbricati che incontravamo. Ogni cosa che si stagliava da quel panorama pareva arbitraria, pronta a essere spostata, abbattuta. E forse lo spirito delle persone che vi abitavano era identico, e forse l'ordine era proprio in quell'arbitrio. Sì, perché l'occhio smetteva di sorprendersi e finiva per abituarsi a quel caos, fino a dissotterrarne un fascino segreto. Guardavo, e io non avevo occhiali scuri, avevo la luce rasa del meriggio che scivolava sulle cose snudandole, esplorandole nei più infimi dettagli. In fin dei conti viaggiavamo verso un cimitero, e quello era un purgatorio di passaggio che non mi dispiaceva.

Il becchino guidava muto. I capelli lucidi di pomata, il colletto della camicia immacolato, senza un filo di sudore, pareva così estraneo alla promiscuità di quel panorama. Correva. Il suo rigido collo manteneva compostezza nonostante i ripetuti scossoni. E quello mi sembrava un viaggio fuori dalla vita. Il luogo, il mio compagno di abitacolo, il mio stato d'animo, tutto era sigillato nello stesso sgomento. E la bara, dietro, il suo pacato sciabordio sul fondo di feltro della vettura, durante le curve, e nei tratti di strada più scomodi. O forse era il corpo di Italia a oscillare all'interno, in quella bara troppo sontuosa che le andava larga. Non sto cercando pietà, non sto cercando nulla, Angela, credimi, non so nemmeno io perché ritorno a queste cose. È che quando si beve troppo non si può fare a meno di pisciare. E si piscia dentro un buco che si porterà via tutto, o contro un muro che non ci conosce.

Case di pietra, altre di piastrelle marine, palazzine popolari, piccoli balconi dalle ringhiere magre. Vite modeste scorrevano oltre i vetri bruniti. Tutti si voltavano verso il carro funebre, chi per uno scongiuro nel cavallo dei calzoni, chi per segnarsi. Si voltavano i ragazzini che giocavano a pallone sugli slarghi polverosi, le donne alle finestre, gli uomini impalati davanti ai bar, che alzavano la faccia dai fogli di giornale. C'erano molte persone sfaccendate in giro, e allora mi ricordai che era sabato.

Passammo davanti a una chiesa con una scalinata troppo ripida che quasi precipitava sulla strada. Sui gradini c'era un gruppo di persone vestite a festa. Una donna macilenta con una bambina in braccio e un cappello rosa a coppola seguì, roteando il busto, il nostro passaggio. Incontrai i suoi occhi, vivaci, muschiati di una curiosità malevola. La bambina aveva un vestito a balze che il braccio della donna sollevava fino alle mutande, fissai quelle gambette violacee ciondoloni sul quel corpo rozzo. Tutto quello che mi passava davanti agli occhi ora mi sembrava il segno di qualcosa, e forse lo era, la traccia oscura di un destino illegittimo, che non aveva altro modo per rivelarsi se non quello di infilarsi alla rinfusa nelle cose che incontravo. Quasi che quel viaggio non fosse reale, ma allegorico, sognato. Le gambe della bambina sembravano inanimate, il suo volto era sprofondato dove io non potevo vederlo... Forse aveva paura di me, per questo sua madre mi pugnalava con quello sguardo livido.

Smisi di guardarmi intorno, per non precipitare più di quanto mi spettasse in quel disagio emblematico. M'incantai su un fiumiciattolo fangoso che tratteneva nei suoi aridi flutti qualche rifiuto e una nuvola vagante di moscerini.

L'uomo al mio fianco era intriso di silenzio e professionalità. Nei centri abitati rallentava quasi volesse dare ai viventi l'opportunità di un saluto alla bara, di una preghiera. E l'espressione del suo viso cambiava, si rafforzava di intenzioni. Egli interpretava se stesso, il suo malinconico ruolo di ultimo corriere. Passava, e sapeva di lasciare dietro di sé un pensiero. Ma scoprivo anche un'orma ironica nel suo profilo. Sì, era anche una carnevalata la sua, come quella di un ragazzaccio mascherato da morte che brandisce una falce davanti ai passanti facendoli sobbalzare di spavento. E ora mi sembrava di capire che quegli occhiali neri, immobili sul suo viso, avevano molti usi. Procedeva lento, separando la folla che incontrava, che si schiacciava contro i muri, negli angoli, smorzando le parole nelle bocche, catturando gli sguardi, facendo piegare le teste: se la lasciava dietro come un gregge intimorito.

Poi arrivammo al mare, e io non lo aspettavo. Mi ero addossato al finestrino con la fronte. Il mare entrò improvviso, tra l'occhio e la sella nera del naso, una striscia azzurra, immobile. Passò un treno, così accosto che mi sentii travolto, d'istinto mi staccai dal vetro. La strada costeggiava la ferrovia e non me ne ero accorto, i binari erano vicinissimi. Poi il treno finì e tornò il mare. Cubi di cemento erano sparsi a blocchi nell'acqua di quella costa troppo sottile, divorata dalle onde, non rimaneva che un tratto di spiaggia granellosa e poi subito la linea ferroviaria. E una squallida infilata di palazzi multiformi, che proseguivano fitti verso l'interno con la loro sbilenca criniera di antenne, a perdita d'occhio.

Avrei dovuto avvertire tua madre, mi ero scordato di lei, e di te. Vi avevo accantonate in una zona della mente, dove non sembravate appartenermi più di tanto. Pensavo a Elsa come alla moglie di un amico; in quanto a te, non ero un padre, ero un orfano. Il mio occhio riflesso nel vetro mi scrutava come un rettile perplesso.

Un grande rubinetto da lavandino mi passava accanto su un cartello pubblicitario. Eravamo su una strada più larga di quelle che l'avevano preceduta. Il becchino aveva cambiato marcia e lasciava sfogare il motore su quell'asfalto finalmente integro. Non c'era spartitraffico, una di quelle macchine troppo lanciate avrebbe potuto perdere il controllo. Perché tutti, stavo imparando durante quel viaggio, volevano accertarsi che il carro fosse già servito. Così, per dare un'occhiata al nostro carico, un guidatore avrebbe potuto distrarsi e finirci addosso. In fin dei conti eravamo la morte in avanzata. Sarebbe stato superbo morire dentro un carro funebre accanto a un becchino. E per un pezzo rimasi convinto che quella fosse la fine che il destino mi riservava. Il mio compagno di viaggio non sembrava saperne nulla, lontano da ogni premonizione, col suo corpo massiccio come stagno, guidava. Le mani stabili sul volante, lo sguardo nelle lenti scure.

Ci fermammo a fare benzina.

«Vuole mangiare qualcosa?» chiese lui guardando la costruzione a vetri oltre il distributore.

Lei non era scesa con noi. Anche l'ultima volta che mi ero fermato a un autogrill non era scesa dalla macchina, dormiva sul sedile, o forse fingeva di dormire. Avevo trovato i suoi occhi svegli oltre il vetro quando mi ero girato dopo aver guardato le spazzole azzurre di quel lavaggio per auto spento, e avevo pensato che non ce l'avremmo fatta, che l'avrei persa di nuovo. In un autogrill avevo saputo che sarebbe morta.

Il becchino mangiava. Aveva preso un piatto di riso freddo e un'acqua minerale. Si era infilato un tovagliolo nel colletto della camicia. Era stato meticoloso nel farlo. L'avevo guardato prendersi quel tempo, con una calma troppo voluta, quasi molesta, che certo apparteneva all'uomo, ma pareva anche una réclame al suo mestiere. Attraverso la petulanza dei suoi modi, pareva invitare il prossimo ad aver pazienza, in vista dell'inevitabile finale che lui riassumeva laconico.

Nessuno si era seduto accanto a noi. Cominciavo ad apprezzare i vantaggi di viaggiare con un sotterramorti, e non avrei potuto desiderare compagno migliore di quell'uomo, che tirava su la forchetta senza muovere la testa né abbassare il collo. Io avevo preso una macedonia e una birra. Bevevo a canna dalla bottiglia fredda, guardando fuori oltre la vetrata il carro funebre parcheggiato in basso sotto una pensilina di eternit. Presi la forchetta di plastica e pizzicai la macedonia, un acino d'uva scura schizzò oltre la vaschetta. Colpì il becchino, in alto, accanto al colletto.

Rimase perplesso per quel piccolo danno. Aveva perso del tempo per sistemarsi addosso il tovagliolo, e io, casualmente, ero riuscito a colpirlo nell'unico lembo non protetto di quella camicia immacolata. Si strappò il tovagliolo dal petto, lo bagnò nell'acqua minerale e strofinò la macchia. Non gli avevo nemmeno chiesto scusa. Guardavo il pelo scuro che ora traspariva dal cotone bagnato appiccicato alla pelle. Si era tolto gli occhiali, li aveva abbassati sul tavolo con le stanghette spalancate. I suoi occhi erano molto più piccoli di quanto avessi immaginato.

Mi attaccai di nuovo alla birra e la scolai fino al rumore della schiuma.

«Vuole un caffè?»

«No, grazie.»

Si alzò e tornò con una sola tazzina in mano. Beve, poi prese la bustina di zucchero ancora intatta e se la infilò nel taschino della giacca. Non si era più rimesso gli occhiali. Ora le sue mani sfioravano pensierose le stanghette che aveva riunite. Mi ero addossato alla vetrata, contro un termosifone ad aria spento, con le griglie intrise di polvere rigida.

«Era la sua amante?»

La sua domanda mi raggiunse inattesa, come inatteso sembrava il vento che frusciava tra le sfoglie di eternit sopra al carro funebre.

«Perché pensa questo?»

E non mi ero ancora voltato. La bottiglia di birra si rifletteva nel vetro, spargeva un barbaglio verde su quella superficie sudicia e neutra.

«Non aveva la fede, lei invece ce l'ha.»

«Magari non la portava al dito…»

«No, *queste* donne la tengono al dito.»

«Poteva averla smarrita.»

«La ricomprano, risparmiano sulla spesa, fanno un debito, ma la ricomprano.»

Forse era meglio se avesse continuato a starsene zitto, la sua voce era meno impeccabile del suo silenzio.

«La amava molto?»

«Cosa le importa?»

«Nulla, era per parlare.»

Raccolse gli occhiali sul tavolo, si sollevò e guardò nelle lenti scure contro la luce.

«Un anno fa ho perso mia moglie.»

Si era rinfilato gli occhiali con un gesto preciso di entrambe le mani. Le robuste stanghette di osso scuro erano scivolate dietro le orecchie, e lui era rimasto fermo a soppesare la giustezza della posizione, poi aveva staccato le mani. Era già in piedi.

«Andiamo?»

Ora mentre guidava sembrava più triste o forse ero io ad esserlo, la strada pareva una poltiglia di fango grigio che rotolava davanti al muso del carro.

«La amavo moltissimo...» sussurrai, «moltissimo.»

E più tardi eravamo fermi in una traversa di terra bianca in mezzo a un campo a lato della strada provinciale. La macchina nera parcheggiata malamente. C'era un grande gelso lì accanto e io ero appoggiato al suo tronco che era caldo, molto più caldo della mia schiena. Il capo basso, piangevo. Il becchino era in piedi davanti a me. Ma poco prima si era curvato per assistermi, mi aveva stretto: «Coraggio...», poi era tornato eretto e avevo sentito lo schiocco delle sue ginocchia che si raddrizzavano in quel prato alto di erba dove il vento s'infilava e frusciava con un sibilo musicale. Gli avevo raccontato tutto, di Elsa, di te che eri appena nata, di Italia. E per lei avevo pianto, sempre, ogni volta che avevo tentato di ripetere il suo nome. Non mi riusciva di finirlo, singhiozzavo in mezzo alle sillabe, ruttavo quella birra che continuava a tornarmi su come stesse fermentando e crescendo nel mio stomaco.

Solo ogni tanto il becchino guardava un brandello di me con un disagio colmo di affetto, di umana comprensione. Guardava le labbra macerate, gli occhi troppo rossi per essere guardati. Poi si ritraeva, inabissava la vista su quell'erba musicale nel vento, con quel fischio che se ne andava a mulinello. Si accese una sigaretta. Fumò in silenzio finché non buttò la cicca sul viottolo bianco. La spense calpestandola sotto la suola e osservando la torsione del piede nella scarpa nera.

«Si muore come si vive. Mia moglie se n'è andata senza disturbare, come una foglia.»

Ripartimmo, e per il resto del viaggio tornammo a essere quelli di prima. Lui con il collo teso, io con la fronte appoggiata al finestrino. Ma dentro, nei nostri animi dissimili, eppure affiancati, eravamo come due lupi che hanno corso dietro a una preda e l'hanno persa, e respirano stanchi nel nero della macchia, e hanno ancora fame.

Quando arrivammo, nell'aria c'era un caldo accasciante. Il paese, issato su un moncone di terra tagliato al vertice, faceva pensare al cratere spento di un vulcano. Le case di un ocra chiaro che si arrampicavano fitte sembravano tagli di zolfo nella roccia.

Donne pesanti dei loro costumi tradizionali, con gambe di lana nera, scarpe da lavoro e scialli sulle spalle, camminavano in mezzo alla sterrata che portava al cimitero; senza accennare a scansarsi, ci scrutavano incredule, come capre. Sullo spiazzo davanti al cancello, dove arrivammo procedendo a passo d'uomo, altre persone più comuni, vestite con abiti della nostra epoca, ferme accanto a un'utilitaria, guardarono con identico stupore quel carro straniero che compariva all'improvviso con una bara senza fiori. Il becchino si voltò per recuperare la giacca.

«Vado a sbrigare un po' di burocrazia.»

E raccolse la sua borsa di pelle nera, rigida come una bara.

Lo vidi incamminarsi oltre le due colonne che sostenevano il cancello del cimitero e svoltare a sinistra, senza indecisioni. Forse i cimiteri hanno topografie simili tra loro, certo è che lui si muoveva in quel luogo di silenzio come se già lo conoscesse, anzi con un fremito in più nelle gambe, come una bestia che riconosce la stalla. La sua figura scomparve oltre il muro bianco delle lapidi che si aprivano a ventaglio. L'utilitaria se ne andò, alzando polvere. Scesi e pisciai di spalle al cimitero, protetto dal carro funebre, lasciando una chiazza più scura nella terra.

Il becchino tornava e con lui c'era un uomo di poco più basso con un paio di calzoni blu da operaio. Si dissero qualcosa prima di separarsi. Il becchino venne verso di me:

«Al tramonto chiudono, bisogna cercare un prete.»

La bara era già stata deposta, la terra scalzata giaceva in un mucchio. La tonaca del prete sventolava, e sventolava anche il suo turibolo e il fumo dell'incenso correva verso di noi. Lo storpio non si era mosso, aspettava la sua ricompensa. Lo aveva reclutato il becchino, e ora se ne stava lì con una faccia eccessivamente sconsolata, quasi che anche quella rientrasse nel prezzo pattuito. Il peso del corpo posato sulla gamba più lunga. Anche il guardiano del cimitero era rimasto. Insieme avevamo deposto la bara, e non era stato un lavoro da niente. Il becchino si era tolto la giacca, e solo in ultimo se l'era rinfilata. Aveva la fronte laccata di un sudore sudicio dove si attaccava

285

la terra smossa dal vento. Era stato un lavoro di muscoli che però aveva aiutato lo spirito. Mi sentivo placato mentre quel vento caldo mi sfarfallava addosso. Le mie mani avevano spinto la prima terra sulla bara di Italia, e adesso la pala del custode andava a buon ritmo, si caricava e si svuotava. E il dolore c'era, ma allentato, attutito dalla stanchezza. Restava la faccia inespressiva dello storpio dentro il suo ciuffo di capelli chiari, come una cipolla dissotterrata e abbandonata in un campo. Il fraterno becchino pareva sentirsi in pace con se stesso, in quel tramonto aveva ultimato il suo lavoro. Sotto la pancia, col respiro, vibrava la fibbia dorata della sua cintura. Era stata una giornata lunga. Diede un'occhiata in alto, precisa come un taglio, trasversale come un volo: sì, il buio lo avrebbe risarcito. Italia era sotto terra, e la terra era passata tra le mie mani, era scivolata nel rastrello delle dita, fresca e grumosa. Ora lei era sepolta, e con lei, Angela, il tempo effimero dell'amore.

Vidi un'ombra, scura come quella di un uccello. Una figura contadina stazionava, pochi metri più in là, seminascosta, oltre il muro dei loculi che divideva il cimitero. Era un uomo vecchio, minuscolo come un bambino. Se ne stava immobile con un cappello in mano. Poco prima non c'era, quando mi ero chinato a raccogliere la terra, o forse non lo avevo notato. Sembrava venuto fuori dal nulla. I suoi occhi si fermarono nei miei senza curiosità, come se già mi conoscesse. Tornai nel mio verso, ma ugualmente rimasi col pensiero di quello sguardo infisso nella mia nuca. Allora mi ricordai della fotografia in camera di Italia, quell'uomo giovane in quella foto gialla. Suo padre, il suo primo aguzzino. Mi voltai di nuovo, adesso con l'intenzione di muovermi, di andargli vicino. Ma non c'era più, c'era il soffio del vento che mulinava oltre il muro dei loculi, e il nero dello sfondo dove non si distingueva più nulla. Forse non era lui, forse era un visitatore curioso. Ma io lo perdonai, Angela, e intanto perdonavo mio padre.

Nessuna stele segnalava la presenza di Italia. Il becchino si era messo d'accordo con il custode del cimitero per una lapide semplice, senza fregi, che comunque non sarebbe stata pronta prima di una decina di giorni. Mi passò un blocchetto di carta a quadretti e una biro.

«Cosa vuole scrivere?»

Non scrissi altro che il suo nome, bucando la carta con la punta della biro. Non c'era più niente da fare, si guardava quella fossa riempita in attesa che qualcuno si decidesse ad andarsene per primo. Il becchino si fece il segno della croce, e si mosse. Adagio, lo storpio lo seguì. Non avevo gesti da compiere, né pensieri speciali. Pensai che un giorno avrei ricordato quel momento, lo avrei riempito di qualcosa che non c'era. Nel ricordo avrei trovato il modo di rendere solenne ciò che ora appariva inutile. Raccolsi una manciata di terra, credetti per infilarmela in tasca, per farla frusciare attraverso le dita come cenere, invece me la spinsi tra i denti. Masticai terra, Angela, e forse non mi resi conto di farlo. Cercavo un gesto per salutarla, e non trovai di meglio che smerdarmi la bocca. Sputai, poi con il dorso della mano mi strofinai via quello che restava dalle labbra, dalla lingua.

Il becchino aveva pagato con i miei assegni tutto quello che c'era da pagare e ora tornava. Lo aspettavo davanti al cimitero ormai chiuso, appoggiato al muro di cinta, guardavo lo strapiombo in basso punteggiato dalle luci fisse delle abitazioni e attraversato da quelle in movimento delle auto. Riconobbi i suoi passi alle mie spalle, era ormai buio. Si appoggiò anche lui a quel muro. Tirò fuori dal taschino della giacca la bustina di zucchero che si era portato via dall'autogrill. Strappò e se la svuotò nella bocca. Mi era così accosto che sentii il rumore dei granelli sotto i suoi denti, uno sfrigolio che mi fece rabbrividire. Mosse la lingua nel palato per assaporare quel dolce che ora doveva essersi fuso, amalgamato con le sue mucose. Guardò in basso dove guardavo io, il buio strapiombo dove galleggiavano le luci.

«Non lo so» disse.

«Cosa?»

«È ingiusto morire.»

Deglutì l'ultimo sorso di saliva zuccherata.

«Eppure è giusto.»

Guardai verso il cimitero. Non sente più dolore, pensai. E quello fu un buon pensiero.

Ada è ferma davanti a me, vicinissima. Io sono davanti a quello strapiombo come quindici anni fa. Tu sei lì, nel nero, una di quelle luci che tremolano in basso. Non so perché ti ho portato fin qui, Angela. Ma so che adesso sono in piedi su quel muro, e tu sei al mio fianco, ti stringo come un ostaggio. *Eccola, Italia, questa è mia figlia, questa è quella che è nata. E tu alza la testa, Angela, fatti vedere, di' ciao alla signora, di' ciao a quella regina. Mi somiglia, vero, Italia? Ha quindici anni, ha il sedere un po' grosso, è stata magra magra, e adesso da un anno ha il sedere un po' grosso. È l'età. È una che mangia fuori pasto, e non si allaccia il casco. Non è perfetta, non è speciale, è una come tante. Una a caso nel mondo. Ma è mia figlia, è Angela. È tutto quello che ho. Guardami, Italia, siediti su questa sedia vuota che ho dentro, e guardami. Davvero sei venuta a riprendermela? Non ti muovere, voglio dirti una cosa. Voglio dirti cosa è stato. Quando tornai indietro e ripresi le orme che avevo lasciato. Non avevo più emozioni, non avevo dolore, non avevo conforto. Ma Angela è stata più forte di me, più forte di te. Voglio dirti cos'è l'odore di un neonato in una casa, è qualcosa di buono che si attacca alle pareti, si attacca dentro. Mi avvicinavo alla sua culla, e restavo lì, accanto a quella testa sudata. Si svegliava e già rideva, si succhiava un piede. Mi guardava fissa con lo sguardo sfondato dei neonati. Mi*

guardava come te. Era come una stufa, era benefica. Era
nuova e crocchiante, era un regalo. Era la vita. E io non
avevo il coraggio di stringerla. Un aereo sta passando nel
cielo, tra poco atterrerà. C'è una donna che piange, lì so-
pra. Una donna di cinquantatré anni, un po' ingrassata,
con una piccola borsa di pelle sotto il mento, quella è mia
moglie. Il suo odore è invecchiato nel mio naso. Sta guar-
dando una nuvola, sta guardando sua figlia. Taglia quella
nuvola, Italia, tagliala come una cicogna. Restituiscimi
Angela.

«Professore...»

Mi alzo in piedi, e non mi sono mai alzato nella vita.

«Stiamo chiudendo.»

«I parametri?»

«Normali.»

Ho il cuore che vuole uscire dalle guance, il singhiozzo nelle mani. E sto facendo un po' di pipì.
Prendo un braccio di Ada e lo stringo, è l'ultimo pezzo di silenzio.

Poi è il caos delle emozioni, dei rumori che tornano tutti insieme. Tornano le voci, i camici, le porte
che si aprono. Alfredo ha il camice sporco di sangue.
È la prima cosa che vedo. S'è tolto i guanti, ha le mani bianche. Con quelle mani mi viene incontro.

«Ci ho messo un po' di più, ho avuto dei problemi
con la dura, si è contratta, ha sanguinato troppo, ho
faticato a coagulare.»

Ha la cuffia fradicia, i segni della mascherina intorno alla bocca, e una faccia da matto. Parla svelto,
s'impappina.

«Speriamo che non ci sia una lesione assonale dif-
fusa, che nell'impatto la compressione del cervello
non sia stata devastante...»

Annuisco con il respiro.

«La state valutando?»

«Sì, ho detto a Ada di provare a superficializzarla, ci vorrà un po' di tempo.»

La tua testa bendata scivola sotto verso la rianimazione. L'infermiere spinge la barella adagio, con cautela. Ora sei tra queste pareti di vetro. Guardo i tuoi occhi chiusi, e il lenzuolo che si muove sul tuo petto. Guardo se respiri. Ada ti ha staccato dal respiratore, ti ha tolto l'anestetico, sta cercando di riportarti un po' a galla per vedere che succede. Si muove intorno a te, ai tuoi tubi, con una premura speciale. È pallida, tirata, ha le labbra secche. «Vada» sussurro. Obbedisce a malincuore. Ora sei di nuovo con me, Angela. Siamo soli. Ti carezzo il braccio, la fronte, carezzo tutta la pelle libera che hai. La tua testa è posata su questo sostegno a forma di Krapfen, è necessario che tu rimanga così. I muscoli del collo devono restare tesi per evitare ogni compressione del circolo venoso. Bisogna che la testa rimanga sopra il livello del cuore. Hai le orecchie marroni di disinfettante, un po' di asfalto nelle guance, non ti preoccupare, quello viene fuori da solo, il resto te lo tolgo io con il laser. Per la testa ti compro un cappello. Ti compro cento cappelli. I tuoi amici ti verranno a trovare, ti troveranno buffa con questa benda. Ti invidieranno perché salti la scuola. Ti porteranno la musica sul letto. Ti porteranno anche una sigaretta. Te la porterà quello piccolo, quello stronzetto con i capelli rasta, quello che ti arriva alla spalla. È il tuo fidanzatino quello? Mi piace, mi piacciono i suoi capelli. Mi piace tutto quello che piace a te. Affitterò i pattini, sai. Neri, pieni di ruote come i tuoi. Voglio pattinare con te sui viali nelle domeniche ecologiche. Voglio cadere, voglio farti ridere. Hai uno strano singhiozzo nel petto. Ti riattacco al respiratore, non ti muovere. Invece ti muovi. Mi stringi la mano.

«Mi senti? Se mi senti, apri gli occhi, amore. Sono io, sono papo.»

E tu li apri, li apri senza fatica, come se fosse semplice semplice. Snudi il bianco e il nero degli occhi e mi guardi.

Ada mi arriva alle spalle:

«Cosa c'è?» Forse non se n'è accorta, ma ha gridato. Non smetto di guardarti, di sorridere nel bagnato.

«Ha reagito» dico, «mi ha stretto un dito.»

«Potrebbe essere solo un riflesso di prensione forzata...»

«No, ha aperto anche gli occhi.»

Alfredo si è cambiato. Si è lavato, si è pettinato. Sembra un atleta che ha vinto una gara. Ha cuffie di plastica sulle scarpe da fuori.

«La pressione endocranica, l'anemia acuta, l'arresto cardiaco... non pensavo davvero.»

«Lo so.»

«Ho sperato.»

«Hai sperato bene.»

Si curva su di te, ti stimola, controlla le tue reazioni. Tu apri gli occhi un'altra volta. E ora mi sembra di riconoscere il tuo sguardo buffo, indolente. Alfredo controlla i farmaci sulla tua scheda, è meglio tornare a darti un po' di anestetico, per le prime ventiquattr'ore bisogna lasciarti tranquilla. Poi se ne va, per come è lui, brusco, senza salutare nessuno. Torna alla sua vita da separato, a quella casa che un filippino riordina quando lui non c'è. I colleghi della rianimazione non lo guardano andar via, curvi sul registro delle presenze, discutono i turni. Ada sola lo segue con gli occhi, gli sorride. Non era di guardia, eppure è tornato per operarti. Forse lo ha fatto perché è stata lei a chiederglielo.

C'è tua madre nel vetro. Il suo cappotto, la sua borsa, la sua faccia. Tua madre che odia gli ospedali, che non sa come sono fatti, che non è mai entrata in un reparto di rianimazione. C'è una tenda di plastica bianca tirata da una parte, lei è lì accanto. Sta guardando te. Forse è già qui da un po'. Ho mosso gli occhi e l'ho trovata, per caso, pensavo fosse un'infermiera. È bassa, è spettinata, è vecchia. E sai cos'è, Angela? Sai cos'è, con quella faccia da nonna? È una madre che guarda attraverso il vetro di una nursery. È esattamente così. Una madre in vestaglia, con il seno dolorante di latte, che guarda il suo neonato, la sua scimmia rossa. Ha quegli occhi lì, di una con la pancia floscia e vuota che spia la carne che è uscita da lei. Non è triste, è ebete. Non entra, resta lì. Mi alzo e vado da lei. La stringo, è un fagotto che trema. È odore di casa in questo deserto di ammonio.

«Come sta?»

«È viva.»

L'aiuto a infilarsi un camice, la mascherina, le cuffie di cellophane per le scarpe, quella di carta per la testa. Si abbassa su di te e ti guarda da vicino. Guarda il bendaggio, gli elettrodi sul tuo seno, i tubi nel tuo naso, nelle tue vene, il catetere.

«Posso toccarla?»

«Certo che puoi.»

Ti tocca prima una sua lacrima. Ti cade sul seno, lei la ferma con un dito.

«Ma non sente freddo così nuda?»

«La temperatura è costante qui dentro.»

«Allora sente?»

«Certo.»

«Non è in coma?»

«No, sedata. È in coma farmacologico.»

Annuisce con la bocca aperta:

«Ah... ecco...»

293

La stringo ancora. È piccola, è storta. La sorte le è passata sopra come un bulldozer.

«Ho sperato tutto il tempo che l'aereo cadesse. Non volevo vederla morta.»

Poi non dice più niente.

Ora è seduta accanto a te. Si è un po' ripresa. È meno spaventata, meno tonta. È una medusa palpitante. Perché tra voi è tornata la vostra acqua amniotica. Lo sento, state già galleggiando l'una verso l'altra in questo silenzio. Stanotte la sua testa franerà sul collo, ma non ti lascerà la mano. E domani saprà esattamente cosa fare per te. Sarà più brava di me, di Ada, di chiunque. Sarà lei a curarti, a interpretare i segni della tua ripresa. Controllerà i monitor, le flebo, ti darà da bere col cucchiaino, assisterà alle medicazioni. Non alzerà il culo da quella sedia. Dimagrirà accanto a te e ti riporterà a casa. E quando ti ricresceranno i capelli, lei taglierà i suoi. E quest'estate vi farete una foto con i capelli corti e gli occhiali da sole, come due sorelle.

Ti lascio a lei. Vi lascio vive, attaccate. Come quindici anni fa in quella clinica.

«Torno tra un po'» e le bacio la testa.

Adesso sono io che vi guardo oltre il vetro, accanto alla tenda di plastica.

Non mi chiese mai nulla di quell'assenza, fece come se non mi fossi mai mosso. Ti infilammo dentro il porte-enfant e ce ne andammo a casa. E quando ti cadde il cordone, tornammo in quella pineta e lo lasciammo nella forca di un tronco, per portarti fortuna. Io la amo, Angela. La amo per come è stata, e per come siamo. Due vecchi podisti in marcia verso un traguardo di polvere.

Piove appena. Acqua vaporizzata che pare pulviscolo umido. Ho aperto l'armadietto, mi sono spogliato, mi sono rivestito. Ho camminato e poi sono entrato in questa caffetteria moderna, piena di tavoli che si riempiono nella pausa di pranzo. Adesso è quasi vuota. Guardo i tramezzini, quelli che sono rimasti. Mi siedo accanto alla porta, accanto all'aria. Ho il tuo anello al medio, è entrato, non so quando, ma è entrato, e adesso non riesco più a sfilarlo. Piove. Sotto la pioggia in un angolo di questa città ho amato Italia per l'ultima volta. Quando piove, ovunque lei sia, sono certo che rimpiange la vita. Faceva parte di me come una coda preistorica, qualcosa mutilato dall'evoluzione, qualcosa di cui conservo l'alone, come una misteriosa presenza nel vuoto. Ho fame. Una ragazza sta venendo verso di me per prendere l'ordine. Ha un viso schiacciato, un grembiule a righe, un vassoio sotto il braccio. È l'ultima donna di questa storia.

Margaret Mazzantini

in Piccola Biblioteca Oscar

Zorro

Un eremita sul marciapiede

Nato come monologo teatrale portato sulle scene da Sergio Castellitto, un testo che scandaglia la vita e la personalità di un barbone romano: le sue riflessioni sul mondo dei "cormorani", i suoi ricordi della vita "normale", la sua lotta per conservare la dignità di essere umano, il suo desiderio di innamorarsi...

(n. 380), pp. 84, cod. 453516, € 6,50

Margaret Mazzantini

in Oscar Bestsellers

margaret mazzantini

manola

L'autrice di "Non ti muovere"

Manola

Ortensia, spettrale e nerovestita, e Anemone, raggiante e coloratissima: due gemelle diversissime, una introversa, l'altra estroversa; una infelice, l'altra piena di gioia di vivere. Due opposti archetipi femminili, o l'incarnazione del doppio volto della donna di oggi? E Manola chi è? Da una grande autrice italiana, un romanzo esilarante, visionario, vero e intenso come una confessione.

(n. 1011), pp. 252, cod. 447213, € 8,40

«Non ti muovere»
di Margaret Mazzantini
Oscar bestsellers
Arnoldo Mondadori Editore

Questo volume è stato stampato
presso Mondadori Printing S.p.A.
Stabilimento NSM - Cles'(TN)
Stampato in Italia - Printed in Italy

N014689

53658
2006